**SEMINAIRES
DU CENTRE DE DEVELOPPEMENT**

L'AMÉRIQUE LATINE, LA RÉGION DES CARAÏBES ET L'OCDE

Dialogue sur la réalité économique et les politiques possibles

SOUS LA DIRECTION DE
ANGUS MADDISON

CENTRE DE DÉVELOPPEMENT
DE L'ORGANISATION DE COOPÉRATION ET DE DÉVELOPPEMENT ÉCONOMIQUES

Also available in English under the title:

LATIN AMERICA,
THE CARIBBEAN AND THE OECD

A Dialogue on Economic Reality
and Policy Options

 LES IDÉES EXPRIMÉES ET LES FAITS EXPOSÉS DANS CETTE PUBLICATION LE SONT SOUS LA RESPONSABILITÉ DE L'AUTEUR ET NE REPRÉSENTENT PAS NÉCESSAIREMENT CEUX DE L'OCDE

Un séminaire sur «L'économie mondiale dans les années 80 : Perspectives pour l'Amérique latine et les Caraïbes» s'est tenu à Paris, au Centre de Développement de l'OCDE, du 20 au 22 juin 1985. Il a été organisé en collaboration avec la Commission Economique des Nations Unies pour l'Amérique latine et les Caraïbes (CEPALC) et le Centre d'Etudes Prospectives et d'Informations Internationales (CEPII).

Cet ouvrage est le résultat des travaux du séminaire.

Également disponible

PERSPECTIVES ÉCONOMIQUES DE L'OCDE N° 39 – MAI 1986 (mai 1986)

(12 86 39 2) ISBN 92-64-22819-5   228 pages   F70.00   £7.00   US$14.00   DM30.00
Abonnement 1986 (N° 39 mai et N° 40 décembre)
ISSN 0304-3274   F130.00 £13.00   US$26.00   DM58.00

REVUE ÉCONOMIQUE DE L'OCDE N° 6 – PRINTEMPS 1986 (juin 1986)
- Flexibilité du marché du travail
- Dynamique des prix et concurrence dans cinq pays de l'OCDE
- L'offre dans le modèle macro-économique de l'OCDE
- Structures des prix internationaux et parités de pouvoir d'achat

(13 86 01 2) ISBN 92-64-22825-X   180 pages   F80.00   £8.00   US$16.00   DM36.00
Abonnement 1986 (N° 6 – Printemps et N° 7 – Automne)
ISSN 0255-0830   F140.00 £14.00   US$28.00   DM62.00

FINANCEMENT ET DETTE EXTÉRIEURE DES PAYS EN DÉVELOPPEMENT – ÉTUDE 1985 (juillet 1986)

(43 86 03 2) ISBN 92-64-22853-5   244 pages   F95.00   £9.50   US$19.00   DM42.00

VINGT-CINQ ANS DE COOPÉRATION POUR LE DÉVELOPPEMENT. UN EXAMEN. RAPPORT 1985. Efforts et politiques poursuivis par les Membres du Comité d'Aide au Développement. Rapport par Rutherford M. Poats, Président du Comité d'Aide au Développement (janvier 1986)

(43 85 01 2) ISBN 92-64-22780-6   374 pages   F170.00 £17.00   US$34.00   DM76.00

DEUX CRISES. L'AMÉRIQUE LATINE ET L'ASIE – 1929-38 ET 1973-83, par Angus Maddison (novembre 1985)

(41 85 03 2) ISBN 92-64-22771-7   144 pages   F70.00   £7.00   US$14.00   DM31.00

Prix de vente au public dans la librairie du Siège de l'OCDE.

*LE CATALOGUE DES PUBLICATIONS et ses suppléments seront envoyés gratuitement
sur demande adressée à l'OCDE, soit au Service des Publications, Division des Ventes et Distribution,
2, rue André-Pascal, 75775 PARIS CEDEX 16, soit au dépositaire des publications
de l'OCDE de votre pays.*

TABLE DES MATIÈRES

Avant-propos 7

Première Partie

PROBLÈMES D'AMÉRIQUE LATINE

Chapitre 1. Analyse comparative des résultats obtenus et des politiques économiques suivies par l'Amérique latine et les pays de l'OCDE de 1938 à 1985, par Angus Maddison . 11

Chapitre 2. Développement et crise en Amérique latine de 1950 à 1984 par le Secrétariat de la CEPALC 29

Chapitre 3. Scénarios à moyen terme pour l'avenir de l'Amérique latine par Juan C. Sanchez-Arnau 71

Résumé des débats portant sur les perspectives économiques des pays de l'OCDE et leurs conséquences pour l'Amérique latine 89

Deuxième Partie

PROBLÈMES D'AMÉRIQUE CENTRALE ET DES CARAÏBES

Chapitre 4. La situation de la région des Caraïbes, par le Secrétariat de la CEPALC 95

Chapitre 5. L'Amérique centrale : bases d'une reprise de l'activité et du développement, par le Secrétariat de la CEPALC 122

Résumé des débats portant sur la région des Caraïbes et l'Amérique centrale 137

Troisième Partie

ÉCHANGES ET ENDETTEMENT

Chapitre 6. La dynamique des échanges mondiaux : une mise en perspective, par Yves Berthelot, Véronique Kessler et Jean Pisani-Ferry 143

Chapitre 7. Le problème du transfert latino-américain dans une perspective historique, par Helmut Reisen 158

Chapitre 8 Une solution internationale possible du problème de la dette extérieure, par Jorge Gonzalez del Valle 166

Résumé du débat au sujet des échanges et l'endettement 172

Liste des participants 175

AVANT-PROPOS

Depuis 1982, l'Amérique latine tout entière est atteinte par une crise qui, sous l'angle de la production, n'a pas d'autre précédent historique que la dépression mondiale des années 1929 à 1932. A l'époque, la contraction du revenu réel s'accompagnait d'une chute des prix. Depuis 1982, elle est allée de pair avec une inflation galopante et, dans certains pays, une hyperinflation.

Il est clair que cette situation avait pour cause immédiate la crise de l'endettement, qui mettait un terme à l'afflux de capitaux qui avait permis à l'Amérique latine de poursuivre sa croissance au cours des années 70. Ses causes profondes sont plus complexes, variables d'un pays à l'autre et plus discutables d'un point de vue analytique.

Dans ces conditions, il convient d'analyser les origines à plus long terme de cette crise, d'apprécier les perspectives de croissance économique et d'examiner les aspects de notre ordre économique international qui se trouvent mis en cause.

Ce sont ces problèmes qu'abordent les études reprises dans le présent volume, fruits d'un séminaire organisé en juin 1985 par le Centre de Développement de l'OCDE, conjointement avec la Commission Economique des Nations Unies pour l'Amérique latine et les Caraïbes (CEPALC) et le Centre d'Etudes Prospectives et d'Informations Internationales (CEPII). Ce séminaire est lui-même la suite d'un premier séminaire ayant eu lieu en octobre 1984 (parmi les études réalisées à cette occasion, certaines ont été publiées par C.I. Bradford Jnr., sous le titre *Europe and Latin America in the World Economy,* New Haven, Connecticut, Yale Center for International and Area Studies, 1985). Lors du second séminaire, une importante innovation a été la place accordée à l'évolution de l'Amérique centrale et de la région des Caraïbes, comme le montrent les deux études figurant dans la deuxième partie de ce volume, ainsi que le compte-rendu du vif débat auquel elles ont donné lieu.

Par l'organisation de ces séminaires, le Centre de Développement s'acquitte de deux de ses fonctions les plus importantes : faire circuler des idées et favoriser le dialogue entre les pays de l'OCDE et ceux du Tiers-Monde.

Nous avons bénéficié de la coopération de la Commission économique des Nations Unies pour l'Amérique latine et les Caraïbes (CEPALC), qui était représentée au plus haut niveau et qui a fourni un certain nombre d'études de fond, dont trois figurent dans le présent volume après remaniement.

Parmi les participants figuraient d'éminentes personnalités et des chercheurs exerçant leur activité dans ce domaine, tant en Amérique latine qu'en Europe et au Japon, des membres du Secrétariat de l'OCDE, des représentants de pays Membres de l'OCDE et des principaux organismes internationaux qui traitent de l'Amérique latine, dont la Banque interaméricaine de développement (qui présentait une étude de fond, ultérieurement incluse dans son rapport annuel pour 1985), la Banque mondiale, la Communauté européenne, le siège des Nations Unies et l'Istituto Italo-Latino Americano (auteur d'une étude de fond incorporée dans le présent volume après remaniement).

Ce volume comprend également une étude consacrée aux problèmes des échanges par le CEPII (Centre d'études prospectives et d'informations internationales), qui participait à l'organisation de nos deux séminaires.

Comme le montrent les résumés, le problème de l'endettement était au premier plan des débats du séminaire. Tout comme dans le volume précédent, nous avons inclus ici les propositions d'un auteur latino-américain au sujet d'éventuelles innovations dans ce domaine, ainsi qu'une étude réalisée par nos propres collaborateurs et situant le problème du transfert dans une perspective historique.

A la suite du séminaire, le responsable de la publication a rédigé une étude introductive, comparant les politiques et les résultats économiques des principaux pays d'Amérique latine et de l'OCDE entre 1938 et 1985.

Louis Emmerij
Président du Centre de Développement de l'OCDE
mai 1986

Première Partie

PROBLÈMES D'AMÉRIQUE LATINE

Chapitre 1

ANALYSE COMPARATIVE DES RÉSULTATS OBTENUS ET DES POLITIQUES ÉCONOMIQUES SUIVIES PAR L'AMÉRIQUE LATINE ET LES PAYS DE L'OCDE DE 1938 A 1985

par

Angus MADDISON

Croissance du PIB

Au cours du demi-siècle écoulé, l'Amérique latine a connu une puissante croissance économique. De 1938 à 1950, alors que l'Europe et le Japon étaient absorbés par la guerre et la reconstruction, la croissance de l'hémisphère occidental était très rapide, ses termes de l'échange s'amélioraient, tandis que les problèmes d'endettement hérités des années 30 étaient réglés à l'amiable, sur une base favorable aux débiteurs. L'âge d'or que connaissaient durant l'après-guerre (1950-73) l'Europe et le Japon était presque aussi brillant pour l'Amérique latine, sous l'angle de la croissance du PIB. Après le ralentissement de la croissance qui a suivi, dans les pays de l'OCDE, le choc pétrolier de 1973-74, l'Amérique latine maintenait la sienne à un taux élevé, grâce à des prêts extérieurs considérables qui lui permettaient de faire face à ses obligations de paiement, et aussi parce que les pouvoirs publics y étaient davantage disposés qu'ils ne l'étaient dans les pays de l'OCDE à s'accommoder de tensions inflationnistes.

En 1980, l'Amérique latine avait derrière elle quatre décennies de croissance plus rapide, et aussi plus régulière, que celle des pays de l'OCDE. Au cours de la période allant de 1938 à 1980, le Brésil, la Colombie et le Mexique n'avaient jamais subi une baisse annuelle de leur PIB et parmi les huit pays latino-américains que comprend notre échantillon, seuls l'Argentine, le Chili et l'Uruguay avaient vu leur croissance sérieusement interrompue. Si notre échantillon ne comprend que 8 des 30 pays que compte cette région, il couvre 81 pour cent de sa population, ce qui lui assure une certaine représentativité.

Depuis le second choc pétrolier, la situation de l'Amérique latine s'est modifiée de façon saisissante. Tandis que les pays-vedettes – Brésil, Colombie et Mexique – voyaient leur croissance sérieusement freinée, l'Argentine, l'Uruguay et le Venezuela subissaient des reculs sensibles. Sous l'angle du PIB, les années 1980 à 1985 étaient bien plus mauvaises pour l'Amérique latine que la période de guerre et de reconstruction ne l'avait été pour l'Europe. Dans presque tous les cas, ce qui expliquait le recul, c'était essentiellement l'arrêt des prêts extérieurs volontaires, consécutif à la crise de l'endettement.

Si le second choc pétrolier ralentissait également la croissance des pays de l'OCDE, il le faisait dans tous les cas bien moins qu'en Amérique latine. Par voie de conséquence, le bilan de

11

Tableau 1. CROISSANCE DU PIB RÉEL

	1938-50	1950-73	1973-80	1980-85	Coefficient de multiplication 1938-85
	Taux de croissance annuel moyen composé				
Argentine	2.9	3.5	2.1	−2.3	3.2
Brésil	5.1	7.3	7.0	1.6	15.8
Chili	3.9	3.7	3.4	−0.3	4.5
Colombie	3.8	5.2	5.0	2.1	7.8
Mexique	6.2	6.7	6.4	1.9	15.4
Pérou	4.3	5.1	3.0	−0.6	6.2
Uruguay	3.0	1.8	4.5	−3.5	2.5
Venezuela	7.4	6.7	4.1	−1.8	12.7
Moyenne	4.6	5.0	4.4	−0.4	8.5
France	1.5	5.1	2.8	1.2	4.9
Allemagne	−0.4	6.0	2.3	1.0	4.5
Japon	−2.7	9.7	3.8	4.2	9.1
Pays-Bas	2.9	4.8	2.3	0.5	5.0
Royaume-Uni	1.6	3.0	0.9	1.9	2.8
Etats-Unis	5.0	3.7	2.2	2.4	5.5
Moyenne	1.3	5.4	2.4	1.9	5.3

Sources: Amérique latine 1938-80 d'après Maddison *Deux crises : L'Amérique latine et l'Asie 1929-38 et 1973-83*, Paris, OCDE, 1985 sauf en ce qui concerne le Pérou, l'Uruguay et le Venezuela ; 1938-50 d'après CEPALC *Series Historicas del Crecimiento de América Latina*, 1978 ; 1950-80 selon Banque mondiale, *World Tables*, 1983 ; 1980-85 pour tous les pays d'Amérique latine selon CEPALC, *Preliminary Overview of the Latin American Economy 1985.* Pour les pays de l'OCDE, 1938-50 selon Maddison *Phases of Capitalist Development*, Oxford, 1982 ; 1950-84 selon Division statistique de l'OCDE ; 1984-85 selon *Perspectives économiques de l'OCDE*, décembre 1985.

la croissance du PIB est moins favorable à l'Amérique latine lorsqu'on l'établit à partir de 1985 que lorsqu'on prend pour base 1980 ; néanmoins, le taux de progression moyen, calculé sur la période 1938-85, reste nettement plus élevé pour l'Amérique latine que pour les pays de l'OCDE (cf. tableau 1).

Croissance du PIB par habitant

Calculés par tête d'habitant, les résultats obtenus par l'Amérique latine sont beaucoup moins impressionnants (cf. tableau 2). Si durant la guerre et au cours de la période 1973-80, son PIB par habitant progressait plus vite que celui des pays de l'OCDE, il n'en était pas de même entre 1950 et 1973 et encore moins entre 1980 et 1985, où il chutait de 2.4 pour cent par an, alors que dans les pays de l'OCDE il progressait en moyenne de 1.5 pour cent par an.

Alors que de 1938 à 1985, l'Amérique latine multipliait son produit par habitant par 2.6, les pays de l'OCDE faisaient mieux, le multipliant par 3.5. Le champion de l'OCDE (le Japon) battait celui de l'Amérique latine (le Brésil), tandis que sa lanterne rouge (le Royaume-Uni) l'emportait sur celles de l'Amérique latine (Argentine, Uruguay et Chili).

Progression démographique

Si l'évolution du PIB de l'Amérique latine diffère de celle de son PIB par habitant, c'est, bien entendu, du fait que sa population comme celle du Tiers-Monde en général, progressait beaucoup plus rapidement que celle des pays de l'OCDE. De 1938 à 1985, la population de l'Amérique latine triplait, alors que dans notre groupe de pays de l'OCDE elle connaissait une progression bien plus modeste, qui l'accroissait de moitié (cf. tableau 3). Le seul pays latino-américain dont la progression démographique se rapprochait de la moyenne de l'OCDE

Tableau 2.   CROISSANCE DU PIB PAR HABITANT

	1938-50	1950-73	1973-80	1980-85	Coefficient de multiplication 1938-85
	Taux de croissance annuel moyen composé				
Argentine	1.3	1.8	0.5	−3.8	1.5
Brésil	2.5	4.2	4.5	−0.6	4.6
Chili	1.9	1.5	1.6	−2.1	1.8
Colombie	1.3	2.2	2.3	−0.1	2.4
Mexique	3.0	3.4	3.3	−0.7	3.7
Pérou	2.5	2.3	0.3	−3.1	2.3
Uruguay	2.7	0.8	3.7	−4.2	1.7
Venezuela	4.3	2.9	0.7	−4.6	2.6
Moyenne	2.4	2.4	2.1	−2.4	2.6
France	1.5	4.1	2.3	0.7	3.7
Allemagne	−1.7	5.0	2.4	1.2	3.1
Japon	−3.9	8.4	2.8	3.5	5.7
Pays-Bas	1.6	3.5	1.5	0.0	3.0
Royaume-Uni	1.1	2.5	0.9	1.8	2.3
Etats-Unis	3.7	2.2	1.1	1.5	3.0
Moyenne	0.4	4.3	1.8	1.5	3.5

Sources :   Cf. Tableaux 1 et 3.

Tableau 3.   CROISSANCE DÉMOGRAPHIQUE

	1938-50	1950-73	1973-80	1980-85	Coefficient de multiplication 1938-85
	Taux de croissance annuel moyen composé				
Argentine	1.6	1.6	1.6	1.6	2.2
Brésil	2.6	2.9	2.4	2.2	3.4
Chili	2.0	2.1	1.7	1.6	2.5
Colombie	2.4	2.9	2.6	2.2	3.3
Mexique	3.1	3.2	3.0	2.6	4.1
Pérou	1.8	2.6	2.7	2.6	2.7
Uruguay	0.5	1.0	0.7	0.7	1.4
Venezuela	3.0	3.7	3.4	2.9	4.8
Moyenne	2.1	2.5	2.3	2.1	3.1
France	0.0	1.0	0.5	0.5	1.3
Allemagne	1.3	0.9	−0.1	−0.2	1.4
Japon	1.3	1.2	1.0	0.7	1.6
Pays-Bas	1.3	1.2	0.7	0.5	1.7
Royaume-Uni	0.5	0.5	0.0	0.1	1.2
Etats-Unis	1.3	1.4	1.0	1.0	1.8
Moyenne	1.0	1.0	0.5	0.4	1.5

Sources: Amérique latine 1938 selon *Annuaire démographique* des Nations Unies, 1951 ; 1950-80 selon Banque mondiale, *World Tables*, Johns Hopkins, Baltimore, 1983 ; 1980-85 dérivé des chiffres du PIB par habitant publiés par la CEPALC, in *Preliminary Overview of the Latin American Economy 1985*. Autres pays : 1938-73 selon Maddison *op. cit.* (1982), années ultérieures selon OCDE, *Statistiques de la population active*.

était l'Uruguay. Dans tous les autres, elle était bien plus rapide ; au Mexique et au Venezuela, elle était extrêmement forte, même par rapport à l'ensemble du Tiers-Monde.

Si le taux de natalité a baissé et si la progression démographique s'est ralentie au cours des années 70 et 80, ce phénomène a été moins marqué que dans les pays de l'OCDE. Il s'ensuit que l'écart des taux de progression est désormais de 5 à 1, celui de l'Amérique latine s'établissant en moyenne à plus de 2 pour cent par an, alors que dans nos six pays de l'OCDE (qui comprennent quelque 68 pour cent de sa population totale) il n'est que de 0.4 pour cent. Il est vrai que l'Amérique latine traverse une période de «transition démographique» qui est désormais révolue pour les pays de l'OCDE ; il n'en reste pas moins qu'à l'exception des Etats-Unis – pays d'immigration – aucun des pays compris dans notre échantillon n'a jamais connu une progression démographique comparable, même de très loin, aux taux latino-américains. La rapidité de cette progression n'a pas seulement ralenti la croissance du PIB par habitant, mais a compliqué les problèmes sociaux posés par l'emploi, le logement et la répartition du revenu. Si par le passé les gouvernements latino-américains n'ont généralement pas fait du contrôle des naissances un élément de leur stratégie du développement, on peut déceler des signes d'un changement d'attitude à cet égard.

Mutations structurelles

Au cours de l'après-guerre, la structure de la production et de l'emploi a subi en Amérique latine d'importantes mutations. En 1950, l'agriculture y occupait en moyenne près de la moitié de la population active, sa part allant de 60 pour cent au Brésil et au Mexique à

Tableau 4. RÉPARTITION DE L'EMPLOI PAR SECTEURS DANS LES ANNEES 50 et 80

	1950			1981		
	A	I	S	A	I	S
Argentine	25	31	44	13	28	59
Brésil	60	18	22	30	24	46
Chili	36	30	34	19	19	62
Colombie	57	18	25	26	21	53
Mexique	61	17	22	36	26	38
Pérou	58	20	22	40	19	41
Uruguay	21	28	51	11	32	57
Venezuela	43	21	36	18	27	55
Moyenne	45	23	32	24	25	51

	1950			1984		
	A	I	S	A	I	S
France	28	35	37	8	32	60
Allemagne	22	43	35	5	41	54
Japon	48	23	29	9	35	56
Pays-Bas	14	40	46	5[a]	27[a]	68[a]
Royaume-Uni	5	47	48	3	32	65
Etats-Unis	13	33	54	3	28	69
Moyenne	22	37	41	5	33	62

a) 1983.

Sources: Amérique latine 1950 selon CEPALC, *Statistical Yearbook for Latin America 1984*, Santiago ; 1981 selon Banque mondiale, *Rapport sur le développement de l'économie mondiale en 1985*, Washington, D.C. Autres pays, 1950 selon Maddison *op. cit.* (1982), 1984 selon OCDE, *Statistiques de la population active*, Paris. Le secteur A comprend l'agriculture, la sylviculture et la pêche ; le secteur I comprend les industries extractives et manufacturières, le bâtiment, le gaz, l'électricité et l'eau ; le secteur S couvre les autres activités.

environ un quart en Argentine et Uruguay. En 1981, elle n'assurait plus, en moyenne, que le quart de l'emploi total (cf. tableau 4).

Ce recul de l'agriculture avait pour contrepartie une progression des services, dont la part dans l'emploi total passait en moyenne de moins d'un tiers à plus de la moitié. Malgré l'importance attribuée à l'industrialisation, la part de l'industrie augmentait à peine, s'établissant à 25 pour cent en 1981 contre 23 pour cent en 1950, soit trente ans auparavant.

Tous les pays de l'OCDE connaissaient une évolution analogue, les services progressant au détriment de l'agriculture ; toutefois, en général, la part de l'emploi industriel reculait également.

Ce qui est frappant, c'est que certains pays latino-américains voyaient eux aussi baisser la part de l'industrie dans l'emploi total. Il était ainsi de l'Argentine, du Chili et du Pérou. Toutefois, cette baisse s'effectuait à partir d'un niveau inférieur à celui que l'on observait dans les pays de l'OCDE en cours de désindustrialisation. Il est vrai également qu'en 1981 la part de l'emploi industriel était bien plus faible en Amérique latine qu'elle ne l'avait été dans les pays de l'OCDE en 1950, alors qu'à ces dates le revenu réel par habitant était du même ordre dans ces deux zones. En 1981, seul un quart de l'emploi était assuré en Amérique latine par l'industrie, alors que sa part était de 37 pour cent en 1950 dans les pays de l'OCDE et qu'à ces dates, la part de l'agriculture était tout à fait analogue dans les deux zones. On peut en inférer que la politique latino-américaine d'industrialisation, qui comportait de nombreuses subventions, a probablement abouti à la formation d'une industrie plus capitalistique, par rapport au reste de l'économie, que dans le cas, actuel ou passé, des pays de l'OCDE.

Niveau atteint

Par le niveau de son revenu réel, l'Amérique latine se rapproche beaucoup plus des pays de l'OCDE que ne le fait le reste du Tiers-Monde. Si aucun pays latino-américain n'atteint les niveaux que l'on observe dans nos six pays de l'OCDE, ils sont proches de celui des pays d'Europe méridionale, Membres de l'OCDE. La comparaison avec les pays de l'OCDE leur est plus favorable pour la production par personne active que pour le PIB par habitant. Partie par suite de leur structure démographique, partie par suite de médiocres possibilités d'emploi, le taux d'activité de la population est bien plus bas en Amérique latine que dans les pays de l'OCDE, seuls les Pays-Bas ayant un taux suffisamment bas pour se situer au niveau latino-américain (cf. tableau 5).

La rapidité de la croissance démographique et la faiblesse du taux d'activité que l'on observe en Amérique latine semblent assez normales pour des pays en développement, ces deux phénomènes étant en fait étroitement liés entre eux.

Répartition du revenu

Une autre différence entre l'Amérique latine et les pays de l'OCDE, plus importante que celle qui sépare habituellement ces derniers du Tiers-Monde, porte sur la répartition du revenu. S'il est difficile de procéder dans ce domaine à des comparaisons autres que très sommaires, les éléments dont on dispose ne font guère de doute.

Si l'on prend comme mesure sommaire de la répartition le coefficient de Gini, la répartition du revenu brut d'impôt est plus inégale dans tous les pays latino-américains que dans le moins égalitaire des pays de l'OCDE (cf. tableau 6). Aux environs de 1970, le coefficient de Gini s'établissait en moyenne, pour l'Amérique latine, à 0.511, contre 0.380 pour les pays de l'OCDE (ce coefficient est nul lorsque tous les ménages ont le même revenu et égal à un lorsque le revenu appartient en totalité à un seul ménage, les autres en étant

Tableau 5. NIVEAU DU PIB RÉEL, DE LA POPULATION, DE L'EMPLOI, DU PIB PAR HABITANT ET PAR PERSONNE EMPLOYÉE EN 1980

	PIB en milliers de dollars aux prix de 1975	Population en milliers	Emploi en milliers	PIB par habitant en dollars	PIB par personne employée en dollars	Taux d'emploi de la population	PIB par personne employée E.U. = 100	PIB par habitant E.U. = 100
Argentine	86 836	28 237	10 056	3 075	8 635	35.7	49.3	39.0
Brésil	271 970	121 286	40 123	2 242	6 778	33.0	38.7	28.4
Chili	26 353	11 127	3 121	2 368	8 444	28.1	48.2	30.0
Colombie	50 645	25 794	6 405	1 963	7 907	24.8	45.1	24.9
Mexique	178 265	69 393	16 845	2 569	10 583	24.2	60.4	32.6
Pérou	31 026	17 295	4 754	1 794	6 526	27.5	37.3	22.7
Uruguay	9 545	2 908	1 052	3 282	9 073	36.2	51.8	41.6
Venezuela	49 352	15 024	4 217	3 285	11 703	28.1	66.8	41.6
France	356 939	53 880	21 916	6 625	16 287	40.7	93.0	84.0
Allemagne	424 290	61 566	26 251	6 892	16 163	42.6	92.3	87.3
Japon	697 695	116 800	55 360	5 973	12 603	47.4	71.9	75.7
Pays-Bas	82 452	14 150	5 050	5 827	16 327	35.7	93.2	73.8
Royaume-Uni	278 891	56 314	25 122	4 952	11 101	44.6	63.4	62.8
Etats-Unis	1 797 052	227 738	102 583	7 891	17 518	45.0	100.0	100.0

Sources: Niveau du PIB en 1980 calculé selon R. Summers et A. Heston, «Improved International Comparisons of Real Product and its Composition, 1950-80», in Review of Income and Wealth, juin 1984. En multipliant le chiffre qu'ils indiquent pour le produit par habitant par celui qu'ils donnent pour la population (qui n'est pas identique au nôtre). La population active et le taux de chômage ont été calculés selon les données de la CEPALC, Statistical Yearbook for Latin America 1984, Santiago, pp. 207, 720 et 109. Pour les pays de l'OCDE, la population et l'emploi résultent de Statistiques de la population active, OCDE, Paris.

Tableau 6. INEGALITÉ DE LA RÉPARTITION DU REVENU
DES MÉNAGES BRUT D'IMPOT AUX ENVIRONS DE 1970

	Année	Coefficient de Gini	Décile supérieur du revenu nominal par tête comme multiple des deux déciles inférieurs
Argentine	1961	0.425	5.6
Brésil	1970	0.500	10.0
Chili	1968	0.503	10.6
Colombie	1974	0.520	10.9
Mexique	1969	0.567	12.8
Pérou[a]	1961	0.591	19.7
Uruguay	1967	0.449	8.8
Venezuela	1962	0.531	12.5
Moyenne		0.511	11.4
France	1970	0.416	7.2
Allemagne	1973	0.396	5.3
Japon	1969	0.335	3.8
Pays-Bas	1967	0.385	5.3
Royaume-Uni	1973	0.344	4.6
Etats-Unis	1972	0.404	7.5
Moyenne	1972	0.380	5.6

a) Chiffres portant sur la répartition du revenu entre personnes actives et non entre ménages.
Sources : Amérique latine selon J. Lecaillon, F. Paukert, C. Morrisson et D. Germidis, *Income Distribution and Economic Development*, BIT, Genève, 1984. Autres pays selon M. Sawyer, «La répartition des revenus dans les pays de l'OCDE», OCDE, *Etudes spéciales*, Paris, juillet 1976.

dépourvus). Une mesure plus simple, fondée sur le rapport entre les déciles de la distribution, aboutit au même résultat global – inégalité plus grande en Amérique latine que dans les pays de l'OCDE – l'Argentine se révélant toutefois, sur cette base, moins inégalitaire que certains de ces derniers. Si l'on prenait pour base le revenu net d'impôts et comprenant les transferts, l'écart entre l'OCDE et les pays d'Amérique latine serait encore plus important, ces derniers ayant une sécurité sociale moins développée et une fiscalité moins progressive.

Si l'inégalité plus grande qui caractérise la répartition du revenu en Amérique latine traduit des différences plus importantes de patrimoine, et notamment de propriété foncière,

Tableau 7. POURCENTAGE DE LA POPULATION ACTIVE
AYANT BÉNÉFICIE DE MOINS DE QUATRE
ANS D'ÉTUDES, 1970

Argentine	15.8
Brésil	63.6
Chili	23.6
Colombie	52.7
Mexique	57.3
Pérou	46.6
Uruguay	(27.0)
Venezuela	40.3
Moyenne	40.8

Source : CEPALC, *Statistical Yearbook for Latin America 1984*, Santiago, p. 137.

Tableau 8.   DURÉE MOYENNE DES ÉTUDES PRIMAIRES ET
SECONDAIRES PAR PERSONNE EMPLOYÉE

	1950	1980
Argentine	6.1	7.9
Brésil	2.6	6.0
Chili	6.0	7.5
Colombie	2.6	6.4
Mexique	3.6	7.9
Pérou	4.1	7.3
Uruguay	n.a.	n.a.
Venezuela	3.4	6.5
Moyenne	4.1	7.1
France	8.1	9.6
Allemagne	8.3	9.2
Japon	8.0	10.3
Pays-Bas	7.5	9.0
Royaume-Uni	9.3	10.3
Etats-Unis	8.9	10.7
Moyenne	8.4	9.9

Sources :   Amérique latine, 1950 selon A. Maddison *Economic Progress and Policy in Developing Countries,* Norton, New York, 1970, p. 48. 1980 calculé selon les effectifs scolarisés, estimés par l'UNESCO, *Annuaire de statistique,* Paris, 1981. Population active selon BIT et CEPALC. Pour les pays latino-américains, on a établi les stocks à partir d'une estimation grossière des flux de la scolarisation dans le temps. On a admis que la moitié des personnes employées en 1950 l'étaient encore en 1980 et qu'entre 1951 et 1980 la scolarité des nouveaux arrivants correspondait à 80 pour cent du niveau assuré en 1977-79. Pour les autres pays, le stock de formation a été calculé à partir des recensements, les classes d'âge les plus jeunes étant en partie estimées à partir des statistiques de l'enseignement. Cf. OCDE, *L'éducation, les inégalités et les chances dans la vie,* Vol. I, Paris, 1975.

elle correspond également à une plus large ouverture de l'éventail des salaires, qui s'explique en grande partie par une plus grande inégalité d'accès à l'éducation et de plus forts écarts des niveaux d'instruction de la population active (cf. tableaux 7 et 8). Dans les années 70, tandis qu'en Amérique latine plus de 40 pour cent de la population active avaient reçu moins de quatre ans d'enseignement, dans nos six pays de l'OCDE pratiquement toute la population active, à l'exception des immigrés, avait bénéficié de l'enseignement primaire et au moins commencé un enseignement secondaire.

Politique macroéconomique suivie au cours de la période 1950-73

a)   *Politique de croissance*

Si l'on examine les principales caractéristiques de la politique de croissance suivie entre 1950 et 1973 par les pays de l'OCDE et ceux d'Amérique latine, on constate que de part et d'autre les pouvoirs publics s'engageaient délibérément à soutenir l'activité économique à un niveau élevé, pratique qui s'écartait de leurs errements d'avant-guerre. Cet engagement s'exprimait au Royaume-Uni et aux Etats-Unis en termes «keynésiens», en France et au Japon en termes de «plan» et, s'il était moins évident dans le cas de l'Allemagne, il était clair qu'il sous-tendait la philosophie de «l'économie sociale de marché» qui était celle du ministre de l'Economie, Ludwig Erhard et de son secrétaire d'Etat, Müller Armack. Si au cours de l'après-guerre immédiat certains pays de l'OCDE se préoccupaient d'une «planification» détaillée de la production, dès la fin des années 50 les pouvoirs publics voyaient dans la «régulation de la demande» l'axe essentiel de leur action.

On peut trouver une conception analogue de la responsabilité macroéconomique des pouvoirs publics dans l'influent manifeste lancé en 1950 par Raoul Prebisch (*The Economic Development of Latin America and its Principal Problems*), dans l'engagement général des gouvernements latino-américains en faveur du *desarrollo*, que manifestait la création d'une série de banques de développement, ainsi que dans les nombreux plans économiques élaborés par les pays de ce groupe.

C'est en réponse à une situation dans laquelle les liaisons économiques internationales étaient rompues que cet engagement macroéconomique avait vu le jour en Amérique latine, au cours des années 30 et durant la guerre. Il restait plus dirigiste que dans les pays de l'OCDE, les pouvoirs publics définissant des objectifs plus précis et recourant aux contrôles, aux subventions et au protectionnisme, ainsi qu'à des interventions microéconomiques plus poussées, faisant moins confiance aux mécanismes du marché.

b) *Attitude vis-à-vis de « l'ordre international »*

Un autre aspect important de la politique suivie au cours de l'après-guerre par les pays de l'OCDE ne rencontrait aucun écho en Amérique latine. A l'issue de la guerre, la productivité européenne avait beaucoup à souffrir des restrictions aux échanges, du contrôle des changes et d'autres obstacles au commerce intra-européen. L'aide reçue des Etats-Unis au titre du Plan Marshall permettait d'éliminer ces obstacles et d'instaurer un nouvel ordre économique, de type libéral, qui graduellement libérait les échanges, les migrations et les mouvements de capitaux à un degré inconnu auparavant. Ces mesures étaient étayées par les dévaluations massives intervenues en 1949 et suivies jusqu'en 1971 par le maintien de parités fixes dans le cadre du système de Bretton Woods, ainsi que par la création de l'OECE – devenue plus tard OCDE – où les pouvoirs publics procédaient à des consultations explicites au sujet de leur politique économique. Les liquidités apportées par l'aide américaine au système de clearing intra-européen jouaient elles aussi un rôle important à un moment décisif. S'il est vrai que l'ordre libéral puisait en grande partie son inspiration idéologique aux Etats-Unis et que bien des Européens l'envisageaient avec un grand scepticisme, ils étaient beaucoup plus disposés – étant donné l'importance de l'aide fournie par les Etats-Unis au moment où l'hostilité entre l'Est et l'Ouest atteignait son maximum – à accepter les idées américaines que ne l'était l'Amérique latine, qui à l'époque ne bénéficiait pas de cette aide de manière significative.

Ce libéralisme économique d'un type nouveau exerçait des répercussions, directes et indirectes, très favorables sur la croissance économique et influençait les autres composantes de l'action des pouvoirs publics. L'ouverture de l'économie restreignait le champ ouvert à la planification détaillée et au dirigisme, obligeait les pouvoirs publics à suivre une politique budgétaire et monétaire suffisamment modérée pour préserver l'équilibre extérieur, tandis que l'anticipation d'un taux de change fixe pesait sur les négociations salariales et la politique des prix des entreprises. La concurrence exercée par les échanges extérieurs contribuait à atténuer les hausses de prix. La principale exception à la politique libérale des échanges était constituée par l'agriculture, secteur dans lequel le protectionnisme persistant réduisant l'efficience, augmentait les prix à la consommation, interdisait l'entrée de produits étrangers moins chers et affaiblissait les débouchés qui s'offraient aux concurrents en écoulant à perte les excédents considérables, fruits de cete politique.

Malgré l'appartenance au FMI et au GATT de la plupart des pays latino-américains, on n'y observait pas le retour parallèle au libéralisme économique international, à l'instar de l'OCDE. La croissance enregistrée au cours des années 30 et durant la guerre avait constitué une expérience relativement favorable, qui rendait plus attrayante une politique protectionniste, tournée vers l'intérieur. Le manifeste de Prebisch envisageait avec un extrême pessimisme le rôle que pouvaient jouer les échanges en tant que moteur de la croissance et soutenait en tout état de cause qu'un ordre économique libéral ne pouvait qu'aller à l'encontre des intérêts des pays de la périphérie, en provoquant une dégradation continue de leurs termes de l'échange. L'Amérique latine s'abstenait donc, en général, de rompre avec le protectionnisme et les contrôles, comme l'avaient fait vigoureusement les pays européens. De fait, à la suite de la révolution cubaine et de l'embargo décrété par les Etats-Unis, les années 60 voyaient naître une version plus radicale de la doctrine Prebisch, propagée par l'école de la *Dependencia*, qui préconisait une forme encore plus extrême de rupture avec l'économie mondiale. Si cette doctrine avait moins d'influence que celle de Prebisch, elle n'en inspirait pas moins certaines mesures prises par les pouvoirs publics.

Ainsi, l'Amérique latine n'éliminait pas les obstacles aux échanges ni ne libérait les mouvements de facteurs comme le faisaient les pays de l'OCDE, et sa politique des changes restait beaucoup plus proche de celle des années 30. Si elle s'efforçait, à l'instar de la Communauté économique européenne, de créer au sein de l'Association latino-américaine de libre-échange, du Pacte andin ou du Marché commun d'Amérique centrale des conditions particulièrement favorables aux échanges entre les pays qui en faisaient partie, le commerce en cause ne représentait qu'une minime fraction du total, alors que pour les pays de l'OCDE les échanges mutuels étaient d'une importance prépondérante.

Bien entendu, on ne saurait réellement opposer de manière aussi tranchée la «pensée» économique de l'Amérique latine à celle des pays de l'OCDE, étant donné que parmi les principaux propagateurs des idées «latino-américaines», certains étaient européens, tels

Tableau 9.   VOLUME DES EXPORTATIONS DE
MARCHANDISES

	1950-73	1973-80	1980-85
	Taux de croissance annuel moyen composé		
Argentine	2.2	5.9	8.0
Brésil	5.5	8.7	9.3
Chili	2.9	11.1	3.9
Colombie	3.6	3.5	6.2
Mexique	4.0	12.1	10.1
Pérou	4.4	3.9	−0.4
Uruguay	−1.0	11.8	0.2
Venezuela	4.1	−6.9	−4.6
Moyenne	3.2	6.3	4.1
France	8.2	5.5	2.8
Allemagne	12.4	3.3	4.8
Japon	15.4	9.3	7.2
Pays-Bas	10.3	4.0	3.1
Royaume-Uni	3.9	3.9	3.5
Etats-Unis	6.3	5.7	−3.4
Moyenne	9.4	5.3	3.0

Sources: Amérique latine selon CEPALC, *América Latina: Relacion de Precios del Intercambio*, Santiago, 1976 ; CEPALC, *Statistical Yearbook for Latin America 1983*, Santiago 1984, et CEPALC, *Preliminary Overview of the Latin American Economy 1985*. Autres pays 1950-73, selon Maddison *op. cit.* (1982) ; 1973-85 selon FMI, *International Financial Statistics*.

Tableau 10. RAPPORT DES EXPORTATIONS DE
MARCHANDISES AU PIB, AUX PRIX COURANTS

	1929	1959	1973	1983
Argentine	26.7	8.4	8.6	11.1
Brésil	12.6	8.6	7.5	9.7
Chili	30.0	15.2	11.9	19.4
Colombie	21.0	9.8	11.4	8.0
Mexique	12.4	10.5	4.1	15.4
Pérou	30.0	15.9	11.0	18.5
Uruguay	n.a.	31.8	11.0	17.1
Venezuela	n.a.	33.3	28.6	22.8
Moyenne	22.1*a*	16.7	11.8	15.3
France	14.0	10.6	14.3	18.4
Allemagne	15.3	8.5	19.4	25.9
Japon	16.0	7.8	9.0	12.7
Pays-Bas	29.4	28.6	39.8	48.7
Royaume-Uni	15.5	16.7	17.1	20.1
Etats-Unis	5.0	3.6	5.3	6.2
Moyenne	15.9	12.6	17.5	22.0

a) Moyenne de six pays.
Sources: Amérique latine 1929 selon Maddison *op. cit.* (1985), exportations 1950-83 selon
FMI, PIB 1950-73 selon Banque mondiale, *World Tables*, 1983, 1983 selon FMI,
International Financial Statistics. Autres pays 1929-73 selon Maddison «Economic
Stagnation Since 1973, Its Nature and Causes: A Six Country Survey», *De Economist*,
n° 4, 1983 ; 1983 selon FMI, *International Financial Statistics.*

Dudley Seers et André Gunder Frank, tandis qu'il existait en Amérique latine des économistes libéraux aussi éminents qu'influents, notamment des Brésiliens comme Eugenio Gudin, Octavio de Gouveia Bulhoes et Roberto Campos. Ce que l'on peut prouver, c'est que l'orientation générale de la politique économique était différente. Le tableau 9 fait clairement apparaître une dynamique différente des exportations en Amérique latine et dans les pays de l'OCDE. De 1950 à 1973, les exportations des seconds progressaient en volume à un taux annuel moyen de 9.4 pour cent tandis que pour la première, cette progression n'était que de 3.2 pour cent. La baisse à long terme du rapport des exportations au PIB ressort nettement du tableau 10 dans le cas de l'Amérique latine, par opposition à la tendance ascendante observée pour les pays de l'OCDE.

Dès les années 60, il était évident que la dynamique du commerce mondial offrait des possibilités de croissance qu'une stratégie tournée vers l'intérieur ne pouvait que laisser échapper. Le Centre de Développement de l'OCDE réalisait une série de grandes études par pays, consacrées aux avantages éventuels d'une politique plus libérale, qui ont peut-être, elles aussi, influencé l'action des pouvoirs publics. Au cours des années 60, l'Amérique latine commençait à modifier quelque peu sa politique, ne serait-ce qu'en s'efforçant d'exploiter son potentiel d'exportations, tandis que dans les années 70, les régimes néo-conservateurs instaurés en Argentine, au Chili et en Uruguay, effectuaient un virage à 180 degrés libérant les importations et abolissant le contrôle des changes.

c) *Politique de stabilisation et tolérance de l'inflation*

Le troisième trait qui caractérisait la politique suivie par les pays de l'OCDE (tout au moins celle de l'Europe et du Japon) durant l'après-guerre était leur disposition à porter l'activité économique à un niveau qui se traduisait parfois par un excès de demande. Il s'ensuivait de temps à autre des difficultés de balance des paiements, ainsi qu'une hausse régulière du niveau des prix, qu'avant la guerre on aurait envisagée avec inquiétude. On estimait généralement qu'il existait un arbitrage entre le rythme de l'inflation et le niveau de l'emploi et qu'une légère inflation constituait un prix acceptable pour un niveau d'activité élevé.

Plusieurs particularités contribuaient à rendre cet arbitrage favorable. La discipline exercée par des taux de change fixes avait des effets modérateurs sur toutes les parties en cause, syndicats, employeurs et pouvoirs publics ; les Etats-Unis, dont la monnaie servait de pivot au système, suivaient jusqu'à la fin des années 60 une politique macroéconomique très prudente ; l'élimination continue des obstacles aux échanges permettait d'accéder à des produits meilleur marché et aiguisait la concurrence dans les industries manufacturières, tandis que les prix mondiaux des matières de base étaient stables. Par voie de conséquence, l'illusion monétaire persistait, les anticipations inflationnistes étant très modérées et assez stables.

En Amérique latine, la politique de stabilisation avait une orientation différente. Tout d'abord, on n'avait pas procédé après la guerre à une série générale de réformes monétaires ou d'ajustement des taux de change, pas plus que l'on n'avait pleinement accepté les règles de Bretton Woods. Pour les liquidités extérieures, on ne pouvait s'adresser qu'au FMI, avec qui les rapports étaient souvent empreints d'hostilité. Dans des pays où le marché des capitaux était étroit et la légitimité budgétaire faible, drainer des fonds destinés au développement se révélait être une tâche plus difficile. Les facteurs qui concouraient dans les pays de l'OCDE à atténuer l'inflation étaient pour la plupart absents. La spirale inflationniste constituait de ce fait en Amérique latine un mécanisme beaucoup plus puissant, l'illusion monétaire y était

Tableau 11. TAUX D'INFLATION

	1937-50	1950-73	1973-80	1980-85
	Taux de croissance annuel moyen composé			
Argentine	9.9	26.8	166.5	566.2
Brésil	12.4	28.4	62.5	210.5
Chili	15.0	48.1	93.3	24.7
Colombie	10.5	10.4	24.1	20.9
Mexique	11.6	5.6	31.4	59.5
Pérou	11.9	8.6	52.5	138.9
Uruguay	4.6	35.8	53.4	71.9
Venezuela	3.5	1.5	10.6	12.4
Moyenne	9.9	20.7	61.8	138.1
France	27.0	5.0	11.1	7.5
Allemagne	3.5	2.7	5.2	3.1
Japon	75.5	5.2	8.8	2.4
Pays-Bas	7.0	4.1	7.1	2.9
Royaume-Uni	5.1	4.6	14.2	4.7
Etats-Unis	4.0	2.7	8.8	3.4
Moyenne	20.4	4.1	9.2	4.0

Sources: Amérique latine 1937-50, indices du coût de la vie selon FMI, *International Financial Statistics, Supplément 1961-62* ; 1950-73 indices des prix dérivés du PIB calculés selon Banque mondiale, *World Tables*, 1983, complétées pour le Chili (1950-60) d'après Centre de Développement de l'OCDE, *Comptes nationaux des pays moins développés*, Paris, 1967 ; à partir de 1973 : indices des prix à la consommation selon FMI, *International Financial Statistics*. Autres pays selon Maddison *op. cit.* (1982) et FMI.

moins répandue et dans cette mesure l'Amérique latine connaissait par avance certains des problèmes posés en temps de paix par une inflation chronique, quoique non explosive, qu'il restait aux pays de l'OCDE à découvrir. Par voie de conséquence, la nature de l'inflation latino-américaine donnait lieu à un large débat théorique, qui à l'époqe ne suscitait guère d'écho dans les pays de l'OCDE, mais qui préfigurait à certains égards les idées qui devaient au cours des années 70 y provoquer des controverses passionnées, comme celle qui opposait les monétaristes aux structuralistes. Cependant, certains des actuels structuralistes européens portent un diagnostic très différent de celui des structuralistes latino-américains et s'attachent à des goulets d'étranglement et à des recommandations pour l'action des pouvoirs publics qui ne sont pas de même nature.

Mises à part les controverses théoriques, l'Amérique latine prenait davantage de mesures d'adaptation pour permettre aux mécanismes du marché de tolérer l'inflation. Il en était ainsi tout particulièrement de la «correction monétaire» et de l'indexation adoptée au Brésil afin d'atténuer les distorsions infligées à l'efficience et au bien-être de pays soumis à une inflation rapide, alors que les conventions et la législation s'y fondent sur l'hypothèse de prix stables. Chose curieuse, jusqu'en 1985, aucun pays d'Amérique latine n'avait connu l'hyper-inflation, ni n'avait essayé les remèdes que les pays de l'OCDE lui avaient appliqués dans le passé.

Le tableau 11 fait nettement ressortir la différence de l'évolution des prix intervenue au cours des cinq dernières décennies en Amérique latine et dans les pays de l'OCDE. Entre 1950 et 1973, l'inflation avait reculé dans tous les pays de l'OCDE par rapport au rythme qu'elle atteignait entre 1938 et 1950, alors que dans la majeure partie de l'Amérique latine elle s'était accélérée. Si le rythme de l'inflation varie beaucoup, en Amérique latine, selon les pays, seul le Venezuela se situait dans la moyenne des pays de l'OCDE et seul le Mexique s'en rapprochait quelque peu.

Situation et politique économique des pays de l'OCDE depuis 1973

Au cours des années 70, les bases de la politique macroéconomique des pays de l'OCDE commençaient à évoluer. Le système de taux de change fixes adopté à Bretton Woods s'écroulait en 1971 et n'a toujours pas reçu de successeur généralement accepté. Trois de nos pays de l'OCDE font partie du SME, club à parités mutuelles fixes, tandis que les trois autres pratiquent un taux flottant. Si le système de Bretton Woods s'est effondré, c'est par suite des problèmes de liquidité que suscitait le fonctionnement d'un tel régime, où d'énormes possibilités s'offraient aux capitaux spéculatifs. Fort heureusement, la modification du régime des taux de change n'a pas mis fin aux engagements de libéralisme en matière d'échanges, comme elle l'avait fait dans les années 30.

Le choc pétrolier de 1973-74, ainsi que l'affaiblissement d'autres facteurs qui contribuaient à la stabilité des prix mettaient fin au confortable arbitrage – symbolisé par la courbe de Phillips – qui servait de base aux politiques nationales de stabilisation. C'était là le second pilier de la politique macroéconomique qui s'effondrait au cours des années 70. La crainte de l'inflation et des problèmes de balance des paiements liés au choc pétrolier et au recyclage des avoirs en devises de l'OPEP incitait les pouvoirs publics à suivre une politique plus prudente, accordant une moindre priorité à l'emploi et à la croissance.

Vers la fin des années 70, les «idées officielles» en vogue dans les pays de l'OCDE au sujet des problèmes de la politique macroéconomique subissaient une évolution très nette, qui en partie ne faisait que réagir aux événements, mais devait ultérieurement les influencer de manière autonome, notamment à la suite du second choc pétrolier.

Durant l'âge d'or des années 50 et 60, on pouvait détecter un consensus autour d'une approche de la politique macroéconomique que l'on pouvait définir comme un activisme au service de la régulation du produit réel, traduisant la convergence fonctionnelle de plusieurs approches d'origine différente. La France et le Japon menaient une politique ambitieuse active dans la régulation tant de l'offre que de la demande. La politique britannique était d'inspiration keynésienne et mettait fortement l'accent sur la régulation de la demande par des instruments budgétaires, auxquels s'ajoutait de temps à autre la politique des revenus. Les Etats-Unis abordaient l'après-guerre à partir d'engagements keynésiens, qu'ils remisaient entre 1952 et 1960, mais remettaient en vigueur de 1961 à 1979. Si la politique allemande donnait une nette priorité à la stabilité des prix, à la compétitivité externe et à la souplesse des marchés, la loi sur la croissance et la stabilité, adoptée en 1963, n'en manifestait pas moins un attachement à une politique de plein emploi. Tout en présentant des analogies avec l'approche adoptée en Allemagne, la politique néerlandaise reprenait certains des éléments en vigueur dans d'autres pays.

L'effondrement du système de Bretton Woods et de l'arbitrage symbolisé par la courbe de Phillips ayant ébranlé la confiance des pouvoirs publics dans leur capacité à maintenir une forte croissance dans la stabilité des prix, il s'ensuivait une adoption très générale de la politique monétariste, qui insistait sur la limitation de la progression de la masse monétaire, de préférence par l'application de règles définies plutôt que de mesures discrétionnaires, et supposait implicitement que les facteurs d'équilibre ainsi libérés permettraient de retrouver la stabilité macroéconomique. Si vers le milieu des années 70 on tentait de combiner l'ancienne approche avec le monétarisme (voir le rapport McCracken, *Pour le plein emploi et la stabilité des prix*, OCDE, 1977) cette tentative devait être de courte durée.

Tout comme l'ancien, le nouveau «consensus» est éclectique et se compose de plusieurs éléments. Il comprend une hostilité gladstonnienne au déficit budgétaire, quelle que soit la situation macroéconomique. L'importance de l'Etat-providence et des entreprises publiques, ainsi que la puissance des syndicats sur le marché du travail, suscitent l'inquiétude. Aux Etats-Unis, on met particulièrement l'accent sur la possibilité de stimuler la croissance par la déréglementation et la libération des mécanismes du marché. On a vu également ressusciter une théorie économique «autrichienne» qui envisage de manière extrémiste les possibilités offertes à une politique macroéconomique discrétionnaire, considérant celle-ci comme impuissante, (et non comme inefficace, comme le donnaient à penser les monétaristes).

Cette analyse du climat idéologique général constitue une représentation schématique de la réalité. Les «idées officielles» ne sont pas identiques dans tous les pays. Il va de soi que la politique française s'inspirait entre 1981 et 1983 de considérations différentes. Néanmoins, si l'on se reporte aux années 50 et 60, il est clair que les priorités que s'assignent les pouvoirs publics, le langage, les méthodes de diagnostic et la combinaison effective des mesures ont changé.

Au cours des années 80, l'action des pouvoirs publics s'est essentiellement inspirée du souci de combattre l'inflation. L'Europe et le Japon ont généralement suivi une politique macroéconomique d'une extrême prudence, en présence d'un chômage croissant. Si plus récemment, les risques qu'une politique plus expansionniste ferait courir à la stabilité des prix et à la balance des paiements se sont atténués, on attache désormais la plus grande importance à une reprise déclenchée par les mécanismes réels et spontanés de l'économie privée.

La grande exception à cette règle est constituée par les Etats-Unis ; le Congrès n'ayant pas répondu aux allègements fiscaux proposés par le Président par une compression des dépenses, on a vu coexister une politique budgétaire expansionniste et une politique monétaire restrictive, ce qui est contraire à l'orthodoxie tant ancienne que nouvelle et a conduit à une conjoncture combinant une croissance plus rapide avec un niveau élevé des taux d'intérêt et du cours du dollar.

Situation et politique économique de l'Amérique latine depuis 1973

Si les répercussions exercées par les chocs pétroliers étaient en gros les mêmes pour l'Amérique latine que pour les pays de l'OCDE, la réaction des pouvoirs publics y fut différente. Ayant conservé le contrôle des changes, les pays latino-américains avaient une économie moins ouverte que ceux de l'OCDE. Nombre d'entre eux toléraient depuis des années des taux d'inflation élevés et étaient moins disposés à renoncer à leurs objectifs de croissance dans l'intérêt de la stabilité des prix. Même des pays comme le Mexique ou le Venezuela, où l'inflation avait été jusque-là relativement faible, étaient prêts, plus que ne l'étaient les pays de l'OCDE, à admettre une accélération de l'inflation plutôt que de voir leur croissance se ralentir. Dans l'ensemble, ils s'accommodaient donc d'une inflation plus rapide et empruntaient sans grande difficulté des sommes considérables pour faire face à leurs problèmes de paiements. Par l'intermédiaire des banques des pays de l'OCDE, les excédents de balance des paiements et les liquidités accumulés par les pays de l'OPEP étaient recyclés en Amérique latine, qui de ce fait réussissait entre 1973 et 1980 à conserver un taux de croissance du PIB presque égal à celui de la période 1950-73 (4.4 pour cent en moyenne annuelle), tandis que son taux moyen d'inflation atteignait 62 pour cent par an (cf. tableau 11). Dans les pays de l'OCDE, en revanche, la croissance du PIB baissait de moitié, à 2.4 pour cent par an, tandis que l'inflation se maintenait, en moyenne annuelle à 9.2 pour cent.

Il ressort nettement du tableau 12 que la période allant jusqu'en 1980 comportait bien en Amérique latine une certaine irrégularité conjoncturelle de la production. Un programme de stabilisation était établi par le FMI pour l'Uruguay en 1974, pour le Mexique en 1976 et pour le Pérou en 1977 ; toutefois, à l'exception notable du Chili, les fluctuations conjoncturelles

Tableau 12. LES RÉCESSIONS DE 1972 à 1980 et de 1980 à 1985

	1972-80		1980-85	
	Pourcentage maximal de chute du PIB ou minimum de progression annuelle	Pourcentage de la période où le PIB était inférieur à son maximum	Pourcentage maximal de chute du PIB ou minimum de progression annuelle	Pourcentage de la période où le PIB était inférieur à son maximum
Argentine	−3.4	38	−13.0	100
Brésil	5.0	0	−3.3	60
Chili	−17.0	75	−13.6	80
Colombie	2.4	0	1.0	0
Mexique	3.4	0	−5.2	40
Pérou	−0.6	25	−12.2	80
Uruguay	0.4	0	−17.0	80
Venezuela	−2.0	13	−8.7	100
Moyenne	−1.5	19	−9.0	68
France	0.2	0	0.2	0
Allemagne	−1.7	13	−1.0	40
Japon	−1.0	13	3.0	0
Pays-Bas	−1.0	13	−2.4	60
Royaume-Uni	−2.2	38	−1.1	40
Etats-Unis	−1.6	38	−3.0	40
Moyenne	−1.2	19	−0.7	30

Source: cf. Tableau 1.

étaient plus faibles que dans les pays de l'OCDE, et bien amorties par rapport à celles qui caractériseraient les années 80.

Au cours de la période 1973-80, les programmes de stabilisation les plus remarquables entrepris en Amérique latine visaient, non à réagir à un choc extérieur, mais à tenter de résoudre des problèmes internes hérités du passé en mettant en place une politique économique entièrement nouvelle dans son style et son contenu, puisant elle aussi son inspiration dans la nouvelle orthodoxie qui s'affirmait dans les pays de l'OCDE, mais la mettant en œuvre de manière beaucoup plus radicale.

Ces modifications spectaculaires se limitaient aux pays du cône Sud, Argentine, Chili et Uruguay, dont l'économie s'ouvrait à la concurrence étrangère par l'abolition des restrictions aux importations et l'abaissement des barrières douanières. L'offre était stimulée par la déréglementation interne et la privatisation d'entreprises publiques, tandis que l'on s'efforçait de rompre avec la tradition inflationniste en imposant une politique de rigueur monétaire.

L'action des pouvoirs publics embrassait, beaucoup plus radicalement que ne le faisaient les pays de l'OCDE, une orientation monétariste et «autrichienne», ce que facilitait l'existence de régimes militaires autoritaires et la possibilité de recourir à des emprunts importants pour couvrir en partie les coûts d'une telle politique.

C'est en Uruguay, où ce tournant survenait à l'issue de près de deux décennies de stagnation complète, que l'on enregistrait les meilleurs résultats, l'affectation des ressources devenant plus efficiente et la croissance et les exportations étant stimulées. En Argentine, on n'obtenait guère de résultats à long terme, l'expérience s'accompagnant d'un taux de change surévalué, qui provoquait une fuite massive de capitaux.

C'est au Chili que l'on observait le tournant le plus abrupt, le gouvernement Allende étant arrivé au pouvoir en 1970 sur la base d'une idéologie qui mélangeait le structuralisme, le marxisme et un peu de populisme de type péroniste, se traduisant par d'importantes nationalisations. Le programme de stabilisation de 1973-75 comportait une dévaluation massive, la suppression du contrôle des prix, une compression d'un quart de la dépense publique, un alourdissement de la fiscalité et son réaménagement en faveur du capital et du profit, tandis que les salaires étaient réduits, les négociations collectives et les grèves interdites et qu'une politique monétaire restrictive rendait positifs les taux d'intérêt réels. Il s'ensuivait une chute de 17 pour cent du PIB, qui restait durant six ans en-dessous de son maximum antérieur. Le principal résultat positif de cette politique était un ralentissement spectaculaire de l'inflation.

En dehors du cône Sud, et notamment au Brésil et au Mexique, on mettait à profit l'abondance des crédits extérieurs pour poursuivre la politique traditionnelle, qui à défaut n'aurait pas pu rester aussi expansionniste. Rétrospectivement, il est clair que ce boom était excessif et que certaines de ces ressources extérieures ont été gaspillées ; à l'époque, toutefois, l'ambiance économique mondiale étant fortement inflationniste et les emprunts extérieurs assortis de taux d'intérêt réels négatifs, les risques encourus semblaient faibles.

Jusqu'aux années 1980, les pays d'Amérique latine échappaient donc dans une large mesure au ralentissement de la croissance qui intervenait dans l'économie mondiale depuis 1973. Ils couvraient mieux leurs besoins de pétrole que les pays de l'OCDE, le volume de leurs exportations progressait en fait plus rapidement entre 1973 et 1980 qu'entre 1950 et 1973, leur balance des paiements était considérablement renforcée par leurs emprunts extérieurs, ils s'accommodaient du taux d'inflation plus élevé que leur transmettait l'économie mondiale et leurs programmes de stabilisation les plus frappants étaient dictés par une modification de leurs choix politiques plutôt que par un choc extérieur.

Ce qui allait provoquer une dégradation, c'était moins le ralentissement de la croissance réelle des pays de l'OCDE que celui de l'inflation, accompagné d'une politique de rigueur monétaire.

Entre 1973 et 1980, l'Amérique latine s'était endettée dans le cadre d'une hausse de près de 160 pour cent des prix mondiaux à l'exportation. Par la suite, en revanche, les prix mondiaux commençaient à baisser, tandis que la politique peu orthodoxe d'aisance budgétaire et de restriction monétaire, suivie aux Etats-Unis, poussait à la hausse les taux d'intérêt mondiaux et le cours du dollar. Par voie de conséquence, les emprunteurs latino-américains constataient que leurs emprunts «bon marché» étaient devenus très coûteux et que le service de la dette contractée à taux flottants représentait une charge réelle qui s'accroissait de manière vertigineuse. Qui plus est, une grande partie de la dette étant à échéance rapprochée, la charge des remboursements était elle aussi très lourde.

Taux d'intérêt réel moyen de la dette à taux flottants
des pays en développement

1977	1978	1979	1980	1981	1982	1983	1984
−11.8	−7.4	−9.7	−6.0	14.6	16.7	15.9	11.0

Source : 1977-83 : H. Reisen, *L'allègement de la dette extérieure : le rôle des principales variables de prix dans l'ajustement*, Centre de Développement de l'OCDE, 1985. Données pour 1984 communiquées par H. Reisen.

A partir d'août 1982, les prêteurs étrangers cessaient brusquement d'accorder de nouveaux crédits volontaires, le Mexique n'ayant pu honorer ses obligations de remboursement. Ce pays étant, en Amérique latine, celui qui avait bénéficié du plus grand crédit, sa disgrâce provoquait le blocage des prêts extérieurs pour pratiquement tous les autres, tout en encourageant une importante fuite de capitaux.

C'est ce double aspect de la crise de l'endettement : a) un niveau historiquement aberrant des taux d'intérêt réels et, b) la cessation des prêts volontaires, qui forçait l'Amérique latine à un ajustement soudain, rendant nécessaire le passage d'un déficit massif des échanges extérieurs à un excédent tout aussi massif. Dans le cas du Brésil et du Mexique, où le déficit équivalait en 1980 à quelque 2 pour cent du PIB, l'excédent représentait en 1984, respectivement, 5.6 et 7.5 pour cent en dépit du report d'amortissement que permettaient les négociations organisées avec les banques créditrices sous les auspices du FMI.

Une réaffectation de ressources d'une pareille importance supposait un recul de l'activité économique et notamment des investissements, qu'assurait une forte hausse des taux d'intérêts réels internes, une compression de la dépense publique, un alourdissement de la fiscalité, de fortes dévaluations, une baisse des salaires réels et des importations. Prises simultanément, ces mesures déclenchaient une profonde récession qui touchait l'ensemble de l'Amérique latine et dont la gravité n'avait d'égale que celle de la crise de 1929-33.

Non seulement le PIB baissait mais ces efforts simultanés entraînaient une dégradation des termes de l'échange de l'Amérique latine, tandis que la soudaineté de la récession et du transfert de ressources qui l'accompagnait aggravaient de leur côté l'inflation. Si les pays de l'OCDE ont dû s'inquiéter de la stagflation, l'Amérique latine a connu simultanément une dépression et une hausse des prix se rapprochant de l'hyperinflation. L'ajustement était imposé à des pays où la tradition inflationniste était bien plus enracinée qu'au sein de l'OCDE et où les dispositifs institutionnels qui la rendaient tolérables ne prévoyaient pas une situation où il fallait procéder à des transferts aussi massifs en faveur de l'étranger.

Historiquement parlant, l'aspect le plus surprenant du mécanisme d'ajustement mis en œuvre durant la crise actuelle est que l'on a fait face au problème de l'endettement, non par un défaut de paiement – comme ce fut en gros le cas durant les années 30 – mais par des rapports d'amortissement et des retards purement temporaires du versement des intérêts. Le FMI a joué le rôle de gérant du système, préservant l'aspect financier de l'ordre économique international. Il a usé de son influence, à la fois vis-à-vis des débiteurs – pour imposer des opérations de stabilisation – et vis-à-vis des banquiers qui accordaient des reports.

Si l'on n'a pas recouru au défaut de paiement, c'est d'abord du fait que, contrairement aux années 30, les échanges internationaux ne se sont pas effondrés, les Etats-Unis encourant un énorme déficit commercial, qui élargissait de manière inhabituelle les débouchés offerts par le marché mondial. Une autre raison est que le marché international des capitaux continue, lui aussi, de fonctionner normalement pour les zones autres que l'Amérique latine, de sorte que celle-ci a quelque espoir de pouvoir y accéder à nouveau, une fois son crédit rétabli. On est en outre dans l'incertitude quant aux représailles que pourrait déclencher un refus ouvert de paiement, celles-ci pouvant avoir des conséquences désagréables pour les Latino-américains qui possèdent à titre privé des avoirs considérables à l'étranger. Enfin, il est bien évident que les taux d'intérêt réels ont atteint au cours des années 80 un niveau historiquement très inhabituel, ce qui donne quelque espoir de voir la tension s'atténuer.

On ne saurait douter qu'une forte baisse des taux d'intérêt réels pratiqués dans les pays de l'OCDE puisse être fort bénéfique pour l'Amérique latine. Certes, les taux nominaux ont baissé depuis le maximum atteint en 1982, mais l'inflation s'est également ralentie, depuis cette date, dans les pays de l'OCDE et il est probable qu'elle continuera à le faire. Si la baisse du cours du dollar est de nature à soulager quelque peu l'Amérique latine, son impact est difficile à analyser de manière précise, du fait des répercussions défavorables qu'elle exerce sur les prix à l'exportation de ces pays.

Quant à la baisse du prix du pétrole, dont l'influence sur la croissance et la stabilité des prix est de manière générale favorable dans les pays de l'OCDE, ses répercussions sur l'Amérique latine sont plus inégales. Pour les grands exportateurs de pétrole, tels le Mexique et le Venezuela, elles sont fortement négatives, tandis que pour des importateurs comme le Brésil elles sont de toute évidence assez positives. Plusieurs pays d'Amérique latine couvrant à peu près leurs besoins de pétrole ou en exportant de faibles quantités (Argentine, Pérou, Colombie), la baisse de son prix ne les avantage guère. Elle pose même des problèmes au Brésil, dont la production nationale s'effectue à un coût un peu supérieur au prix mondial, tandis que le remplacement de l'essence par l'alcool de sucre entraîne un doublement de son coût. La baisse du prix mondial provoque donc un gonflement des subventions publiques à ces produits.

Une accélération de la croissance du produit réel des pays de l'OCDE aiderait l'Amérique latine à accroître son potentiel d'exportation, sans toutefois avoir les mêmes répercussions sur son bien-être qu'une baisse des taux d'intérêt réels. Cependant, elle tendrait à améliorer les termes de l'échange des pays latino-américains en élargissant les débouchés qui s'offrent à leurs exportations.

Chapitre 2

DÉVELOPPEMENT ET CRISE EN AMÉRIQUE LATINE DE 1950 A 1984

(Version abrégée d'un article dont le titre original était « Crisis and Development: the Present Situation and Future Prospects of Latin America and the Caribbean » du 25 avril 1985)

par

le Secrétariat de la CEPALC, Santiago

Le processus du développement, de l'après-guerre à la période actuelle

En Amérique latine, la période d'après-guerre s'est caractérisée par des tentatives de définition d'une politique économique et sociale capable de structurer et de préciser des mesures partielles répondant à des phénomènes tant internes qu'externes. Parmi les événements ayant déterminé ces mesures, figurent notamment les conflits internationaux et la crise qui avait atteint l'économie latino-américaine avant la Seconde Guerre mondiale, ainsi que la transformation graduelle de sociétés essentiellement rurales en sociétés urbaines.

L'une des mutations internes qui eurent lieu au cours de la période qui sépare la Première Guerre mondiale de la fin de la Seconde fut le début et la progression rapide de l'industrialisation. Toutefois, cette mutation ne se bornait pas à l'apparition ou au renforcement du secteur industriel, car simultanément l'urbanisation s'accélérait, le marché intérieur remplaçait dans une large mesure les marchés internationaux en tant que stimulant de la croissance économique, de nouveaux groupes sociaux, qui devaient transformer la structure sociale, commençaient à se constituer et, dans le domaine politique, on parvenait à canaliser leurs aspirations et le mécontentement que provoquait la crise économique. On désigne donc souvent cet ensemble de phénomène sous le nom de «développement introverti», pour tenter de donner une idée du champ très vaste qu'il recouvre.

Les plans de transformation et les régimes politiques qui les mettaient en œuvre, nés de cette situation intérieure explosive si profondément influencée par la situation extérieure, prenaient des formes très différentes, traduisant dans une large mesure les différences historiques et structurelles qui séparaient les divers pays. L'ambiguïté même des termes qu'on leur applique généralement – «réformisme», «populisme» et «idéologie du développement» – montre combien il est difficile d'enserrer cette diversité dans une vue globale.

Il existait, toutefois, des dénominateurs communs ayant trait, en principe, aux valeurs fondamentales inhérentes à cette action, à savoir la modernisation économique, sociale et politique, le nationalisme et l'étatisme.

L'effort de modernisation visait l'édification d'une société urbaine et industrielle, correspondant en général au modèle que constituaient les pays développés, même s'il fallait, pour atteindre cet objectif, recourir à des moyens différents. Il s'agissait notamment de transformer l'économie par l'industrialisation, d'améliorer le niveau de vie par l'élévation du revenu, l'accroissement de la consommation et l'élargissement de l'accès aux services sociaux et de modifier les structures politiques pour faire participer au pouvoir des groupes sociaux jusque-là subordonnés ou négligés.

Le nationalisme s'exprimait principalement de deux manières : tout d'abord, en tant qu'affirmation vis-à-vis des pays développés, dont l'Amérique latine avait été plus ou moins tributaire durant son développement extroverti ; en second lieu, en tant qu'intégration nationale d'une société et d'une économie encore profondément hétérogènes.

L'étatisme consistait essentiellement à donner à l'appareil d'Etat un rôle décisif dans la définition et la mise en œuvre du projet de transformation.

Compte tenu des nuances que l'on pouvait escompter, ces valeurs imprégnaient tous les mouvements et les régimes nés de la crise des gouvernements traditionnels.

Dans le domaine économique, un rôle essentiel revenait à la substitution aux importations par une production industrielle nationale. Avant la Seconde Guerre mondiale, l'industrialisation résultait des réactions des divers pays à la crise extérieure plutôt que de décisions mûrement réfléchies. La crise mondiale provoquait une pénurie aiguë de devises. La réaction plus ou moins spontanée des responsables de la politique économique consistait au départ à gérer les avoirs disponibles de manière à les économiser. Peu à peu, surtout durant l'après-guerre, ces mesures donnaient lieu à une rationalisation, tandis que venaient s'y ajouter des objectifs et des instruments à plus long terme, y compris ceux qui avaient trait à une industrialisation délibérée.

En matière de changes et de droits de douane, on mettait l'accent sur des mesures destinées à protéger la croissance des branches d'industrie produisant des biens de consomation non durables et certains biens intermédiaires. En même temps, l'Etat transférait des ressources à l'industrie en vue d'y faciliter l'accumulation du capital, souvent en y attirant les profits plus importants provenant des exportations. Simultanément, le secteur public mettait en œuvre une mutation des équipements collectifs, tant matériels qu'éducatifs, de nature à faciliter l'industrialisation et créait dans nombre de pays, au moyen d'entreprises publiques, les éléments fondamentaux d'une infrastructure industrielle.

Une politique très répandue consistait à créer des liens étroits entre le développement industriel et le marché intérieur, sans le combiner avec la conquête de marchés extérieurs. Compréhensible au vu de la situation qui régnait alors en Amérique latine et sur la scène internationale, cette politique fut poursuivie trop longtemps et devait contribuer en fin de compte dans de nombreux pays à aggraver les problèmes de balance de paiements principalement par le maintien d'un protectionnisme excessif, trop généralisé et trop prolongé.

Si l'on examine de plus près le processus économique, en tenant compte des différences entre pays, on constate qu'il subissait de manière décisive l'influence des échanges extérieurs.

On voyait ainsi prendre forme deux styles de transformation et de croissance, prenant dans une large mesure leur source dans les relations économiques extérieures. Le premier était adopté par les pays dont l'industrialisation avait déjà progressé de manière significative au cours des années 30 et après la Seconde Guerre mondiale. Il s'agissait de pays relativement importants, dont les principaux produits d'exportation commençaient à influencer les marchés mondiaux ; c'étaient eux qui souffraient le plus de la restriction de leur capacité d'importation et qui devaient consentir de grands efforts pour mettre en œuvre leur stratégie d'industrialisation. Les pays du cône Sud, dont les progrès au cours des périodes antérieures avaient été les plus rapides, n'enregistraient qu'une faible croissance, ne dépassant pour aucun d'entre eux un taux annuel de 4 pour cent. La Colombie atteignait 4.7 pour cent tandis que le Brésil et le Mexique approchaient de 6 pour cent. Ces différences comportaient un aspect commun : une baisse graduelle du rapport entre les importations et la production. Le processus s'accélérant, la restriction des importations amenait le Brésil et le Mexique à forcer la substitution aux importations par la production nationale à un point qui mettait en cause son efficience. Si l'accélération de la croissance portait avant tout sur les industries manufacturières, elle nécessitait de plus en plus le recours à des biens d'équipement et des consommations intermédiaires produits par des branches plus difficiles à développer. En fin de période (1965), le rapport des importations à la production était au Brésil, au Mexique et en Argentine inférieur à 10 pour cent, taux nettement inférieur à celui du début des années 50.

Dans le second groupe de pays – ceux de taille petite ou moyenne – l'industrialisation partait d'industries manufacturières relativement embryonnaires, ce qui lui permettait de progresser sans se heurter aux restrictions extérieures dont souffrait le premier groupe. Ces pays connaissaient une croissance plus rapide, approchant ou dépassant 6 pour cent dans le cas de plusieurs d'entre eux. En outre, vers la fin de cette période, les pays d'Amérique centrale s'engageaient dans un processus fructueux d'intégration régionale.

Dans le domaine social, l'urbanisation et le développement économique renforçaient un certain nombre de groupes sociaux qui, d'une manière ou d'une autre, soutenaient le style de développement adopté durant cette période. Dans la mesure où il suivait une politique définie, l'Etat s'efforçait d'orienter la transformation de l'appareil productif conformément aux intérêts des groupes dirigeants, tandis que les chefs d'entreprises industrielle, les classes moyennes, les ouvriers et les paysans luttaient pour cesser d'être des agents passifs du développement et y assumer un rôle actif.

Une caractéristique importante du processus de développement, tel qu'il se déroulait au cours de cette période, était la coexistence, à divers niveaux du pouvoir, de groupes traditionnels et nouveaux. Ces derniers étaient partisans de changements allant dans le sens des sociétés industrialisées, qui leur servaient de cadre de référence. Toutefois, leur tâche était délicate, tant par suite de la résistance que leur opposaient les groupes traditionnels que parce qu'il était difficile de fondre dans un projet commun les divers intérêts qui les mettaient en mouvement. Qui plus est, les divergences surgissaient parfois au sein même de ces nouveaux groupes. Il ne leur était guère facile, dans ces conditions, de constituer une direction claire, capable de mettre en œuvre un projet de développement dynamique et autocentré.

Les valeurs fondamentales qui inspiraient la transformation de la société donnaient lieu à des interprétations et des appréciations divergentes de la part des divers groupes sociaux en cause. Néanmoins, ces derniers avaient en commun certains principes, tels que l'élargissement de l'accès à l'enseignement, aux autres services sociaux et à la consommation. Ils partageaient également certaines idées au sujet de la rationalisation de l'économie, de la transformation des structures de la production, de la croissance, de l'accroissement de l'efficience et du renforcement de la participation politique, économique et sociale des groupes sociaux en voie de formation. Un autre principe commun était la nécessité de développer certaines formes d'organisation sociale (syndicats, associations professionnelles, partis politiques, etc.) permettant l'expression et l'insertion sociale.

L'industrialisation était tributaire de la coopération des industriels avec l'Etat, l'un et les autres devant être les agents dynamiques de la modernisation. Dans la pratique, ce rôle important était limité par l'hétérogénéité du secteur industriel, en partie parce que les exportateurs traditionnels de produits de base, tout en investissant dans l'industrie, n'en

31

conservaient pas moins leurs intérêts et leurs comportements antérieurs. De ce fait, tout en favorisant le changement, les industriels dans leur ensemble n'avaient qu'une capacité restreinte à se faire clairement les agents d'un effort de modernisation industrielle susceptible d'influencer l'organisation traditionnelle des autres secteurs.

Au cours de la période étudiée, les classes moyennes se renforçaient de manière générale, sous l'angle tant numérique que social et politique ; néanmoins, leur rôle économique et social restait ambigu, du fait de leur hétérogénéité.

En général, au cours de leur ascension sociale, ces classes tendaient à s'appuyer sur les classes populaires, jouaient un rôle important dans l'accroissement de la consommation et la réalisation d'une plus grande participation sociale et politique, ainsi que d'une plus grande mobilité sociale, et soutenaient l'industrialisation et la transformation de l'économie. Cependant, durant la période de stabilisation, cette alliance était rompue et l'on voyait se renforcer les éléments qui inclinaient à un compromis avec l'ordre établi.

La période étudiée se caractérisait par la présence de masses qui prenaient une importance politique, participaient à la consommation et avaient accès à la législation sociale. Néanmoins, l'espoir de voir l'industrialisation déboucher sur un mouvement ouvrier analogue à celui des pays du centre devait être déçu, les migrations provoquant une modification radicale de l'environnement urbain en général et de la classe ouvrière en particulier.

Dans leur comportement, les migrants donnaient la priorité à l'intégration dans l'environnement urbain – qui pour eux était synonyme, par exemple, d'un meilleur niveau de vie ou d'un plus large accès à l'enseignement – plutôt qu'à l'industrie elle-même. Ils étaient de ce fait relativement indifférents aux problèmes traditionnels de l'environnement industriel et du mouvement ouvrier ; pour eux, l'industrie n'était qu'un moyen d'accéder à la vie urbaine.

Si les problèmes d'intégration à la vie urbaine l'emportaient sur ceux qui avaient trait à la vie industrielle, leur solution sortait du cadre syndical, car elle était tributaire de l'action générale des pouvoirs publics. Les régimes de l'époque n'ignoraient pas ce phénomène et dans bien des cas le mouvement syndical devenait tributaire de l'Etat, chargé d'assurer des services sociaux qui en dernière analyse dépendaient de ce dernier, ce qui réaffirmait les aspects paternalistes des relations unissant les deux parties.

La question agraire était de celles qui provoquaient les plus vives inquiétudes, tant du fait de l'importance potentielle de ce secteur pour l'écoulement de la production industrielle nationale que parce qu'il créait des salaires et des biens qui jouaient un rôle crucial dans la croissance urbaine et industrielle. Dans la plupart des cas, c'est cette dernière fonction qui l'emportait, la paysannerie ne parvenant pas à s'organiser en agent du changement.

Enfin, si l'Etat jouait un rôle positif dans la transformation économique et sociale, c'était aussi dans certaines limites. D'une part, il devait jouer le rôle d'arbitre et concilier les intérêts des divers groupes sociaux, qui ne s'harmonisaient pas toujours. D'un autre côté, il devait diriger le processus de la transformation économique et sociale. Or il ne disposait ni des ressources, ni de l'autonomie nécessaire pour remplir simultanément ces deux rôles de manière satisfaisante. En outre, la politique du développement se fondant sur l'hypothèse que l'Etat disposait de ressources et d'une autonomie plus grandes que ce n'était le cas en réalité, cette politique n'était mise en œuvre que de manière partielle, ce qui provoquait un certain scepticisme, tant vis-à-vis de la politique suivie que vis-à-vis de l'effort de planification nécessaire pour la rendre plus cohérente et plus rationnelle.

Vers la fin des années 50, et plus encore au début des années 60, commençaient à surgir des difficultés économiques et politiques.

A mesure que progressait l'expansion industrielle, des difficultés ayant trait à l'importance du marché et à l'accès à la technologie et aux capitaux extérieurs en réduisaient l'efficience et le dynamisme. On avançait des propositions d'intégration économique et d'encouragement des exportations, de rationalisation du protectionnisme et de réformes de structure, y compris la réforme agraire et la réforme fiscale.

Dans la sphère sociale et politique, les groupes qui avaient gagné en influence politique se disputaient les fruits de la croissance, ce qui créait de graves tensions au sein des partis politiques.

Enfin, la situation internationale se modifiait. Du fait tant de son dynamisme que d'une plus grande ouverture aux produits latino-américains, le commerce mondial accroissait graduellement les possibilités offertes à cette partie du monde.

Simultanément, les perspectives offertes à l'Amérique latine par le marché des capitaux commençaient à évoluer. Après avoir absorbé une grande partie du capital international au cours de l'après-guerre, les pays européens réduisaient leurs appels et l'internationalisation des entreprises se développait.

Vers le milieu des années 60, par suite de ces phénomènes et des difficultés intérieures, tant politiques qu'économiques, évoquées ci-avant, les pouvoirs publics modifiaient leur action en vue de changer le style du développement économique. Cette première tentative devait être interrompue lors de la crise de 1973, les importantes modifications qui intervenaient au plan international à partir de 1974 rendant nécessaire un nouveau changement qualitatif du style du développement.

Au cours de la première sous-période, allant du milieu des années 60 à la crise de 1973-74, les pays latino-américains modifiaient graduellement leur politique économique, s'efforçant de tirer parti du dynamisme des échanges extérieurs et de l'apparition de nouveaux pôles de demande. Les pouvoirs publics assignaient un rôle important à l'encouragement des exportations ; simultanément, à mesure qu'augmentaient les recettes tirées des opérations courantes et des mouvements de capitaux, ils tentaient de libérer les importations et d'établir un taux de change uniforme. Toutes ces mesures visaient à éliminer les distorsions héritées du passé et à créer les conditions permettant à ces pays de jouer un rôle plus important dans l'économie du centre.

On réformait également la législation applicable au capital étranger, avec le double but d'attirer une plus grande masse d'investissements directs et de tenir compte des intérêts qu'ils produisaient.

Si l'industrialisation continuait à jouer un rôle fondamental dans le processus du développement, elle était désormais orientée, non seulement vers le marché intérieur, mais aussi vers ceux de la sous-région, de la région et vers le marché mondial. On mettait davantage l'accent sur la transformation des ressources naturelles et la création de nouvelles branches produisant des biens de consommation durables, des consommations intermédiaires et des biens d'équipement.

L'agriculture était modernisée de manière à mieux généraliser le progrès technique, certains pays s'efforçant en particulier de diversifier leurs exportations de produits agricoles.

Des systèmes d'encouragement des exportations étaient mis en place ou améliorés, tant par la réduction de leur coût que par le renforcement de leurs effets. La politique des changes jouait un rôle important à cet égard, ainsi que dans les accords passés avec les capitaux étrangers. De manière générale, cette politique était coulée dans le même moule, aboutissant à une élévation du taux de change réel, qui n'était pas sans répercussions sur le niveau de la protection et les importations. On pouvait ainsi s'orienter vers une plus grande unification et un abaissement des droits de douane.

Les fonctions de l'Etat évoluaient elles aussi. Dans certains cas, un rôle important revenait aux entreprises publiques. Dans d'autres, un soutien de plus en plus important était accordé à des groupes privés nationaux. Les pouvoirs publics faisaient progresser la planification de leurs activités ; si cette planification n'était pas toujours aussi efficace qu'on l'avait escompté, l'action publique devenait plus cohérente et ses objectifs plus clairs, tandis que la gestion des instruments de la politique économique s'améliorait, dans le domaine tant de la politique des échanges extérieurs et du change que de la politique budgétaire et monétaire. Ces modifications visaient également à éliminer ou à atténuer les distorsions héritées du passé. Dans nombre de pays, les pouvoirs publics se préoccupaient de plus en plus de la lutte contre l'inflation.

Les marchés financiers nationaux étaient organisés et de plus en plus liés au reste du monde.

Jusqu'en 1973, la région dans son ensemble connaissait une croissance économique assez forte, tandis que s'accroissait le rôle des échanges extérieurs. Cependant, ce résumé global recouvre des résultats très dissemblables.

Le processus d'intégration, auquel on continuait à reconnaître un rôle important dans le développement, ne progressait que de manière limitée. En outre, il devenait de plus en plus évident que les réformes intérieures, et particulièrement la réforme agraire, se heurtaient à des difficultés.

Simultanément, le rôle joué au sein du régime politique par certains groupes sociaux commençait à évoluer. Dans certains cas, les formes armées et les technocrates prenaient une importance croissante. Dans d'autres, des régimes populistes s'efforçaient d'élargir leur base sociale en y incorporant des catégories importantes de la population urbaine et rurale.

Ces changements intervenant dans la sphère politique traduisaient souvent les difficultés auxquelles se heurtait le régime pour absorber une population active urbaine en pleine croissance et satisfaire ces aspirations à la consommation des divers groupes sociaux qui le soutenaient.

Il devenait en outre difficile de faire place aux aspirations de certains groupes sociaux. Ainsi, les jeunes constataient l'existence d'un écart croissant entre leurs aspirations et leurs qualifications, d'une part, et d'autre part, le rôle auquel ils pouvaient réellement prétendre.

Les réactions politiques prenaient parfois la forme d'un mouvement de bascule, ouvrant la voie à un néolibéralisme économique et à des régimes autoritaires ; dans certains cas, la mise en œuvre d'une politique néolibérale était facilitée par l'existence d'un régime politique autoritaire.

A partir de 1973, le renchérissement du pétrole provoquait des modifications importantes. Les pays exportateurs de pétrole voyaient leurs termes de l'échange s'améliorer considérablement et leurs recettes en devises s'accroître fortement. C'était l'inverse pour les pays importateurs, dont les termes de l'échange se dégradaient et dont la balance des paiements subissait de fortes tensions, du fait non seulement du renchérissement du pétrole, mais aussi des importations de produits manufacturés, à la suite des tensions inflationnistes qui se manifestaient dans les pays développés.

Le renchérissement du pétrole et certains facteurs de nature structurelle provoquaient d'importantes mutations dans l'économie mondiale, où s'accroissait notablement le rôle des banques transnationales. L'apport de ressources financières aux pays en développement, et notamment à ceux d'Amérique latine, s'accroissait de manière sensible, tandis que l'inflation mondiale s'accélérait et que les taux d'intérêt s'élevaient.

Les gouvernements latino-américains avaient accès à un abondant financement international, accordé à des conditions très avantageuses. Leur endettement envers le secteur privé augmentait fortement, ce qui faisait jouer aux banques transnationales un rôle plus important, tant vis-à-vis de la balance des paiements et de la dette extérieure, que vis-à-vis du financement de l'économie nationale. A cet égard, les relations entre la production et le secteur financier étaient redéfinies, la première perdant dans certains cas une grande partie de son pouvoir économique et politique.

Cet afflux de financements extérieurs avait des répercussions différentes selon les pays. Dans certains cas, il donnait lieu à de grands projets d'investissement, exigeant des délais de maturation relativement longs, ou bien servait à encourager des activités tournées vers l'exportation. Dans les pays exportateurs de pétrole et dans ceux dont la politique visait à encourager une ouverture plus rapide et plus générale de leurs échanges et de leur vie financière, la consommation intérieure augmentait considérablement, l'épargne interne étant en partie remplacée par l'épargne étrangère.

Dans les pays qui réduisaient leurs droits de douane de manière rapide et généralisée, surtout si cette mesure s'accompagnait d'une surévaluation de la devise nationale et de taux d'intérêt internes très élevés, la capacité de production était atteinte, notamment dans l'industrie. Par voie de conséquence, nombre d'entreprises connaissaient de graves difficultés et la capacité de production installée était réduite ; en outre, de nombreuses entreprises se détournaient des nécessités de la production en faveur des aspects financiers de la gestion ou de l'importance croissante des importations.

La rapide progression de ces dernières engendrait de très forts déficits de la balance commerciale et de la balance courante, malgré l'accroissement considérable des exportations enregistré par certains pays durant la seconde moitié des années 70. Ces pays commençaient en outre à se rendre compte à quel point leurs exportations risquaient de se heurter à des mesures restrictives du fait de la politique protectionniste que suivaient les pays développés, qui s'efforçaient de défendre leurs productions traditionnelles contre la concurrence des exportations provenant d'Amérique latine et d'autres parties du monde en développement.

De manière générale, l'endettement extérieur s'accroissait fortement. De ce fait, et par suite de la hausse des taux d'intérêt, le service de la dette absorbait une part croissante des exportations, tendance qui devait s'accentuer durant les années 80.

Si la plupart des pays voyaient s'accroître leur vulnérabilité extérieure, c'était encore plus le cas de ceux qui avaient consacré les nouveaux financements extérieurs à la consommation, sans accroître leur capacité de production et d'exportation.

La crise qui éclatait au cours des années 80 s'expliquait à la fois par des facteurs structurels à long terme et par des facteurs à court terme, dont certains ont été évoqués ci-avant, et que nous n'examinerons pas ici de manière plus détaillée, puisqu'ils feront plus loin l'objet d'une analyse plus approfondie.

A partir du milieu des années 60, le dynamisme des échanges internationaux et la croissance économique de nombre de pays latino-américains conduisaient nombre d'observateurs à mettre en doute la nécessité d'une profonde réforme des relations économiques aux niveaux international, régional et national. Plus tard, vers le milieu des années 70, l'abondance du financement extérieur renforçait la conviction très répandue qui voyait dans la libéralisation des relations économiques extérieures le meilleur remède au déséquilibre externe, cette mesure permettant à la production d'être de plus en plus orientée par les signaux émanant du marché mondial.

Au niveau théorique, l'élargissement des relations extérieures se voyait assigner dans le processus du développement un rôle plus important que par le passé.

En ce qui concernait les perspectives d'avenir, on faisait souvent valoir que la production des pays développés, de même que le commerce mondial, devaient en fin de compte évoluer de manière relativement favorable.

L'approche théorique dominante et les anticipations optimistes se combinant, l'action des pouvoirs publics visait l'expansion et la diversification des exportations, acceptant un déficit du commerce extérieur que l'on supposait temporaire.

Entre 1976 et 1980, l'évolution des échanges et du financement extérieurs semblait confirmer qu'en obéissant aux signaux émanant du marché, les pays latino-américains pouvaient surmonter une crise grave tout en enregistrant une croissance modérée. C'est au cours de cette période que la progression des exportations, tant en volume qu'en valeur, atteignait son taux le plus élevé de l'après-guerre. Les importations aussi progressaient, parfois à un taux surprenant dans les pays du cône Sud et dans les pays exportateurs nets de pétrole. Simultanément, dans la plupart des cas et des années, la balance des biens et services restait déficitaire. On voyait ainsi coexister – situation rare au cours de la période d'après-guerre – des échanges extérieurs très dynamiques et un déficit chronique à moyen terme.

Dans ces conditions, on observait en général un déficit des échanges de biens et services, perpétué, sinon expliqué, par l'afflux de financements extérieurs, offerts abondamment à presque tous les pays par l'intermédiaire des banques transnationales et, au début, à des taux d'intérêt réels peu élevés. Progressivement, toutefois, les échéances moyennes se rapprochaient, tandis que les taux s'élevaient.

Cette brève description de l'évolution des échanges et du financement extérieur met en évidence l'action, simultanée dans la plupart des cas, de trois facteurs : le dynamisme des échanges, le déficit de la balance des biens et services et l'abondance du financement extérieur net.

Ces facteurs étaient également liés par des relations causales qui perpétuaient leur coexistence.

La progression rapide de la valeur des exportations et le niveau beaucoup plus bas des taux d'intérêt nominaux présentant toutes les apparences d'une situation stable, on pouvait penser qu'il était possible d'accroître l'endettement extérieur sans risque pour la solvabilité extérieure du pays, celui-ci parvenant simultanément à encourir un fort déficit commercial et à augmenter ses réserves, ce qui assurait aux pouvoirs publics une marge de manœuvre considérable dans leur politique économique et leur politique générale. De fait, dans bien des cas, les mesures ayant trait au taux de change, au crédit, au budget et aux réserves internationales encourageaient la dépense intérieure, provoquant un boom temporaire qui de son côté nécessitait un appel accru au financement extérieur.

Malheureusement, ce raisonnement reposait sur plusieurs hypothèses qui, si elles se révélaient fausses, pouvaient conduire à de graves difficultés. C'est pourquoi en 1977, dans ses études prospectives, le Secrétariat attirait l'attention sur la vulnérabilité qui résultait du niveau d'endettement désormais atteint.

Il ne semblait pas raisonnable d'admettre qu'à moyen terme la valeur des exportations puisse progresser de 20 pour cent par an, le taux d'intérêt nominal restant à 10 pour cent.

Qui plus est, ce raisonnement supposait implicitement qu'un emprunt que l'on ne rembourse pas peut toujours être renouvelé, ce mécanisme apparaissant comme relativement automatique. Si l'échéance moyenne de la dette s'allonge, la partie effectivement renouvelée représente un plus faible pourcentage des exportations. Si l'échéance moyenne est de dix ans et que la dette représente le triple de la valeur des exportations, la partie à renouveler est égale à 30 pour cent de cette valeur. Si l'échéance moyenne est plus courte, si elle se raccourcit chaque année ou si, chose plus grave, la dette à échéance de moins d'un an représente une forte partie du total, le montant à renouveler peut facilement être égal à près de 100 pour cent de la valeur des exportations. Dans ce dernier cas, toute circonstance défavorable peut, à tout le moins, jeter un doute sur les chances d'un renouvellement automatique.

A partir de 1981, les événements détruisaient les hypothèses optimistes qui servaient de base à la politique des relations économiques et du financement extérieurs. Dans la plupart des cas, la dégradation intervenait simultanément pour tous les facteurs envisagés, se traduisant par une grave crise de la balance des paiements et de la croissance.

Les résultats obtenus dans la transformation de l'appareil productif latino-américain reposaient sur deux fondements qui se révélaient défectueux. D'une part l'idée que le lourd endettement extérieur de pays insérés dans l'économie internationale ne les rendait pas vulnérables se fondait sur des hypothèses optimistes au sujet de l'évolution des échanges, des finances publiques et de l'inflation mondiale. D'autre part, on pensait que le coût politique et social que comportait à l'évidence cet endettement serait compensé par la croissance économique qui résulterait de cette nouvelle forme d'insertion internationale.

De ce fait, lorsque la situation extérieure se dégrada de manière décisive, la crise du style de développement, déjà en gestation durant les années 70, devint évidente. Si la forme de la dépendance et de la vulnérabilité avait changé de manière considérable, ces problèmes s'étaient aggravés et dans bien des cas l'Etat n'était pas en mesure de faire face à la crise.

Il devenait manifeste que les problèmes sociaux qu'à un moment donné on supposait presque résolus par la modernisation et la croissance économique, non seulement ne l'avaient pas été, mais s'étaient aggravés.

Transformation, équité et autonomie dans le développement de l'Amérique latine

Le style de développement adopté par les pays latino-américains avait conduit à une importante transformation économique et sociale, qui comportait de grandes contradictions.

D'un côté, la région dans son ensemble accroissait sa capacité de production et améliorait sa technologie, démontrant l'existence d'un grand potentiel de production et d'exportation. D'un autre côté, les résultats obtenus étaient insuffisants, car cette transformation économique était de moins en moins autoentretenue et de plus en plus dépendante du reste du monde.

De nouvelles catégories de la population parvenaient à adopter des habitudes de consommation analogues à celles des pays développés, accédaient à la décision et participaient au pouvoir économique, politique et social. Elles coexistaient, toutefois, avec une forte majorité qui se trouvait presqu'entièrement exclue du partage des fruits du progrès technique.

Des branches de production et d'activité modernes parvenaient à jouer un rôle, aux niveaux tant national qu'international. Au sein du secteur industriel, des liens se créaient entre des entreprises modernes engagées dans l'agriculture, l'industrie et les services, et dont beaucoup participaient aux flux internationaux d'échanges et de financement. Des familles paysannes, des artisans urbains et des catégories importantes de travailleurs urbains indépendants subsistaient en n'ayant guère de liens techniques et financiers avec les secteurs modernes, ne s'exprimant qu'aux niveaux compétents pour la répartition du revenu ou les salaires.

Pour compléter l'énumération de ces contrastes, on examinera ci-après trois facteurs ayant trait, eux aussi, aux mutations intervenues dans les domaines économique et social : la transformation de la structure de la production, l'évolution en matière d'équité et de participation et le degré d'autonomie des relations économiques extérieures.

a) *La transformation de la structure de la production*

Les institutions, les comportements et les techniques de production traditionnels étaient en partie réformés ou remplacés par d'autres. L'industrialisation et la modernisation de l'agriculture, l'urbanisation et l'action de l'Etat disséminaient le progrès technique, modifiaient la structure de la production et de l'emploi ainsi que celle de la société, qui voyait apparaître des classes moyennes et des catégories de travailleurs urbains. Toutefois, cette transformation n'éliminait pas l'hétérogénéité qui a toujours caractérisé les sociétés latino-américaines.

La modification des structures de la production s'accompagnait d'une mutation institutionnelle. De la prépondérance de l'hacienda traditionnelle, de l'entreprise familiale et de l'artisanat, la société passait à une situation où la majeure partie de la production s'articulait autour d'entreprises modernes, publiques ou privées, dans certains cas très importantes et de plus en plus liées aux marchés internationaux. Antérieurement consacrés aux équipements collectifs et à l'exploitation et à la commercialisation des ressources naturelles, les investissements directs de l'étranger servaient de plus en plus au développement de l'industrie et d'une production agricole moderne. Au cours des années 70, on assistait au développement d'un marché financier, lié au marché international.

L'action des pouvoirs publics devenait plus efficace, grâce aux mesures ayant trait à l'industrialisation et à la modernisation de l'agriculture, à la création d'équipements collectifs et à l'amélioration de la gestion économique (réformes fiscales et tarifaires, meilleure utilisation de la politique des changes). Dans nombre de pays, les entreprises publiques jouaient un grand rôle dans la transformation de la production, le secteur public complétant et soutenant le privé.

L'industrie progressait, se diversifiait et de manière générale devenait plus efficiente, sa part du produit total passant de 17 à 24 pour cent entre 1950 et 1980. La substitution aux importations par la production nationale rendait possible la croissance économique, même durant une crise du commerce extérieur. L'expansion du secteur industriel allait de pair avec la transformation de sa structure. La production de biens de consommation non durables était suivie du développement de branches produisant des biens intermédiaires, des biens de consommation durables et des biens d'équipement, ces derniers étant surtout l'apanage des grands pays. La production nationale satisfaisait donc presque toute la demande de biens de consommation et une part importante et croissante de la demande de consommations intermédiaires de base et de biens d'équipement.

Vu le rythme et les caractéristiques de son développement, le secteur industriel exerçait sur l'économie des répercussions très positives, sans toutefois lui impartir un dynamisme suffisant et en ne contribuant que partiellement à la constitution d'un complexe industriel autonome, réellement capable d'être une force motrice du développement. La dépendance technologique restait forte et la créativité faible, l'articulation des diverses branches était limitée, le secteur des biens d'équipement restait à la traîne et les échanges extérieurs de produits manufacturés étaient marqués par une grave asymétrie.

L'agriculture était transformée par l'introduction de nouvelles méthodes de production et le progrès de l'organisation et de la commercialisation de ses produits. Un secteur moderne et un secteur traditionnel continuaient toutefois à y coexister. L'agriculture moderne, capitalisée, bénéficiait d'investissements publics dans l'irrigation et les équipements de transport, introduisait massivement de nouvelles technologies, était liée aux marchés urbains et extérieurs et permettait le développement d'importantes activités agro-industrielles. Simultanément, toutefois, l'agriculture paysanne restait le seul moyen de subsistance de la grande partie de la population rurale dont la productivité par unité de superficie n'avait pas augmenté et qui continuait à vivre dans une extrême pauvreté. La part de l'agriculture latino-américaine dans les échanges mondiaux était en baisse.

b) *Equité et participation*

Depuis la Seconde Guerre mondiale, l'évolution en matière d'équité a constitué, elle aussi, un mélange complexe de succès et d'échecs.

Il n'y a pas eu d'amélioration nette de la répartition du revenu. Il est particulièrement décevant d'observer que des périodes de prospérité économique, comme celles de la fin des années 60 et du début des années 70, n'ont pas à cet égard conduit à des progrès significatifs et qu'il n'a pas encore été possible de répartir de manière équitable le coût du recul économique provoqué par la crise.

Les chiffres globaux masquent l'évolution propre aux divers groupes sociaux. Dans les zones urbaines, on a assisté à la croissance rapide de classes moyennes, percevant une part importante du revenu et prenant une part active à la vie politique. En même temps, une grande partie de la population continue à vivre dans une extrême pauvreté dans les grandes métropoles, où son activité est plutôt improductive. Les 5 pour cent de la population dont les revenus sont les plus élevés ont réussi à maintenir, voire à accroître, leur part du total. L'existence simultanée de ces catégories sociales dans les zones urbaines a d'importantes conséquences économiques, sociales et politiques. L'évolution intervenue dans les zones rurales n'est pas moins significative. L'incorporation d'un secteur d'entreprises modernes et la dissémination du progrès technique dans la production agricole modifient la structure et le fonctionnement de la société rurale et renforcent son intégration au reste de l'économie, tout en accroissant l'écart entre l'agriculture moderne et l'agriculture paysanne traditionnelle.

En ce qui concerne l'emploi et le chômage, plusieurs aspects méritent d'être relevés. La population active augmentait rapidement, du fait de l'entrée sur le marché du travail d'une grande partie de la population. En outre, l'exode rural amenait dans les villes un grand nombre d'anciens ouvriers agricoles qui cherchaient un emploi dans l'industrie ou les services. Avec le progrès de l'industrialisation, les activités urbaines modernes absorbaient une main-d'œuvre importante. Néanmoins, les emplois productifs ainsi créés ne suffisaient pas pour absorber une offre aussi importante de main-d'œuvre urbaine, ce qui explique l'essor d'activités inorganisées, source de sous-emploi urbain. Au cours des dernières années, selon la PREALC, l'équivalent de 19.4 pour cent de la population active étaient sous-employés.

L'une des principales différences qui séparent l'Amérique latine des pays développés, à l'époque où ils traversaient une phase analogue, est la persistance des problèmes posés par le sous-emploi et le chômage et des grands écarts de productivité entre les diverses activités, même au sein d'un même secteur. Si les pays développés ont connu une période où le chômage posait des problèmes persistants, celui-ci diminuait nettement à mesure que progressait le processus du développement. Dans notre cas, le fait est que même si l'on se tourne vers l'avenir et à moins d'une amélioration importante du style du développement ou du taux de croissance, le sous-emploi et le chômage ont des chances de rester élevés encore longtemps.

On observera également qu'à mesure que le chômage devient un phénomène urbain, certains facteurs sociaux et politiques viennent aggraver le problème.

Pour une grande part de la population, la marginalité s'accompagne, non seulement de chômage, mais de conditions d'existence très défavorables. Vers le début des années 70, quelque 40 pour cent de la population vivaient dans une extrême pauvreté, et l'on n'a aucune raison de croire que la situation se soit nettement modifiée depuis cette époque. Si les services sociaux se sont développés, ils tendent à avantager certains groupes sociaux, en excluant les autres.

Malgré les progrès importants de l'éducation, des problèmes subsistent. Aujourd'hui, presque tous les enfants fréquentent l'école et l'enseignement supérieur s'est considérablement développé. L'analphabétisme a presque été éliminé dans certains pays ; il reste toutefois important dans ceux qui ont une forte population paysanne, surtout indigène. Il n'a pas encore été possible de faire bénéficier l'ensemble de la population d'un enseignement primaire complet.

L'enseignement supérieur a atteint un degré de scolarisation comparable à celui des pays européens, ce qui accroît grandement le potentiel culturel et les ressources humaines dont dispose l'Amérique latine.

Outre ses répercussions économiques, cette situation a des conséquences pour l'équité et la participation, l'éducation ayant contribué à l'intégration de la population dans la société nationale et constituant le meilleur moyen d'ascension économique et sociale. L'enseignement de base ouvre des horizons à une grande partie de la population qui auparavant s'en trouvait exclue ; toutefois, du fait que l'on a consacré l'essentiel des ressources au financement d'une longue scolarité pour une minorité, au détriment d'un enseignement élémentaire pour les autres catégories, et qu'il n'a pas encore été possible de faire acquérir par l'ensemble de la population un minimum de connaissances fondamentales, de larges couches sociales restent exclues de toute participation et la stratification sociale injuste se reproduit.

La mise en place de systèmes scolaires, allant du niveau préscolaire à celui de l'université, offrant une éducation distincte et de meilleure qualité que celle qui est dispensée à la majeure partie de la population tend à perpétuer les inégalités sociales.

La croissance économique, l'industrialisation et la modernisation de l'agriculture, le progrès technique et culturel, ainsi que l'urbanisation, ont provoqué de grands changements dans la stratification des sociétés latino-américaines. De larges couches sociales avaient le sentiment de participer à la transformation d'une société rurale en société urbaine, en accédant aux services sociaux d'enseignement ou de santé, en acquérant de l'instruction ou en passant au statut de travailleurs non manuels, fils de parents illettrés ou de travailleurs manuels ; outre les avantages matériels qu'ils leur assuraient, ces changements leur permettaient de franchir des barrières sociales symboliques et historiques.

La structure de la production tendant à se stabiliser relativement, ses répercussions sur la stratification sociale se sont atténuées et cette dernière devient de plus en plus tributaire de la répartition du revenu, de la culture et du pouvoir.

c) *Degré d'autonomie et relations économiques extérieures*

A l'issue de la Seconde Guerre mondiale, les pays d'Amérique latine espéraient que la transformation en cours de leur production leur permettrait d'accroître leur autonomie, tant vis-à-vis des décisions prises à l'étranger que vis-à-vis de la technologie et de la production.

Depuis cette date, ils ont diversifié leurs exportations de produits de base et y ont ajouté les produits manufacturés. En même temps, ils tendaient à éliminer les importations de biens de consommation et à substituer dans bien des cas, une production nationale à celles de consommations intermédiaires manufacturées et de biens d'équipement. Cependant, leurs exportations se composent encore en grande partie de produits primaires, tandis que la plupart des produits qui exigent une technologie avancée, ainsi que la technologie non liée aux biens, continuent d'être fournis par l'étranger.

Un autre élément, parfois moins visible, de la dépendance extérieure du processus de production de l'Amérique latine est l'expansion du domaine d'action des sociétés transnationales. De fait, celles-ci ont accru leur influence, jouant un rôle essentiel dans les secteurs les plus dynamiques, ceux où le progrès technique est le plus rapide ; il en est ainsi particulièrement de l'industrie chimique, de celle des métaux de base, de la construction mécanique et de l'industrie automobile, dont la production est principalement destinée au marché intérieur et dans une moindre mesure à l'exportation. De ce fait, la capacité accrue de l'Amérique latine à satisfaire ses propres besoins repose en grande partie sur les paiements effectués à ces sociétés pour rémunérer leur apport technologique et gestionnaire.

C'est dans le domaine financier que sont intervenues au cours des années 70 les plus grandes modifications dans la structure des relations extérieures. Guidés par l'abondance des financements extérieurs, les pouvoirs publics libéralisaient, quoique à des degrés très divers, leurs relations économiques internationales. Des sources privées, bancaires et commerciales, apportaient à l'Amérique latine d'importantes ressources financières. Les emprunts extérieurs commençaient à jouer un rôle très actif, tant dans l'investissement que dans les opérations courantes, prenant beaucoup plus de place que ne le faisait l'investissement direct au cours des années 50 et 60. Qui plus est, les banques privées, non seulement jouaient un rôle plus important que ne le faisaient au cours des années 50 les organismes publics de financement international, mais elles modifiaient en outre le mécanisme du financement extérieur, remplaçant les prêts à long terme accordés à de faibles taux d'intérêt pour le financement de grands investissements dans les équipements collectifs et industriels par des prêts à moyen et court terme utilisables de manière plus souple et assortis de taux d'intérêt qui progressivement s'élevaient et devenaient plus variables.

Ainsi, par l'intermédiaire de leurs prêts, les banques transnationales s'engageaient profondément dans l'économie de l'Amérique latine. Dans bien des cas, les pouvoirs publics perdaient en partie la maîtrise des flux de financement extérieur. Les entreprises nationales, tant publiques que privées, s'endettaient en perdant en grande partie leur autonomie. L'économie devenait de plus en plus vulnérable.

L'asymétrie des relations financières se renforçait considérablement, les pays d'Amérique latine perdant tout contrôle sur la fixation des taux d'intérêt et la disponibilité du financement.

Dans certains pays, le développement et l'industrialisation permettaient d'accroître quelque peu l'autonomie de décision, mais en général on n'observait pas de renforcement notable de l'autonomie en matière de technologie et de production, ni d'atténuation de l'asymétrie dans les relations extérieures, tant financières que commerciales. Il convient toutefois de rappeler que dans ces domaines c'est aux stades supérieurs du développement qu'interviennent des restrictions et que dans certains cas, notamment pour les grands pays, il s'est produit des changements qui, bien que limités, signalent peut-être le début d'un processus à plus grande échelle.

Une hétérogénéité persistante

L'urbanisation, le progrès technique et les profondes mutations inhérentes à tout processus de développement sont en général source d'énormes déséquilibres. On doit donc s'attendre à observer initialement de grands écarts de productivité entre les industries nouvelles et les activités traditionnelles, et à voir apparaître des couches sociales très différentes des couches traditionnelles.

L'apparition de nouveaux éléments face aux éléments traditionnels, et les déséquilibres qui accompagnent ce phénomène, ne sont donc pas une caractéristique exclusive de l'Amérique latine et de la région des Caraïbes. Si l'hétérogénéité de cette partie du monde est différente, c'est par son intensité et sa persistance, même aux époques où la rapidité des mutations donnait l'impression de devoir la réduire. Dans les pays du centre, le processus même du développement supprimait ou atténuait, avec le temps, certaines sources d'hétérogénéité, en même temps qu'il en créait d'autres.

En Amérique latine, l'hétérogénéité prévaut dans de nombreux domaines. l'opposition entre le monde rural et le monde urbain se manifestait, à l'origine, par le contraste des deux institutions qui résumaient l'ensemble des relations sociales qui les caractérisaient : l'hacienda et l'entreprise industrielle. Par la suite, l'hétérogénéité se développait dans chacun de ces deux milieux – l'urbain et le rural – dont chacun comporte de nombreux niveaux de productivité et des méthodes de production différentes.

L'apparition d'une industrie de biens de consommation non durables n'entraînait pas, tout au moins autant qu'on pouvait l'escompter, la disparition de l'artisanat traditionnel, qui dans bien des cas, restait relativement inchangé et sans liens avec les nouvelles entreprises. Par la suite, la création d'autres branches d'industrie, produisant des biens intermédiaires ou des biens de consommation durables – dont cette partie du monde n'avait guère l'expérience – s'accompagnait de l'adoption de technologies très productives, sans rapport avec celles qui étaient utilisées auparavant. En l'absence d'une industrie des biens d'équipement et d'une technologie commune, ces branches d'industrie n'étaient pas intégrées les unes aux autres. L'hétérogénéité qui se manifestait en Amérique latine était de ce fait plus grande que celle qui caractérisait autrefois le pays du centre, et avait des causes plus profondes. A mesure que des services modernes étaient mis en place parallèlement aux formes traditionnelles ou inorganisées, ce secteur reproduisait la situation existant dans l'industrie. Loin de disparaître, les services inorganisés se sont parfois multipliés. Dans les zones rurales, des entreprises modernes coexistaient avec la paysannerie sans qu'il en résulte, contrairement à toute attente, un degré significatif de progrès technique ou d'intégration. En d'autres termes, contrairement à l'évolution des pays du centre – où le progrès technique s'étendait d'un secteur et d'une branche à l'autre, ainsi qu'au sein de chaque branche, et où la production et la technologie formaient un tout – ces phénomènes étaient rares dans la périphérie latino-américaine.

Ainsi, l'hétérogénéité s'est perpétuée. Des structures modernes coexistent avec des structures traditionnelles, sans qu'il en résulte, contrairement à ce que l'on espérait, une diffusion du progrès technique ou une articulation de la production.

Cette hétérogénéité rend difficile une répartition adéquate des fruits du progrès technique. Ce phénomène se traduit par une désarticulation sociale, qui entrave toute tentative d'intégration nationale ou régionale et affaiblit le potentiel de transformation et de croissance de la société dans son ensemble.

Cette longue transition conduit à se demander comment cette société peut passer des structures traditionnelles aux structures modernes et quels sont les facteurs qui lui ont interdit de le faire.

Dans les paragraphes ci-après, nous examinerons certains des facteurs qui semblent avoir joué un rôle particulièrement important dans la genèse et la perpétuation de l'hétérogénéité dans les pays d'Amérique latine et de la région des Caraïbes. La liste n'en est pas exhaustive et nous sommes conscients des différences qui séparent les divers pays et qui font que l'importance et l'influence relatives de ces facteurs ne sont pas les mêmes dans tous les cas.

Tout d'abord, la transformation économique et sociale intervient dans le cadre de relations entre le centre et la périphérie où le premier transfère à la seconde les types de consommation et de technologie qui le caractérisent. Ces types de consommation sont adoptés à la périphérie par de nombreux groupes sociaux, appartenant surtout aux catégories à revenu moyen ou élevé, alors même que le revenu moyen est bien plus bas que dans les pays du centre. C'est là un transfert très dynamique, qui constitue un défi important pour les pays de la périphérie. Il exige un volume considérable d'importations et de capital et rend difficile la mise en place d'une production compétitive, par suite de la faible échelle où elle se déroule. Il s'ensuit qu'un développement industriel ainsi fondé est limité par des restrictions externes, l'insuffisance de l'épargne et les difficultés d'accès aux marchés extérieurs qu'exigerait une compétitivité suffisante.

L'imitation en matière de consommation et l'urbanisation provoquent également d'importantes mutations de la demande de produits alimentaires. Les couches sociales à revenu élevé ou moyen imitant la consommation différenciée des pays développés, il s'ensuit une hausse du coût unitaire des calories consommées et un accroissement corrélatif de la demande d'importations, tandis que de larges couches de la population ne sont pas à même de couvrir leurs besoins alimentaires de base.

En ce qui concerne la technologie, contrairement aux pays du centre – où le progrès est autoentretenu et se répand de manière continue et intégrée – en Amérique latine ce phénomène n'apparaît que de manière limitée au niveau national, et seulement dans un petit nombre de pays. Vu les méthodes d'introduction de la technologie importée, aucun lien de continuité et de diffusion ne s'est établi entre les divers secteurs de la production. La technologie n'a pas été correctement adaptée à la situation locale et aux ressources dont disposent les pays, et l'on ne s'est guère préoccupé de processus ou de secteurs susceptibles d'absorber de la main-d'œuvre de manière efficiente, ou du rôle que pouvaient jouer à cet égard les entreprises petites ou moyennes.

Il convient également d'envisager le rôle joué par les sociétés transnationales dans les relations entre le centre et la périphérie. Si elles constituent un instrument important du transfert de technologie et jouent un rôle dans la pénétration de marchés extérieurs, elles ont installé les biens d'équipement qui leur convenaient, ce qui habituellement ne contribue pas à une atténuation de l'hétérogénéité.

En second lieu, la capacité d'absorption de la main-d'œuvre par l'économie est fonction de l'importance et de la nature de l'accumulation, ainsi que de la croissance et de la composition de la population active. Comme on l'a dit ci-avant, les pays de la périphérie mettent en œuvre – quoique un peu tard et de manière faussée et incomplète – le même type de technologie que les pays du centre, dont ils importent les biens d'équipement. Toutefois, pour qu'il soit possible à des pays dont le niveau de revenu est différent d'utiliser une même technologie orientée vers l'automation, ceux de la périphérie doivent élever considérablement le rapport entre leur épargne intérieure et leur revenu, ce qui en soi permet difficilement d'y atténuer l'hétérogénéité.

Si l'on ne peut pas considérer comme faible, en moyenne, la part de leur production que les pays latino-américains consacrent à l'investissement et si elle a même augmenté durant les années où la croissance était rapide, elle n'a pas atteint les niveaux qu'on observe, par exemple, dans certains pays asiatiques. L'épargne intérieure a joué dans ce taux d'investissement un rôle décisif. Depuis la crise, en outre, tant l'investissement que l'épargne intérieure ont baissé, et même de manière brutale, par suite de la chute du revenu, de la dégradation des termes de l'échange et des versements effectués à l'étranger pour le service de la dette extérieure.

Quant à la répartition des investissements par branche d'activité, une partie importante en est très directement liée à des produits de luxe ou à une consommation n'ayant qu'une faible capacité de reproduction. Dans certains cas, ces investissements ont dépassé la demande, ce qui conduit à une sous-utilisation des capacités de production.

Si les possibilités de création d'emplois étaient réduites par la nature de la technologie adoptée, le processus était encore compliqué par la progression de la population active, qui s'est accélérée et, selon les informations dont on dispose, a atteint son rythme le plus élevé au cours des années 70 et 80. Les estimations de la CEPALC montrent que dans le cadre du développement actuel, et compte tenu du taux moyen d'accroissement de la productivité et de la progression de la population active, il est nécessaire, pour réduire le chômage et l'hétérogénéité, d'accroître la part des investissements et de l'épargne dans le produit national, pour réaliser une accélération autoentretenue de la croissance économique.

En troisième lieu, l'industrialisation n'a pas toujours été guidée par une vue à long terme ; au contraire, à relativement court terme, elle a visé à satisfaire un niveau de consommation antérieur, qui a été réduit par la crise des échanges extérieurs, voire un niveau légèrement plus élevé, qui ne peut s'affirmer à moyen terme que moyennant des mesures de politique économique. S'il est difficile de satisfaire cette consommation, de plus en plus inspirée de celle des pays du centre, c'est par suite des difficultés de balance des paiements ou de la stabilisation des revenus et de la demande des groupes à revenu élevé ou moyen, qui garantirait la rentabilité de la création d'industries produisant des biens de consommation durables. Cette difficulté limitait la capacité de l'industrialisation à affecter la structure de l'emploi par un processus d'accumulation constante, orientée vers les biens intermédiaires et les biens d'équipement. Simultanément, la persistance du sous-emploi, voire du chômage pur et simple, ne permettait guère aux travailleurs d'accroître leur revenu. La répartition existante du revenu et du pouvoir économique orientait donc la transformation de la production, des couches sociales qui représentent un faible pourcentage de la population s'attribuant la majeure partie de l'accroissement de la demande. On se contentera de rappeler que les estimations établies par la CEPALC pour sept pays d'Amérique latine montrent que les 10 pour cent des ménages bénéficiant des revenus les plus élevés s'attribuaient, entre 1960 et 1970, 50 pour cent de l'accroissement total du revenu, et 45 pour cent entre 1970 et 1975. Les 30 pour cent des ménages bénéficiant des revenus les plus élevés, s'attribuaient 80 pour cent de l'augmentation intervenue au cours des années 70. Du fait de cette inégale répartition du revenu, la structure de la consommation tend à reproduire, à une échelle plus petite, celle des pays du centre, ce qui a imposé le recours à des technologies conçues pour une autre échelle de production augmentant par suite le coût des investissements par unité produite. Qui plus est, dans bien des cas, l'imitation des pays capitalistes développés a rapidement rendu obsolètes les biens d'équipement, par suite des fréquents changements de modèles et de marques, processus où les sociétés transnationales jouent également un grand rôle.

Enfin, si les facteurs ci-avant sont très importants, il convient de rappeler que l'hétérogénéité résulte aussi d'éléments internes, dont certains ont trait à la structure sociale et politique des pays latino-américains. Leurs régimes politiques, aussi nombreux et divers soient-ils, ont toujours fait coexister des éléments traditionnels avec des aspects modernes, tant par suite de la persistance des premiers que de la faiblesse des seconds. Dans l'histoire de cette partie du monde, on en trouve peut-être la première manifestation dans ce que l'on a appelé le régime oligarchique, dont le rôle politique et économique moderne, tourné vers l'extérieur, non seulement coexistait avec des régions arriérées mais se fondait sur des rapports économiques et politiques de type traditionnel.

Il est toutefois plus important, dans l'interprétation des événements des dernières décennies, de se rappeler que dans la plupart des pays en cause la crise de l'oligarchie n'a pas fait perdre tout pouvoir à ses groupes dirigeants : là où cette crise a eu lieu, elle s'est en général traduite par la perte du pouvoir politique mais non économique. Les régimes politiques modernisateurs nés de cette crise devaient donc limiter leurs réformes pour respecter les foyers existants de pouvoir économique traditionnel. Qui plus est, l'hétérogénéité ne se manifestait pas seulement par le clivage entre forces sociales modernistes et traditionnelles, mais imprégnait souvent aussi les premières ; de fait, les régimes qui encourageaient l'innovation se composaient souvent d'éléments traditionnels aussi bien que modernes, en ce qui concerne tant les forces sociales qui les soutenaient que les principes qui guidaient leur action. Cette hétérogénéité fondamentale – aggravée par la multiplicité des groupes sociaux qui en faisaient partie – empêchait ces régimes de suivre une politique claire ; ils semblaient toujours débordés par la nécessité de résoudre des problèmes à court terme, de satisfaire des exigences urgentes et de concilier des intérêts opposés. C'est ce que montre clairement leur politique d'industrialisation qui, tout en constituant l'élément essentiel de leur programme économique, ne parvenait jamais à acquérir l'élan, la permanence et l'ampleur nécessaires pour vaincre définitivement l'ancien système.

En résumé, on peut dire qu'il existe des liens fonctionnels entre la transformation économique et sociale, son dynamisme et l'hétérogénéité. De fait, en ce qui concerne les rapports entre groupes sociaux, il y a un lien entre la transformation et la marginalité. L'amélioration du niveau de vie de certains groupes sociaux et le progrès économique de certains secteurs se sont fondés en partie sur l'absence de progression des autres. Ainsi, le contrôle des prix alimentaires, destiné à avantager les couches à faible revenu et autres secteurs urbains, limitait le revenu des paysans qui produisaient les denrées en cause. La modernisation partielle de l'agriculture tirait parti d'une main-d'œuvre provenant de la paysannerie, qui subsistait sur de petites exploitations et pouvait fournir un appoint durant la récolte.

De son côté, la consommation imitative de certains secteurs se faisait au détriment de ressources qui affectaient l'épargne et la capacité d'importation, limitant celles qui étaient disponibles pour des investissements reproductifs, qui auraient permis d'élever plus rapidement le niveau de vie des secteurs marginaux. La concentration des investissements sur les besoins de consommation de groupes numériquement faibles nuisait à leur efficacité et affaiblissait le dynamisme de la croissance. L'hétérogénéité favorisait le maintien des salaires réels à un bas niveau, ce qui renforçait les possibilités de consommation et d'accumulation des groupes à revenu élevé. Ainsi, l'intégration et la marginalité, la modernisation et l'hétérogénéité tendent à se reproduire et leur coexistence devient une caractéristique permanente du fonctionnement de ce style de développement.

La crise économique en Amérique latine de 1981 à 1984

De 1981 à 1984, l'Amérique latine a subi la récession la plus sévère et la plus prolongée qu'elle ait connue depuis la grande dépression des années 30, crise d'autant plus dramatique qu'elle suivait une longue période où cette partie du monde avait vu sa croissance économique atteindre une moyenne annuelle d'environ 5.5 pour cent. De fait, en dépit des nombreux inconvénients de cette croissance, en ce qui concerne notamment la répartition du revenu, l'emploi et le degré d'autonomie externe, le succès enregistré durant la crise pétrolière consécutive à l'année 1973 – où, contrairement aux pays de l'OCDE, dont la production avait baissé, l'Amérique latine avait seulement vu sa croissance se ralentir – donnait à penser qu'elle était enfin en voie de surmonter quelques-unes au moins des faiblesses structurelles qui avaient si longtemps retardé son développement.

Cette situation devait se renverser en 1981. Le revenu par habitant baissait trois ans de suite, pour se stabiliser enfin en 1984 à un niveau inférieur de 8 pour cent à celui de 1980, égal seulement à celui de 1977. Si certains pays s'en tiraient mieux que d'autres, cette baisse du revenu par habitant était très générale, affectant 17 des 19 pays pour lesquels on dispose de données comparables, des pays grands et petits, exportant ou non du pétrole, relativement plus dirigistes ou plus libéraux, suivant une stratégie de développement tournée vers l'exportation ou bien plus tournée vers le marché intérieur.

A l'actif du bilan, on ne relève qu'un avantage évident : le fort déséquilibre extérieur qui frappait la plupart des pays en cause a été nettement réduit, le déficit de la balance courante tombant de près de 40 milliards de dollars en 1981 (soit plus de 40 pour cent des exportations) à 2 milliards à peine en 1984, et la balance commerciale passant d'un déficit de 2 milliards de dollars en 1981 à un excédent de 38 milliards en 1984. Mais cette amélioration de 40 milliards de la balance commerciale, réalisée en trois ans seulement, a dû être payée, non seulement de la récession évoquée ci-avant, accompagnée d'une montée du chômage qui aggravait encore le sous-emploi sévissant en Amérique latine, mais aussi d'un triplement de l'inflation, qui atteignait en moyenne près de 180 pour cent par an en 1984 dans l'ensemble de cette région.

Comme on pouvait s'y attendre, cette conjonction sans précédent d'inflation et de récession a provoqué dans nombre de pays une baisse de 20 pour cent des salaires réels.

On a examiné dans la section qui précède les causes structurelles à long terme de cette crise. Sa cause immédiate, toutefois, était la nécessité de redresser à relativement brève échéance l'énorme déficit extérieur de l'Amérique latine. Si une action rapide était nécessaire, c'est essentiellement parce que cette région ne pouvait bénéficier d'entrées de capitaux suffisantes pour lui permettre de gagner du temps, afin de procéder à un ajustement efficient, fondé sur un déplacement et non une réduction de la production. Cette solution était exclue par suite du taux d'endettement que l'Amérique latine avait atteint en 1981, la dette représentant déjà plus du double des exportations.

Pour expliquer ce lourd endettement et la faiblesse de la marge de manœuvre qui en résultait, il faut remonter aux causes moins immédiates et plus profondes de la crise, qui remontent aux années 70. Tout d'abord, l'ajustement au renchérissement du pétrole intervenu en 1973 et à la récession mondiale qui s'ensuivait, avait été graduel et donc expansionniste, plutôt que soudain et fondé sur une contraction, ayant été financé par des «pétrodollars» en quête de recyclage. Dans certains pays, cet ajustement, tout en étant graduel, avait été mené à bien ; dans d'autres, il n'était que partiel, les emprunts servant à le retarder plutôt qu'à le faciliter. On peut à bon droit définir cette stratégie de développement comme axée sur l'endettement et donc impossible à mettre en œuvre à long terme. En tout état de cause, du fait de ces emprunts destinés à retarder l'ajustement, le rapport entre la dette et les exportations était dangereusement élevé en 1980, lorsque l'Amérique latine était frappée par la seconde crise pétrolière.

En second lieu, la récession mondiale de 1981-83, déclenchée par le désir des pays industrialisés de juguler presque à n'importe quel prix la nouvelle poussée d'inflation que provoquait en 1979 le doublement inopiné du prix du pétrole, entraînait une chute des importations du centre et donc un affaiblissement de la demande se portant sur les exportations de la périphérie, ainsi qu'une dégradation de ses termes de l'échange. Qui plus est, la stabilisation des prix ayant pour principal instrument, dans la zone de l'OCDE, une politique monétaire très restrictive, les taux d'intérêt montaient sur le plan national, et donc international.

En troisième lieu, croyant que la croissance mondiale allait se maintenir (en 1981) ou reprendre prochainement (en 1982), l'Amérique latine continuait à s'endetter lourdement (lorsque c'était possible) ou tirait sur ses réserves en attendant la reprise, qui devait lui permettre de pratiquer un ajustement par expansion plutôt que par contraction, comme elle l'avait fait durant la crise de 1973. De ce fait, entre 1980 et 1982, sa dette augmentait de près de 100 milliards de dollars (soit presque 50 pour cent). Ces emprunts excessifs étaient souvent facilités et encouragés par une déréglementation et une libéralisation financière inutilement laxistes qui, dans certains cas, stimulaient une consommation excessive et provoquaient une spéculation intense sur les valeurs boursières et les biens réels. Un financement extérieur trop généreux contribuait également à soutenir des taux de change qui visaient la lutte contre l'inflation plutôt que le maintien de l'équilibre extérieur, ou servait directement aux pouvoirs publics à couvrir des dépenses budgétaires insupportables. En outre, les fonds ainsi empruntés, bien souvent, n'étaient pas correctement investis ; de fait, dans certains cas ils n'étaient pas investis du tout, mais consacrés à des importations non essentielles de biens de consommation ou de matériel militaire, ou encore ils alimentaient des exportations de capitaux prenant la forme de dépôts privés sur les places financières internationales. Une politique économique erronée a donc été à coup sûr l'une des causes de la crise.

Simultanément, la durée inattendue de la récession du centre ralentissait la progression du volume et du prix des exportations à un point tel que le rapport de la dette aux exportations atteignait trois à un en 1982. Vu cette baisse de la capacité immédiate de paiement de l'Amérique latine et, d'autre part, l'importance déjà considérable de son endettement et la hausse inattendue des taux d'intérêt internationaux, le rapport des paiements d'intérêts aux exportations doublait en deux ans à peine, atteignant près de 40 pour cent en 1982. Les entrées nettes de capitaux, qui s'étaient brutalement ralenties en 1982, prenaient pratiquement fin en 1983.

En fait, si l'on déduit de ces entrées nettes les paiements d'intérêts et autres revenus de facteurs, l'Amérique latine devenait à partir de 1982 un exportateur net de ressources et non une zone qui en reçoit du reste du monde. Ce transfert de ressources négatif représentait en 1982-84 quelque 25 pour cent de la valeur de ses exportations, alors qu'il avait été positif (situation normale pour une zone en développement) à hauteur de 13 pour cent environ des exportations au cours des trois années précédentes. On ne saurait surestimer l'incidence défavorable d'un tel renversement des transferts de ressources, car il s'ensuivait qu'en 1982-84 l'Amérique latine subissait, non seulement une dégradation de ses termes de l'échange atteignant en moyenne 5 pour cent par an, du fait de la récession prolongée de l'économie mondiale, mais aussi des sorties nettes de ressources représentant une perte *supplémentaire*, égale au triple de ce montant, au cours de chacune de ces trois années.

La gravité et la durée de la crise qui frappait dernièrement l'Amérique latine avaient donc pour cause fondamentale immédiate la conjugaison de trois facteurs : une récession mondiale prolongée, un niveau anormalement élevé des taux d'intérêt internationaux et la décision prise par les banques internationales de ralentir brutalement leurs prêts à partir de 1982. Les deux premiers, sinon le troisième, constituaient une surprise pour la plupart des analystes, et tous trois échappaient à coup sûr au contrôle de l'Amérique latine.

Les réactions à la crise

En présence d'un tel déséquilibre extérieur et ne pouvant plus étaler son ajustement dans le temps, cette zone se voyait contrainte d'accroître ou d'économiser rapidement ses recettes en devises. Comme dans tout programme d'ajustement, chaque pays recourait à une combinaison de mesures visant à réduire sa dépense et à en modifier la composition, la nature de cette combinaison variant selon celle du déséquilibre extérieur. Le premier type de mesures, politique, comprenant des mesures restrictives en matière budgétaire, monétaire et de revenus, joue un rôle particulièrement important lorsque le déséquilibre a pour origine une dépense excessive (alimentée par l'emprunt), que ce soit de la part du secteur public ou du secteur privé ; la seconde politique, comprenant des dévaluations, une élévation des droits de douane et des mesures d'encouragement des exportations, vise à renchérir les biens échangeables par rapport à ceux qui ne le sont pas et joue un rôle particulièrement important lorsque le déséquilibre extérieur est provoqué par une dégradation des termes de l'échange ou la hausse des taux d'intérêt. De manière générale, les pouvoirs publics pratiquaient l'une et l'autre de ces politiques, tandis qu'un petit nombre de pays en renforçaient l'efficacité par une modification appropriée de la structure de leurs investissements, qui accroissait leur capacité de substitution des importations et d'expansion des exportations. En outre, la plupart de ces programmes devaient être conçus et mis en œuvre sous l'égide d'accords conclus avec le FMI, afin d'obtenir la collaboration des banques commerciales créancières pour une renégociation de la dette et donc d'arrêter ce qui commençait à ressembler à une panique financière.

A la suite de ces renégociations de la dette et de ces programmes d'ajustement, le déséquilibre extérieur était pratiquement éliminé en deux ans à peine. Cependant, la sévérité des conditions imposées lors de la renégociation forçait les pays débiteurs à améliorer leur balance commerciale de 40 milliards de dollars en trois ans seulement. Il est évident qu'un redressement d'une telle ampleur, réalisé en si peu de temps, devait plus à des mesures de compression des importations et de réduction de l'activité qu'à une politique de déplacement de la production, d'encouragement des exportations et de substitution aux importations. Ainsi, en deux ans à peine, le volume des importations diminuait de 40 pour cent. Il va sans dire qu'une compression aussi spectaculaire ne frappait pas seulement les importations de biens de luxe, mais réduisait aussi fortement les achats d'équipements et de consommations intermédiaires indispensables. La baisse de ces dernières explique dans une large mesure la gravité de la récession, tandis que la compression des achats de biens d'équipement hypothèque la croissance future de l'Amérique latine.

L'ajustement ainsi réalisé, s'il a été rapide et réussi en ce qui concerne l'élimination du déséquilibre extérieur, n'était donc rien moins qu'efficient. De manière générale, il ne saurait y avoir d'ajustement à la fois brutal et efficient à un déséquilibre extérieur, l'efficience exigeant une modification de la valeur réelle et pas seulement nominale des variables. Le gradualisme est donc un aspect essentiel d'un ajustement efficient, car il faut non seulement réduire la production de biens non échangeables, ce qui peut se faire assez rapidement, mais aussi accroître celle de biens échangeables, ce qui prend forcément plus de temps ; non seulement comprimer les importations, ce qui peut aussi se faire rapidement, mais aussi accroître la production de biens exportables et de substituts des importations, processus de longue haleine.

Bien entendu, si l'Amérique latine a adopté un programme d'ajustement «de choc», ce n'est pas parce qu'elle en ignorait les effets probables, mais parce que ses créanciers n'étaient pas disposés à lui fournir l'argent frais dont elle avait besoin pour un programme plus graduel et donc plus efficient de déplacement de la production. De leur côté, les créanciers justifiaient leur position en faisant valoir que l'ajustement n'avait que trop tardé, les entrées de capitaux antérieures n'ayant pas été mises à profit.

Quoi qu'il en soit de ces arguments, il est de fait que les diverses renégociations et les programmes d'ajustement qui se sont succédé de 1982 à 1984 parvenaient, non seulement à redresser la situation extérieure de la plupart des pays en cause, mais aussi à éviter la crise financière internationale qui se serait produite si les banques avaient exigé un paiement intégral d'intérêts et d'amortissements, qui aurait en fin de compte contraint nombre de pays à proclamer un moratoire. Une telle crise financière, non seulement aurait compromis la solvabilité d'un grand nombre de banques internationales importantes, mais aurait eu de graves répercussions sur les principales places financières des pays industrialisés, dont les banques centrales se seraient vues contraintes d'intervenir pour éviter un effondrement financier. Il est donc difficile d'échapper à la conclusion que c'est essentiellement le centre qui a bénéficié de cette série de renégociations et de programmes d'ajustement (à coup sûr, sous l'angle de ce qu'elles ont permis d'éviter), alors que les coûts en retombaient exclusivement sur les pays débiteurs.

Quant aux banques créancières, non seulement ces renégociations ont réduit le risque d'un moratoire, et donc de leur propre insolvabilité, mais en outre elles leur ont permis de bénéficier de marges plus élevées pour couvrir un risque censé être plus important. Ainsi, non seulement elles n'ont subi jusqu'ici aucune perte (en étant quittes pour la peur), mais en fait leurs profits ont augmenté. Il est vrai qu'au cours de la dernière série de renégociations elles ont amélioré les conditions offertes aux débiteurs (sous forme de différés d'amortissement, de rééchelonnement à plus long terme et d'une compression des marges). Néanmoins, à ce jour elles n'ont enregistré aucune perte sanctionnant une politique de crédit que l'on peut après coup considérer de manière certaine comme laxiste et imprudente.

Il convient enfin de relever que les banques ont réussi à imposer le principe d'une renégociation pays par pays, et non pour l'ensemble de la zone. Ce principe constitue en fait une arme à double tranchant, car s'il est vrai qu'en moyenne cette zone a réussi, dans l'ensemble, à surmonter la crise, fût-ce à un coût très élevé, il ne s'ensuit pas que tous les pays aient résolu le problème posé par leur endettement. Ce n'est le cas, au mieux, que pour les plus grands d'entre eux, et les plus endettés. En fait, toute analyse lucide de la situation révèle qu'à moins d'une amélioration importante et prochaine des facteurs externes (termes de l'échange, taux d'intérêt, croissance des pays du centre), plusieurs pays seront dans l'incapacité d'équilibrer leurs comptes extérieurs autrement que par une nouvelle et brutale compression de leur production ou par un fort accroissement des entrées de capitaux, en attendant une reprise. Si les banques s'en tiennent réellement au principe de renégociations au coup par coup, pays par pays, elles devront bientôt, soit renoncer à réduire chaque année les entrées de capitaux destinées à chaque pays, soit courir le risque de voir certains débiteurs, incapables de comprimer davantage leur activité, recourir à un moratoire pur et simple. Les renégociations menées aujourd'hui au coup par coup font donc penser que les banques doivent être prêtes à risquer des montants importants d'argent frais pour permettre à certains pays, au moins, d'entreprendre un programme d'ajustement à plus long terme, graduel et plus efficient ; à défaut, elles devront partager les pertes, en annulant directement la dette de certains pays dont la capacité d'en assurer le service est très faible à court et moyen termes.

Possibilités de reprise et de transformation

Comme on le relevait, l'ajustement à la crise économique de 1981-84 a d'ores et déjà entraîné de lourds sacrifices de production, d'emploi et de niveau de vie, encore aggravés par des taux d'inflation inouïs. Cependant, aussi inutilement coûteux et inefficient qu'ai été cet ajustement, le déséquilibre extérieur a dans l'ensemble été éliminé. La plupart de pays peuvent donc désormais s'efforcer de définir une politique visant, non seulement à rattraper le temps perdu, mais à le faire dans le cadre d'une stratégie de développement révisée, tenant compte tant des profondes mutations qu'a récemment connues l'économie mondiale que de la nécessité de surmonter graduellement les principales faiblesses structurelles – telles que le sous-emploi, la pauvreté et la mauvaise répartition du revenu – qui accompagnaient le type de développement mis en œuvre au cours de l'après-guerre. Cette tâche, en même temps que la nécessité de réduire les taux d'inflation et de chômage dangereusement élevés atteints par de nombreux pays de la zone, représente à coup sûr le plus grand défi économique que l'Amérique latine ait affronté depuis la grande dépression.

Quelque ardu et complexe que soit ce défi, il semble désormais possible d'y répondre : le déséquilibre extérieur a été fortement réduit dans nombre de pays et, justement par suite du coût de cet ajustement, il existe des capacités excédentaires considérables, qui permettraient d'enclencher une reprise.

Le simple fait que la production – notamment dans le bâtiment et les industries manufacturières – est bien en-dessous de son niveau antérieur implique des possibilités d'expansion. Le goulet d'étranglement immédiat et crucial n'est donc pas l'insuffisance de la capacité de production, mais celle de la demande. Les mesures qui permettent de stimuler la demande étant bien connues, il ne serait guère difficile de les mettre en œuvre, n'était le taux élevé d'inflation qui prévaut dans certains pays et la pénurie aiguë de devises qui aujourd'hui et dans l'avenir prévisible constituerait un frein à toute expansion de la demande de source purement intérieure. Cette expansion exigerait nécessairement un accroissement des échanges de consommations intermédiaires et de biens de consommation essentiels. Le goulet crucial qui entrave la reprise est donc la pénurie de devises, la solution de tous les autres problèmes fondamentaux (emploi, production, revenus) étant presque entièrement tributaire de l'élimination de cette contrainte.

C'est pourquoi une évolution favorable de l'économie internationale – comprenant notamment une atténuation du protectionnisme dans les pays du centre, l'accroissement de la capacité de prêt des organismes de financement public internationaux et la baisse des taux d'intérêt – augmenterait nettement la marge de manœuvre de l'Amérique latine. Par exemple, si les prix à l'exportation des pays qui n'exportent pas de pétrole retrouvaient (en termes réels) leur niveau moyen de la période 1950-70, le prix du pétrole se maintenant en termes réels, ce facteur pourrait à lui seul améliorer de 30 pour cent les termes de l'échange de ces pays, leur permettant de couvrir 70 pour cent de leur charge d'intérêts ou d'accroître le volume de leurs importations de 40 pour cent (montant du sacrifice consenti de 1981 à 1984) ou encore de réduire leur endettement nominal de plus de 7 pour cent par an.

De la même manière, si les taux d'intérêt internationaux et/ou les marges correspondantes baissaient de 3 points par rapport à leur niveau actuel – ce qui les laisserait encore au-dessus de leur niveau historique en termes réels – le volume des importations pourrait s'accroître de plus de 10 pour cent. On pourrait en gros en dire autant d'une augmentation des entrées de capitaux, qui donnerait le temps à une reprise du volume et de la valeur des exportations de se manifester.

Certes, ces chiffres sont des moyennes et varient évidemment selon les pays. Ils ne sont pas non plus censés être une prévision, mais une simple illustration de la sensibilité de la reprise, de la situation des réserves et de la charge de la dette des pays de la zone aux mouvements de l'économie mondiale. En tout état de cause, sans faire de prévision, il faudrait être excessivement pessimiste pour supposer que les termes de l'échange de la zone ont plus de chances de se dégrader que de s'améliorer, que les taux d'ntérêt internationaux (et les marges) aient plus de chances de s'élever que de baisser et que le volume des exportations soit destiné à diminuer plutôt qu'à augmenter. Il en est ainsi d'autant plus que la politique mise en œuvre de 1982 à 1984 par la plupart des pays d'Amérique latine – dévaluation réelle et correction d'autres prix relatifs importants, affectés de distorsions – a seulement commencé à porter ses fruits. Pour qu'elle provoque le transfert requis de ressources productives, il faut du temps. A mesure qu'interviennent ces répercussions favorables à plus long terme, la contrainte de change devrait peu à peu se relâcher (sauf récession ou stagnation du centre), ce qui permettrait de suivre une politique plus expansionniste de régulation de la demande et de mieux utiliser la capacité de production existante.

Néanmoins, même en l'absence de toute évolution favorable des déterminants externes de la crise économique que connaît aujourd'hui l'Amérique latine, chaque pays dispose dans sa propre politique économique d'une certaine marge de manœuvre, plus ou moins grande selon la politique du crédit que suivront vis-à-vis de la zone les banques internationales. Dans tous les cas, pour répondre au goulet d'étranglement extérieur, la politique économique devra s'attacher à deux domaines essentiels : 1. modifier la composition de la production en faveur des biens échangeables (tant pour l'exportation que pour la substitution aux importations) ; 2. modifier la composition de la dépense intérieure en faveur des biens non échangeables.

i) *Politique des changes, des droits de douane et d'encouragement des exportations.* A cet égard, une mesure essentielle est le maintien d'un taux de change favorable (élevé), ce qui a pour effet d'élever le prix de tous les biens échangeables (tant pour l'exportation que pour la substitution aux exportations) par rapport à celui des biens non échangeables et donc simultanément d'encourager la production des premiers tout en décourageant leur utilisation intérieure. Ainsi, contrairement aux droits de douane et aux incitations à l'exportation, qui stimulent la production d'un groupe de biens échangeables par rapport à un autre, une dévaluation réelle les favorise tous.

La plupart des pays de la zone ont déjà pratiqué d'importantes dévaluations, dont les répercussions positives sont fonction du temps et du maintien du taux de change à un niveau effectif aussi élevé, les mutations structurelles de la production (au détriment des biens non échangeables et du marché intérieur, et en faveur des biens échangeables et des marchés extérieurs) étant coûteuses et forcément lentes.

Les producteurs n'entreprendront les mutations que supposent l'ajustement et la transformation structurels que si le taux de change effectif est fixé à un niveau élevé et s'y maintient à moyen et pas seulement à court terme. Dans la mesure où est mise en œuvre une telle politique de stabilité du taux de change, les producteurs modifieront dans le sens voulu, non seulement leur capacité de production existante, mais aussi leurs investissements neufs.

Il convient donc de réserver une modification importante du taux de change réel effectif à la réduction des déficits extérieurs provoqués par une modification relativement permanente des termes de l'échange ou de la balance des capitaux, ou encore au rattrapage d'un retard évident dans l'évolution du taux de change. Inversement, il faut de préférence faire face à un déficit de la balance courante provoqué par une fluctuation conjoncturelle de la situation extérieure, non par une modification générale du taux de change, mais par une augmentation sélective et transitoire des droits de douane et des incitations à l'exportation, visant les biens dont l'élasticité-prix à court terme est la plus élevée ; une telle politique sélective de «déplacement» permet d'accroître les recettes en devises de manière moins coûteuse et avec moins de perturbations que le classique programme d'ajustement, fondé sur la compression de la dépense et la contraction de la production.

Pour des raisons analogues, une politique transitoire de lutte contre un déséquilibre conjoncturel peut également comporter un taux de change plus élevé pour les mouvements de capitaux, ces derniers étant à court terme beaucoup plus sensibles au prix que les échanges de marchandises. Cette mesure aurait pour objet d'attirer de nouvelles entrées de capitaux ou de provoquer le rapatriement de fonds précédemment exportés, ou tout au moins de décourager la fuite de capitaux par un taux de change temporairement plus élevé, destinés ultérieurement à s'aligner sur le cours applicable aux marchandises.

Dans tous les cas, c'est le même principe qui s'applique : recours à une politique de stabilité du taux de change pour établir un équilibre extérieur de base, en indiquant où se situe à long terme l'avantage comparatif, et faire face à des déséquilibres temporaires ou conjoncturels, non par une modification globale du taux de change de base, mais par une élévation temporaire des droits de douane ou des incitations à l'exportation applicables à des biens à forte élasticité-prix et/ou un cours temporairement plus élevé pour les mouvements de capitaux.

Il faut de même respecter un principe de base tant à court qu'à long terme : le coût des économies de devises engendrées par la substitution aux importations induite par des droits de douane doit être égal, à la marge, à celui des recettes de devises supplémentaires résultant d'incitations à l'exportation. Du fait qu'en 1982-84 l'ajustement faisait appel à la réduction des importations beaucoup plus qu'à l'encouragement des exportations, on peut penser que si cette dernière méthode était pratiquée de manière plus agressive, il serait possible de remettre en route beaucoup d'usines aujourd'hui inactives par manque de consommations intermédiaires importées et d'une politique restrictive de la demande et de les orienter vers les débouchés extérieurs. Non seulement cette mesure permettrait de mobiliser des capacités inutilisées, selon les définitions classiques, mais chose plus importante, si elle était axée sur l'introduction dans les usines d'une deuxième ou d'une troisième équipe, il serait possible d'accroître les ventes, les exportations, la production et l'emploi de manière considérable, moyennant un accroissement seulement marginal des investissements, les établissements industriels de la zone ne fonctionnant, en moyenne, qu'avec une équipe et demie (soit douze heures par jour).

ii) *Politiques des prix et subventions.* La reprise et la transformation exigent, non seulement un déplacement de la production des biens non échangeables aux biens échangeables, mais aussi celui de la dépense intérieure dans le sens opposé, de manière à accroître le volume de la production exportable et à comprimer la demande d'importations. Une politique plus appropriée des prix et des subventions peut contribuer de manière importante à ce résultat, car il est fréquent qu'elle maintienne à un niveau artificiellement bas le prix intérieur de biens échangeables, comme c'est par exemple le cas de nombre de denrées alimentaires, ainsi que de l'énergie (généralement, en ce qui concerne cette dernière, dans les pays exportateurs de pétrole). Malgré les bonnes intentions qui les inspirent, ces mesures découragent par inadvertance la production de biens échangeables dont on a le plus grand besoin, tout en stimulant leur consommation. En appliquant à ces biens les prix internationaux et en réduisant progressivement les subventions qui en encouragent la consommation intérieure, on pourrait accroître de manière significative les recettes en devises (sans même parler de la compression du déficit budgétaire qui contribue à accélérer le taux d'inflation de la zone).

Certes, il convient de tenir compte (surtout à court terme) de la répartition des revenus avant de libérer les prix ou d'éliminer les subventions à la consommation. Ainsi, les pauvres consommant proportionnellement plus de denrées alimentaires que d'énergie, il est plus urgent d'éliminer les subventions à la consommation d'énergie que celles qui portent sur les produits alimentaires. En fait, on peut appliquer une politique de subventions sélectives aux biens de consommation essentiels, tels que les denrées alimentaires elles-mêmes, car on peut utilement distinguer celles qui entrent librement dans les échanges internationaux de celles dont la consommation se limite en général au marché intérieur, soit du fait de coûts de transport relativement élevés, soit parce que leurs débouchés sont limités par les préférences des consommateurs. Il est donc moins urgent de supprimer les subventions applicables à ce dernier type de denrées, qui à court terme ne pourraient guère être exportées (à long terme, bien entendu, on pourrait utiliser la terre pour la production de biens échangeables) et qui en outre sont en général produites par des agriculteurs à faible revenu, qui eux-mêmes ont le plus grand besoin de ces incitations et transferts implicites.

En tout état de cause, les mesures visant la redistribution du revenu devraient de plus en plus renoncer aux subventions générales (ou au soutien général des prix) dont profitent tous les groupes sociaux, qu'ils soient riches ou pauvres, et s'orienter vers des transferts de revenu plus directs, visant les groupes les plus pauvres. On pourrait ainsi neutraliser les répercussions exercées sur les populations visées par la hausse des prix consécutive à l'élimination des subventions aux principaux produits alimentaires. La réduction de la consommation qui s'ensuivrait ne se ferait donc pas au détriment des pauvres et encouragerait simultanément un accroissement de la production des biens échangeables répondant aux besoins les plus urgents.

iii) *Politique des investissements.* A court terme, la production de biens échangeables peut s'accroître par une meilleure utilisation des capacités existantes qui, comme on le relevait, ne sont pas négligeables. Cependant, il y a de toute évidence des limites aux possibilités de transfert de la production des biens non échangeables à ceux qui le sont et des biens jusqu'ici destinés au marché intérieur vers l'exportation. A long terme, en effet, la progression des exportations ou des substituts d'importations, et donc celle de la part des biens échangeables dans le PIB, suppose :

1. Une modification de la structure et de l'orientation des investissements ;
2. Un accroissement de l'épargne intérieure compatible avec une progression minimale de la consommation et/ou
3. Une meilleure affectation des investissements.

Les situations des divers pays sont trop diverses pour que l'on puisse faire plus que proposer quelques orientations générales. Tout d'abord, les investissements – que ce soit dans la construction, les infrastructures ou les équipements – devraient être axés de préférence sur l'accroissement des exportations ou la substitution aux importations, aux dépens de ceux qui sont consacrés à des biens non échangeables. En second lieu, il convient de donner la préférence aux investissements exigeant peu d'importations (par exemple, aux barrages hydro-électriques, par opposition aux centrales thermiques) et mobilisant beaucoup de main-d'œuvre, plutôt qu'à ceux qui font appel aux importations. De manière générale, et surtout à court terme, il s'ensuivrait qu'il faut inverser les programmes d'ajustement traditionnels, qui pour la plupart restreignent les investissements plus que les dépenses courantes, afin de réduire le déficit budgétaire. Ainsi, les investissements consacrés aux travaux publics et au logement sont les premiers à subir une compression, comme ce fut le cas au cours des dernières années dans la plupart des pays de la zone, alors que de manière générale la construction n'exige guère d'importations, fait fortement appel à la main-d'œuvre et comporte au cours d'une adaptation de ce genre un coût d'opportunité très faible, les ressources réelles qu'elle libère ne pouvant guère être consacrées à la production de biens échangeables. Il s'ensuit que tant que cette production ne fait pas appel à la main-d'œuvre ou aux matières premières en cause, il convient de maintenir, voire d'accroître la construction, de manière à en augmenter la part dans les investissements globaux. Une fois mieux assurées les mutations structurelles de la production induites par les mesures évoquées ci-avant (taux de change, droits de douane, encouragement des exportations, prix et subventions) la part des équipements importés dans le total des investissements peut revenir à son niveau normal.

Bien entendu, il ne s'agit pas de construire n'importe quoi. Pour que la construction serve, non seulement à préserver l'emploi, mais aussi à faciliter l'ajustement et la transformation structurels, les projets qui favorisent les exportations ou la substitution aux importations (par exemple, l'irrigation, les barrages hydroélectriques, l'expansion portuaire, les routes d'accès à des régions riches en ressources agricoles ou naturelles) doivent être fortement encouragés au détriment de ceux qui ne font qu'améliorer la qualité de la vie dans certaines zones urbaines (par exemple, le métro, les autoroutes, les équipements sociaux urbains).

En troisième lieu, il convient de donner la priorité aux investissements dont la période de gestation est courte et à ceux qui bénéficient plus facilement d'un financement extérieur. En effet, tant que les entrées de capitaux ne reprennent pas et qu'une politique de régulation de la demande relativement restrictive s'impose, les taux d'intérêt nationaux restent forcément à un niveau anormalement élevé, ce qui entraîne une baisse du taux de rendement social des investissements comportant une longue période de gestation. Il convient donc, en général, de reporter ces derniers au moment où la pénurie de devises sera surmontée et où un financement plus abondant deviendra disponible pour des investissements comportant une période de gestation plus longue et un recours plus important aux importations.

De même, tant que persiste la pénurie de devises, il convient de donner la priorité aux investissements qui peuvent plus facilement faire appel à un financement extérieur, surtout lorsque celui-ci comporte de longs différés d'amortissement et un taux d'intérêt inférieur à celui du marché, car, outre leurs répercussions favorables sur la production et l'emploi, ces investissements n'accroissent le déficit budgétaire que dans la mesure où ils ne sont pas couverts par un financement extérieur, qui au surplus aide à réduire le déficit de la balance courante (au cas très probable où il dépasse le coût en devises de l'opération en cause).

Le coût superflu des programmes de stabilisation traditionnels

Une difficulté cruciale qu'affrontent nombre de pays latino-américains est la double nécessité, non seulement de ranimer leur économie dans le cadre d'une pénurie aiguë de devises, mais de le faire tout en faisant reculer l'inflation. En effet, celle-ci s'accélère dans l'ensemble de la zone : dans deux pays, elle dépasse déjà 100 pour cent par an, dans un troisième, elle atteint 850 pour cent, tandis qu'un quatrième enregistre un taux de près de 8 000 pour cent. S'il fallait, pour faire reculer l'inflation, provoquer une récession, la lutte contre un taux d'inflation de plus de 1 000 pour cent supposerait une dépression d'une gravité sans précédent. Heureusement, dans la mesure où l'inflation n'est que la manifestation d'un «excès d'argent et d'une pénurie de marchandises», il n'existe pas de raisons théoriques valables pour que la lutte contre la hausse des prix implique une baisse de la production, et encore moins de raisons pour que cette baisse soit proportionnelle au ralentissement souhaité de l'inflation. Si en fait la récession accompagne souvent les tentatives traditionnelles de lutte contre l'inflation, ce phénomène ne fait que traduire une conception et une application défectueuses du programme de stabilisation, et ne correspond nullement à une nécessité. Il en est ainsi, fondamentalement, parce que le ralentissement de l'inflation ne suppose «rien d'autre» qu'une réduction analogue, et dans la mesure du possible simultanée du taux de progression de la valeur *nominale* des principales variables économiques, telles que le taux de change, les salaires, le taux d'intérêt et ainsi de suite. Il est vrai que la tâche n'est pas facile, mais elle l'est beaucoup plus que celle qui s'imposerait si la stabilisation supposait nécessairement une modification importante des valeurs *réelles*, auquel cas la production devrait probablement être affectée.

Bien entendu, il est généralement vrai qu'un recul de l'inflation (tout au moins lorsqu'elle est aussi rapide que celle qui sévit actuellement dans nombre de pays latino-américains) doit s'accompagner d'un ralentissement de la demande nominale globale, qui de son côté exige, tôt ou tard, celui de la masse monétaire, ainsi qu'une compression du déficit budgétaire. Mais une politique de stabilisation ne peut réussir que dans la mesure où les autres variables économiques principales – prix, salaires, taux de change et taux d'intérêt – voient leur progression ralentie au même rythme. Si, en revanche, certaines de ces variables restent à la traîne, le ralentissement de la progression de la demande nominale ne se répercute pas seulement sur les prix, comme on le souhaite, mais aussi sur la production. C'est pourquoi les politiques de stabilisation traditionnelles tendent à provoquer une récession, car elles se bornent à maîtriser une seule de ces variables (la masse monétaire) ou plusieurs (comprenant parfois les salaires et, plus récemment, le taux de change), dans l'espoir que les autres ne tarderont pas à suivre. En général, il n'en est pas ainsi, ce qui provoque dans le premier cas une forte compression des salaires réels et une récession, et, dans le second, un fort retard du taux de change réel et une crise de la balance des paiements.

De fait, il est théoriquement concevable que la simple annonce d'un ralentissement projeté de la progression de la masse monétaire et de l'inflation escomptée puisse suffire à provoquer un ajustement instantané des principales variables économiques, dont le comportement s'harmoniserait ainsi avec la politique monétaire et budgétaire envisagée et avec l'objectif défini en matière d'inflation. Dans la pratique, toutefois, l'ajustement des anticipations n'est pas instantané. Tout d'abord, le public est normalement plutôt sceptique. Il veut voir des résultats avant de croire, ou tout au moins de croire pleinement, que l'inflation va reculer aussi vite que l'envisagent les pouvoirs publics. En outre, cette rigidité des anticipations inflationnistes est renforcée du fait que l'objectif d'un ralentissement de l'inflation s'accompagne souvent de la nécessité de corriger un prix relatif considéré comme tout à fait aberrant (par exemple, le taux de change, les prix des services publics, ceux des produits agricoles par rapport aux produits industriels, voire les salaires). Malheureusement, la hausse de ces prix antérieurement refoulés est souvent considérée par nombre d'agents économiques comme le meilleur indicateur de l'inflation future, et non comme la simple expression d'une correction nécessaire des prix relatifs. Du fait de cette rigidité ou inertie des anticipations inflationnistes, la hausse des prix se ralentit en général beaucoup moins que ne le suppose la politique monétaire et budgétaire, ce qui provoque une contraction des ventes, de la production et de l'emploi. C'est l'impossibilité de vendre toute leur production aux prix en vigueur (récession) qui finit par forcer les producteurs à ramener leurs prix au niveau compatible avec l'objectif des pouvoirs publics. Si ce processus était rapide, la récession serait supportable et rapide. Toutefois, du fait que les prix sont trop élevés par rapport aux salaires, les marges bénéficiaires augmentent en dépit de la contraction des ventes, ce qui a pour effet d'atténuer (par une redistribution régressive du revenu) la pression qui s'exerce sur les producteurs en faveur d'une baisse des prix. De fait, cette situation pouvant en réalité rapprocher les prix du niveau que pratiquerait un monopole cherchant à maximiser ses profits, une récession très prolongée peut se révéler nécessaire pour que la contraction des ventes fasse baisser les prix (un processus analogue intervient lorsque c'est le taux de change, et non les salaires, qui se trouve en retard ; dans ce cas, il y a d'abord crise de la balance des paiements, et seulement plus tard une récession, donnant lieu à un ajustement par contraction de la production).

La récession est donc le mécanisme qui provoque la normalisation des anticipations inflationnistes, dans le cadre d'un programme de stabilisation orthodoxe. Cependant, il est évident que c'est là un instrument coûteux et grossier pour harmoniser les anticipations inflationnistes avec l'objectif défini en matière de prix et la politique monétaire et budgétaire envisagée par les pouvoirs publics.

L'essence d'un programme de stabilisation réduisant la récession au minimum

Dans le cadre d'une inflation forte et persistante, où pratiquement toutes les valeurs – salaires, loyers, impôts, taux d'intérêt, taux de change, endettement – font l'objet d'une indexation officielle (par contrat) ou officieuses (par le marché) sur les anticipations inflationnistes, c'est la rigidité de ces dernières qui constitue le principal obstacle à surmonter pour éviter une récession, ou la réduire au minimum. Aucune politique de stabilisation digne de ce nom ne peut donc se borner à une politique monétaire et budgétaire restrictive, ou à la maîtrise d'une ou deux autres variables, sous peine de voir les autres prendre des valeurs aberrantes et provoquer une récession d'une gravité superflue. Il faut plutôt l'accompagner d'une politique de «ralentissement de l'indexation», consistant à ajuster la valeur nominale de toutes les variables économiques principales (et pas seulement de certaines d'entre elles) – salaires, taux de change, taux d'intérêt et prix – conformément à l'objectif de hausse des prix qu'implique la politique monétaire et budgétaire envisagée par les pouvoirs publics. Contrairement donc aux programmes traditionnels de lutte contre l'inflation, les prix doivent être contrôlés durant cette période initiale de la stabilisation, et non abandonnés au libre jeu des anticipations inflationnistes. Toutefois, contrairement aux programmes traditionnels de contrôle des prix, le «ralentissement de l'indexation» devrait avoir pour but, non de refouler l'inflation en fixant les prix à un niveau artificiellement bas, mais de les rapprocher plus rapidement de leur taux de hausse d'équilibre, compatible avec le ralentissement prévu de la progression de la demande nominale globale. Toujours par opposition au contrôle des prix traditionnel, ces directives devraient viser avant tout à contrôler les secteurs où les producteurs ont la plus grande latitude d'incorporer dans les prix leurs anticipations inflationnistes (il faudrait donc contrôler les prix industriels fixés par des oligopoles, plutôt que les prix agricoles, que les producteurs se contentent en général de subir) ; bref, le contrôle des prix devrait consacrer son attention à des secteurs qui, traditionnellement lui échappent.

Il va sans dire qu'il n'est pas possible de se fixer n'importe quel objectif en matière d'inflation. Son recul est tributaire de la maîtrise que les pouvoirs publics sont réellement capables de s'assurer, à un moment donné, dans le domaine monétaire et budgétaire. Si par exemple, le déficit budgétaire qui doit être financé par une création de monnaie représente 5 pour cent du PNB et si M1 en représente 10 pour cent la masse monétaire doit progresser d'au moins 50 pour cent et il ne serait donc pas raisonnable de s'attendre à voir les prix monter de beaucoup moins.

Il faut enfin reconnaître que dans la plupart des cas l'inflation n'est pas un pur et simple phénomène d'inertie : certains prix relatifs importants appellent effectivement une correction, car leur niveau actuel risque d'affecter gravement le déficit budgétaire, la balance des paiements, la répartition du revenu etc. Pour qu'un programme de stabilisation puisse être efficace et durable sans aggraver d'autres déséquilibres macroéconomiques fondamentaux, il faut donc éventuellement corriger certains de ces prix relatifs. Comme cette correction risque de déclencher des anticipations inflationnistes (les agents économiques l'interprétant comme le symptôme d'un taux d'inflation futur plutôt que comme la correction, intervenue une fois pour toutes, d'un simple prix relatif) il faut limiter le nombre et l'ampleur de ces ajustements au minimum indispensable, sous peine de compromettre dès le départ le succès du programme de stabilisation.

Il semble donc souhaitable (surtout lorsque l'inflation dépasse 1 000 pour cent) si ces distorsions n'affectent pas gravement les équilibres macroéconomiques fondamentaux (tels que celui de la balance des paiements), de commencer par suivre la politique de «ralentissement de l'indexation» évoquée ci-avant et de faire baisser uniformément toutes les valeurs nominales jusqu'à ce que l'inflation ait été ramenée à un taux supportable, avant de corriger les distorsions de prix. Inversement, si ces distorsions sont graves et exigent une action immédiate, il semble préférable de commencer par corriger les plus importantes d'entre elles, en se contentant à ce stade d'empêcher une accélération excessive de l'inflation ; une fois corrigés les prix relatifs, on pourrait alors mettre en œuvre un programme de «ralentissement de l'indexation» simultané et uniforme, compatible avec le ralentissement de la création de monnaie et la compression du déficit budgétaire considérés comme réalisables.

Enfin, il va sans dire – le succès d'un programme de stabilisation étant si fortement tributaire de la maîtrise des anticipations inflationnistes – que la crédibilité est un élément essentiel. Or, pour l'obtenir, il ne suffit pas de définir et de mettre en œuvre un programme de stabilisation techniquement correct et cohérent, mais, encore faut-il que celui-ci satisfasse certaines conditions sociopolitiques (parmi lesquelles une stabilité relative et un large consensus jouent un rôle essentiel). A défaut, même le meilleur programme de stabilisation sera voué à l'échec.

Réflexions sur la conception du rôle de l'Etat à la CEPALC

Vu les défis économiques, sociaux et politiques que comporte la crise actuelle, tous les regards se tournent vers l'Etat dans l'espoir qu'il sera capable d'organiser l'action de la société dans son ensemble. Il convient toutefois de se demander s'il voudra et pourra le faire.

Il est difficile de répondre à cette question, vu l'insuffisance de nos connaissances et la confusion théorique qui entoure le problème de la nature et du rôle de l'Etat. Les principales écoles latino-américaines de théorie économique, y compris la CEPALC, n'ont guère consacré d'efforts à l'analyse de l'Etat.

Dès l'origine, la CEPALC a vu dans l'Etat l'un des principaux protagonistes du développement, essentiellement du fait des déficiences qu'elle relevait chez les agents économiques et dans les mécanismes du marché. Si elle adoptait ce point de vue, ce n'était pas par l'application d'une doctrine, mais par réaction aux répercussions de la crise des années 30 sur l'Amérique latine.

Elle estimait que l'Etat devait orienter l'économie et y intervenir directement dans de nombreux domaines, dont elle considérait certains comme particulièrement importants. Tout d'abord, elle soulignait l'importance d'une vue globale et à long terme, qu'il faudrait organiser systématiquement dans le cadre d'un plan destiné à transformer les structures héritées d'un développement tourné vers l'extérieur au profit d'une approche tournée vers l'intérieur et devant aboutir à la formation d'une économie industrielle moderne. En second lieu, il fallait agir dans des domaines décisifs pour ce plan de transformation, tels que l'encouragement de l'accumulation du capital, la protection et la stimulation de l'industrialisation, l'atténuation de la vulnérabilité externe, la mise en place des équipements collectifs nécessaires, l'encouragement et l'orientation du progrès technique. En troisième lieu – point étroitement lié aux deux premiers – il fallait prévoir et maîtriser les divers types de déséquilibres économiques qui interviennent inévitablement durant une mutation structurelle du genre envisagée.

Cette conception s'efforçait de réaliser l'équilibre entre les secteurs public et privé, entre l'Etat et le marché, pour tirer parti des aspects positifs de chacun d'eux, les rendre complémentaires tout en évitant les effets négatifs d'une prépondérance excessive de l'un d'entre eux. Cet équilibre devait être l'expression d'un cadre institutionnel combinant les principes fondamentaux d'une économie de marché avec l'action nécessaire de l'Etat. Dans la combinaison particulière que préconisait initialement la CEPALC, l'action de l'Etat visait beaucoup plus à compléter et à préserver ce cadre qu'à le transformer radicalement. Bref, elle recommandait un «Etat planificateur» qui, dans le cadre d'un plan de développement et à l'aide des instruments nécessaires – monétaires, budgétaires, de change et douaniers – orienterait l'activité économique de la société dans son ensemble tout en laissant de préférence la conduite directe aux particuliers, qu'il aiderait en cas de besoin. Ce processus devait avoir pour résultat final un renforcement tant de l'économie privée que de l'Etat.

Ces dernières décennies ont apporté une expérience riche et variée en ce qui concerne les vertus et les défauts de l'action économique de l'Etat de celle du marché ; elles ont également conduit à répandre l'impression que ni l'un ni l'autre ne pouvait à lui seul garantir une vie économique efficiente et bien orientée. Les solutions unilatérales qui tendent à conférer la prépondérance à l'un ou à l'autre ne semblent pas aller dans la bonne direction, le problème restant donc de trouver un équilibre approprié entre les secteurs public et privé.

Durant une bonne partie des années 60 et 70, on admettait qu'en Amérique latine l'Etat était effectivement en mesure de jouer le rôle que lui assignait la stratégie de développement et de transformation économique. Toutefois, il n'en était pas ainsi, les caractéristiques institutionnelles, administratives et sociopolitiques de l'Etat ne correspondant pas à celles que l'on estimait nécessaires pour lui permettre d'orienter le développement et d'y jouer un rôle actif. Les idées mises en avant, tant par la CEPALC que par les milieux universitaires, voire gouvernementaux, manquaient de clarté ; on peut les résumer par les hypothèses suivantes au sujet des caractéristiques de l'appareil d'Etat :

i) *unité et cohérence* internes des divers agents composant l'Etat, sous l'autorité des dirigeants politiques ;

ii) *autonomie* vis-à-vis des agents extérieurs à l'appareil d'Etat, permettant de dépasser le point de vue partiel et sectoriel de ces derniers et de concevoir une vue globale (un plan) allant plus loin que ce point de vue et exprimant les intérêts généraux de la nation dans son ensemble ;

iii) *pouvoir économique et politique* lui permettant d'imposer ses vues aux autres agents, que ce soit par mandat de l'autorité politique ou par l'influence qu'exerçaient les instruments de la politique économique relevant de l'Etat ;

iv) *capacité technique et administrative* de mener à bien avec efficacité le programme proposé

v) *maîtrise des relations économiques extérieures*, tout comme l'Etat l'a toujours exercée dans le domaine des relations politiques.

Ces caractéristiques supposées de l'appareil d'Etat ont été soumises à une analyse très sévère, aux niveaux tant théorique que politique. On a constaté qu'il ne possédait pas l'unité et la cohérence internes qu'on lui supposait et qu'il constituait en fait une structure extrêmement complexe au service de tâches d'une ampleur croissante, où de nombreux acteurs s'efforçaient de faire prévaloir leurs intérêts en utilisant divers types de pouvoirs. De plus, l'orientation de l'action de l'Etat ne résultait pas, habituellement, d'une application autonome et impérative de sa rationalité technique, mais plutôt d'un processus décisionnel compliqué, comportant une interaction entre des centres de pouvoirs publics et privés, où la rationalité technique se mêlait de rationalités politiques et bureaucratiques, ce qui en réduisait de toute évidence la capacité de décision politique et économique. On ne pouvait pas considérer l'efficience technique et administrative de l'Etat comme une donnée de base de la situation, mais au contraire comme un problème difficile ; enfin, la maîtrise par l'Etat des relations économiques extérieures était de plus en plus limitée, dans le cadre d'une économie internationale qui devenait rapidement transnationale. Dans ces conditions, l'Etat n'était pas en mesure de s'acquitter de manière efficiente des tâches qui lui incombaient, et son rôle dans l'économie prêtait donc le flan à la critique.

Ces critiques étaient suffisamment justifiées et approfondies pour exercer une grande influence sur le cadre classique où l'on examine les questions politiques en général et l'Etat en particulier. Lorsqu'on reformule ces questions sous l'angle des besoins actuels, la question décisive est : comment définir et appliquer une stratégie orientée vers le développement, l'autonomie, l'équité et la démocratie sans le soutien d'un Etat idéal, dont on avait toujours tenu l'existence pour acquise ?

Paradoxalement, au moment même où s'imposait une conception plus réaliste des véritables possibilités de l'Etat, celui-ci développait et diversifiait sa structure pour faire face aux tâches toujours plus vastes que lui imposaient les processus économiques, sociaux et politiques.

L'élément essentiel de l'intervention économique de l'Etat consistait à jeter les bases économiques et politiques de la croissance et du développement et à faciliter ce dernier par ses activités réglementaires et productives. Dès le stade de la croissance extrovertie, en passant par les divers stades de l'industrialisation, l'Etat a eu tendance à élargir son action, du fait qu'il exerce au premier chef la responsabilité de la poursuite de ces processus.

Les principales raisons de l'intervention croissante des Etats latino-américains dans l'économie en général et l'industrialisation en particulier tiennent à la nature sous-développée et périphérique de l'économie et de la société de cette région. De ce fait, les agents économiques locaux sont intrinsèquement mal outillés pour faire face aux défis de la croissance économique, tandis que les agents externes sont d'une telle puissance qu'à leur laisser la bride sur le cou on risque de faire perdre aux Etats nationaux toute prétention à l'autonomie. La faiblesse des premiers, par comparaison avec la force des seconds, dans le cadre de tensions croissantes d'ordre économique, financier et technologique, impose à l'Etat un rôle de plus en plus large. Dans ces conditions, il s'est efforcé d'attirer et/ou de contrôler les agents externes tout en favorisant le développement du secteur privé national ; il a créé et encouragé l'activité de ce dernier en lui donnant des occasions d'investir, en le finançant, en le protégeant de la concurrence extérieure et de ses engagements internes, en assurant à ses produits une demande stable (grâce au «pouvoir d'achat» de l'Etat), en lui fournissant des consommations intermédiaires à bon marché, en garantissant la rentabilité de ses entreprises, etc.

L'action sociale de l'Etat résulte du fait que la croissance économique de l'Amérique latine fait apparaître une tendance à la concentration sociale et régionale du pouvoir, de la richesse et du revenu, à l'exclusion d'importants groupes sociaux du partage des fruits de la croissance et à l'aggravation des conflits sociaux. Ces tendances provoquent des déséquilibres croissants par suite d'un processus social et politique de mobilisation et de démocratisation de plus en plus poussées. Dans ses efforts pour encourager la croissance, l'Etat a dû résoudre de délicats conflits sociaux nés de cette croissance elle-même, de la disparité entre son rythme effectif et l'attente de la population et des revendications sociales et politiques qu'engendraient la mobilisation et la démocratisation.

L'Etat a dû également faire face aux tendances contradictoires du processus politique. Tout en s'acquittant de ses fonctions de consolidation interne et externe, il devait, d'une part, maintenir un ordre institutionnel dont la dynamique conduisait à une concentration croissante du pouvoir économique et d'autre part, non seulement incarner une rationalité allant au-delà de puissants intérêts privés, mais aussi servir de cadre institutionnel souple, intégrant toutes les forces sociales mises en mouvement par la démocratisation.

Telles sont, brièvement résumées, les principales raisons qui ont conduit l'Etat à intensifier son action économique, sociale et politique. Les modalités pratiques de cette intensification ont été très variables, de même que les priorités définies à cet égard ; c'était toutefois cet ensemble de raisons qui déterminait les principaux aspects de la structure et du fonctionnement des Etats latino-américains actuels. Ces raisons se sont encore renforcées au cours des dernières années par suite de la crise économique et du processus de démocratisation. La question n'étant donc pas de savoir si l'Etat doit agir ou pas, car en fait il le fera, mais de déterminer la forme que cette action doit prendre dans les conditions historiques particulières où se trouve aujourd'hui l'Amérique latine et dans le cadre d'une stratégie orientée vers la démocratie, l'autonomie, la croissance et l'équité.

Pour déterminer comment l'action de l'Etat peut prendre en compte les défis évoqués ci-avant, une bonne méthode consiste à examiner les divers principes pouvant présider à son organisation dans des sociétés mixtes comme celles d'Amérique latine et de la région des Caraïbes. Ce n'est pas ici le lieu d'établir une liste exhaustive de ces principes et de leurs variantes, qui peuvent être nombreuses, mais il est bon de les classer selon trois formules politiques visant, en gros, à déterminer les acteurs sociaux qui y jouent le rôle le plus important et qui définissent les critères de la rationalité permettant de juger l'action de l'Etat. Il doit être bien entendu que ces formules seront définies en termes très généraux, sans tenter de couvrir la large gamme des solutions de rechange et des variantes qui comportent tant leur théorie que leur pratique.

Selon la *première formule*, les acteurs sociaux décisifs sont les entreprises privées, surtout les plus dynamiques et les plus productives. Ici la rationalité dominante se fonde sur les calculs économiques de ces entreprises et sur la logique du marché qui sert de cadre à leur action.

Selon cette formule, l'Etat a pour fonction principale de superviser le fonctionnement du marché, dans l'hypothèse où sa rationalité a pour résultat l'affectation la plus efficiente des ressources et donc le maximum de bien-être de la société dans son ensemble.

Selon la *seconde formule*, la théorie évoquée ci-dessus ne se justifie pas, ou seulement de façon partielle. On s'efforce donc de modifier les résultats économiques et sociaux qu'entraînerait un fonctionnement sans entrave du marché, l'Etat étant dès lors considéré comme l'agent décisif de la définition des critères qui doivent présider à l'affectation des ressources et à l'amélioration de la répartition du revenu, la rationalité prédominante se fondant sur l'étude technique des problèmes économiques et sociaux, dans le cadre de la politique de développement définie par l'Etat lui-même.

Ces deux formules, définies, comme on le relevait plus haut, à partir de stéréotypes qui, il faut l'admettre, se fondent plus sur l'expérience de l'élaboration d'une politique que sur les notions théoriques qui lui servent de base, mettent l'accent sur certains des acteurs dont se compose la société, au détriment des autres. On pourrait donc envisager une *troisième formule* qui considère la société comme résultat de l'interaction de tous les acteurs, non seulement des entreprises les plus dynamiques et de l'Etat, mais aussi des syndicats, des petites entreprises, des catégories marginales de la population, d'autres catégories non représentées par les syndicats, etc. Cette interaction engendrerait des critères de rationalité devant orienter l'action des pouvoirs publics.

On peut critiquer comme simpliste cette présentation succincte de trois formules politiques très importantes ; elle a toutefois pour but d'attirer l'attention sur les différences décisives qui les séparent en ce qui concerne les acteurs sociaux devant, en fin de compte, assurer la direction des processus économiques et politiques, et la rationalité qui doit s'y imposer ; bien des controverses politiques se ramènent au fond à des divergences de vues quant à la formule politique que l'on considère comme la plus souhaitable.

En fait, chacune de ces formules s'appuie sur des aspects pratiques aussi bien que sur des valeurs que l'on ne saurait négliger dans la détermination du rôle que doit jouer l'Etat dans les conditions actuelles. Ainsi, la première formule tire sa force tant des valeurs qu'elle fait triompher que de l'influence des groupes sociaux qu'elles inspirent ; on ne saurait pas plus négliger cette influence que négliger les facteurs qui entrent dans les calculs des entreprises privées (et déterminent, en dernière analyse, leur comportement économique). Il faut à la fois mobiliser leur dynamisme potentiel et réglementer et orienter leurs activités pour l'harmoniser avec celle des autres acteurs et avec d'autres rationalités.

De la même manière, la seconde formule se fonde elle aussi, en réalité, sur le pouvoir de l'Etat mais, en tout premier lieu, sur la nécessité de le voir jouer un rôle d'orientation dans des sociétés de plus en plus complexes aux niveaux économique et social et caractérisées par une concentration et une transnationalisation croissantes du pouvoir économique privé et par une grande mobilisation politique de tous les groupes sociaux. Cependant, il est tout aussi évident que parfois l'action de l'Etat n'est pas gouvernée par des critères de rationalité technique, mais vise à servir les intérêts des groupes qui le composent. Si donc les acteurs étatiques et leur rationalité doivent jouer un rôle important, il faut également y introduire des éléments empruntés aux deux autres formules.

Enfin, la troisième formule semble pouvoir se justifier, ne serait-ce que du fait que les agents et les rationalités mis en avant par les autres ne représentent pas nécessairement la société dans son ensemble et – surtout dans le cas de la première – n'incluent pas les groupes sociaux qui constituent la majorité défavorisée. C'est pourquoi l'action de l'Etat et des acteurs les plus importants du secteur privé doit être influencée par les décisions qui résultent de la participation politique de tous les groupes sociaux ; cette participation est actuellement en progrès grâce à l'impulsion que lui donne le processus de démocratisation.

Aucune de ces formules de base ne comporte tous les éléments pouvant la rendre à la fois souhaitable et viable ; il faut donc les combiner toutes les trois. En fait, on a vu tout au long de l'histoire se succéder un grand nombre de formules politiques «hybrides», combinant de diverses manières les ingrédients de ces trois formules. Pour définir le rôle qui revient à l'Etat dans la crise actuelle, il faut donc commencer par examiner systématiquement les formules politiques «hybrides» qui sont souhaitables et viables dans les conditions actuelles. Il importe de comprendre dès le départ que, quelle que soit la combinaison proposée, il y aura toujours inévitablement des tensions entre les éléments appartenant aux diverses formules. Surmonter ces tensions, ce serait faire la meilleure démonstration possible de l'art politique du développement, qui exige toujours une bonne dose d'originalité et de souplesse.

Cependant, la situation actuelle et les perspectives d'avenir présentent à l'Etat de nouveaux défis, que la crise rend encore plus redoutables et urgents : elle réduit les marges de manœuvre, ce qui rend plus difficile le règlement des conflits et l'adoption de solutions pouvant atténuer les écarts entre couches sociales.

Seul peut répondre à ces défis un Etat vigoureux, mais pas surdimensionné, capable d'accroître régulièrement son efficience technique et administrative, ses capacités politiques et sa puissance économique et financière.

Chacun admet l'objectif d'efficience technique et administrative, à condition qu'il ne l'emporte pas sur les autres objectifs devant orienter l'action de l'appareil d'Etat. De fait, au terme de longues années où la rationalité bureaucratique weberienne l'emportait sans résistance dans les «réformes administratives» entreprises, l'Amérique latine en est arrivée à un point où il est évident que l'efficience que recherche ce modèle doit être subordonnée à «l'efficacité sociale» de l'action globale de l'Etat, objectif dont la réalisation dépend de la compatibilité de cette action avec les divers buts qu'elle vise.

La capacité politique de l'Etat dépend fondamentalement de sa disposition à exercer son autorité sur tous les groupes sociaux ; néanmoins, cet Etat «fort» ou «efficace» ne saurait se fonder uniquement ou de manière préférentielle sur le recours à la coercition, qui caractérise un régime politique autoritaire ; il doit au contraire se fonder sur des principes qui légitiment son mandat. Dans le cadre de la culture politique occidentale contemporaine, dont s'inspire l'Amérique latine, cette légitimité ne peut exister que lorsqu'on se conforme aux principes politiques de la démocratie : en d'autres termes, pour être considérée comme légitime, l'autorité doit être exercée par un Etat démocratique. C'est ainsi seulement qu'il est possible d'atteindre le degré élevé de discipline individuelle et collective qui doit servir de fondement à la capacité politique d'un Etat vigoureux et stable.

La puissance économique et financière de l'Etat est étroitement liée à sa capacité politique, ces deux attributs se soutenant mutuellement. Cette puissance s'exprime et s'exerce de diverses manières, mais son noyau central se compose de deux éléments principaux : premièrement, la capacité de direction et de concertation, qui permet à l'Etat de mobiliser des forces grâce auxquelles il pourra atteindre des objectifs économiques collectifs et deuxièmement la capacité de contrôler l'accumulation du capital, qui lui permet de se placer sur un pied d'égalité avec les puissances économiques privées. Il est difficile de déterminer quelles méthodes permettent le mieux de renforcer cette dernière capacité, mais les plus utilisées sont le recours adéquat aux instruments de la politique économique, les investissements directs dans la production et le contrôle des mécanismes financiers publics et privés. Leur combinaison la meilleure ne peut être déterminée qu'en tenant compte des particularités de la situation.

Dans la plupart des pays d'Amérique latine, il n'est pas nécessaire d'élargir les fonctions et les attributions de l'appareil d'Etat pour en accroître la capacité : il suffit de bien utiliser les pouvoirs dont il dispose déjà. A cet égard, on peut considérer comme très important le rôle que peut jouer la planification comme instrument de rationalisation de l'action des pouvoirs publics. La théorie qui est à la base de la planification étant bien connue, il n'est pas nécessaire de l'exposer ici ; il convient toutefois de relever l'existence de certains problèmes non résolus, tout au moins dans la pratique de la planification, tels que la compatibilité des objectifs et de la politique suivie à moyen et long termes. Ce qui explique ce conflit, c'est qu'en général une solution relativement acceptable et facile à mettre en œuvre à court terme risque, compte tenu de la situation économique existante, de constituer un obstacle sérieux à la réalisation d'objectifs à moyen et long terme, comme cela s'est produit dans le cas de mesures qui contribueraient apparemment à une meilleure répartition du revenu, mais compromettraient gravement l'accumulation. Il n'en reste pas moins vrai qu'il faut toujours garder présent à l'esprit le but final de justice si l'on souhaite réellement s'assurer le consensus nécessaire pour atteindre des objectifs à long terme.

Il devient en outre particulièrement important de coordonner l'action des principales composantes de l'Etat lui-même (administrations centrales, entreprises publiques et collectivités territoriales). Dans nombre de pays d'Amérique latine, et notamment ceux qui subissent, outre la pression extérieure, de fortes tensions inflationnistes, les investissements publics prennent une importance qu'ils n'auraient pas prise dans d'autres circonstances. Dans certains de ces pays, ils représentent plus de 50 pour cent du total des investissements et représentent la principale source de fonds destinés à la création des équipements collectifs que nécessite le développement ; il est donc important et urgent de les soumettre à une planification à long terme.

Un autre objectif politique de la stratégie de développement, et peut-être le plus important, serait la mise en place et le renforcement de formes démocratiques d'organisation. Cet objectif repose sur trois justifications principales : la valeur propre des principes démocratiques, le rôle que peuvent jouer des mécanismes démocratiques de coordination des intérêts dans la stabilisation et l'institutionnalisation du processus politique, et le rapport entre ces deux fonctions et les objectifs d'équité sociale. Ces formes d'organisation comportent trois mécanismes principaux : tout d'abord, ceux qui sont propres à la démocratie libérale, fondés sur le fonctionnement représentatif des partis politiques, des élections libres, des institutions parlementaires et les droits civils et politiques qui sont à la base de ces mécanismes. Les obstacles qui entravent dans nombre de pays d'Amérique latine le jeu de ces mécanismes et les reculs intervenus dans certains d'entre eux indiquent la difficulté de la tâche restant à accomplir et le caractère incomplet de celle qui l'a déjà été, tandis que le récent renforcement des mouvements démocratiques souligne la persistance de ces valeurs politiques.

En second lieu, il existe d'importants foyers de pouvoir économique dont l'expression – essentielle à la stabilisation et à l'orientation des processus politiques et économiques – ne saurait être entièrement réalisée par les mécanismes démocratiques traditionnels. Au premier rang de ces foyers, on trouve les associations professionnelles et les syndicats, dont la grande diversité démultiplie ces processus, en même temps qu'elle les complique. Cette situation a fait naître des procédures de concertation sociale entre les forces en cause, que l'on s'efforce souvent d'institutionnaliser sous la forme de conseils économiques et sociaux. Si ces procédures n'ont en Amérique latine qu'une existence précaire, elles représentent une voie prometteuse vers la création de formes d'harmonisation et de concertation des intérêts. Il ne convient pas, toutefois, d'y voir des substituts de ce que l'on appelle «les mécanismes démocratiques traditionnels», mais plutôt le moyen de parvenir à une plus grande harmonie entre les partis politiques et les secteurs économiques qu'ils représentent.

En troisième lieu, les mécanismes de la démocratie libérale et les procédures de concertation n'épuisent pas le processus de la démocratisation, la concentration croissante du pouvoir économique, tant public que privé, conduisant à rechercher les moyens de le répartir et de le contrôler. Il s'agit ici d'approfondir la démocratisation des entreprises publiques et privées, qui constituent actuellement la forme suprême de la concentration du pouvoir économique. Cette démocratisation peut prendre diverses formes, comportant divers degrés et modalités de participation, tels que la participation des salariés à la gestion et au capital des entreprises, l'autogestion, l'encouragement des coopératives, etc. Si ces dernières se renforcent dans plusieurs pays d'Amérique latine, les expériences de participation dans les entreprises privées et publiques ont été peu nombreuses et sont loin d'avoir été couronnées de succès. Il convient de les encourager et de les perfectionner, car elles visent à surmonter le dilemme constitué par la coexistence de deux tendances contraires : la concentration de l'économie en grandes organisations et la pression en faveur de la démocratisation.

Tous les mécanismes de démocratisation évoqués doivent avoir pour fondement indispensable une société démocratique, autrement dit, une société acceptant la légitimité des mécanismes institutionnels qui permettent l'organisation, l'expression et la conciliation des divers intérêts en jeu. S'ils ne sont pas soutenus par un consensus social qui les légitime, ces mécanismes ne sont que des formes vides. Leur base sociale doit, toutefois, nécessairement parvenir à un degré d'engagement ou d'accord permettant l'établissement d'une « discipline démocratique », élément essentiel pour conférer à l'Etat l'autorité nécessaire à l'exécution de décisions prises démocratiquement. Les régimes démocratiques doivent être décidés à exercer leur autorité, de manière à éviter toute confusion entre la pratique démocratique et l'anarchie ; pour exiger la mise en œuvre des décisions prises démocratiquement, ils doivent faire preuve de la même résolution que pour défendre les procédures démocratiques. L'histoire récente des pays sous-développés nous donne maints exemples des conséquences néfastes qu'entraîne pour la démocratie elle-même un refus d'exercer son autorité de manière résolue.

Le chemin qui s'ouvre aux régimes démocratiques est très difficile, car ils doivent concilier le réalisme économique avec la définition de compromis entre les principales forces sociales, afin de s'assurer une base suffisamment large pour garantir leur survie, tout en permettant des progrès en ce qui concerne le bien-être général. Leur viabilité est tributaire des mutations structurelles qu'ils introduisent dans la société et l'économie, de l'évolution du secteur extérieur, de la réceptivité et de la souplesse des forces capables de se faire entendre. Ce dernier facteur est indubitablement un des plus importants pour l'avenir de ces régimes, car il définit leur aptitude à s'assurer le soutien des divers partis politiques et des classes ou groupes sociaux ou des organisations correspondantes, qui doivent tenter de s'exprimer par l'intermédiaire de leurs porte-parole dans la structure existante du pouvoir. Ce soutien implique que les diverses composantes de la société répondent de manière réaliste aux choix qui s'offrent à elles et contribuent à leur définition, en faisant preuve d'aptitudes considérables à résoudre des problèmes et à combiner la défense de leurs intérêts avec la patience et l'habileté nécessaires pour parvenir à des compromis. Il implique également une croissance économique, fût-elle modérée et réalisable seulement à moyen terme. Dans de nombreux pays, toutefois, les groupes sociaux ne semblent pas reconnaître que l'Etat a désormais l'obligation de rembourser une dette extérieure écrasante, pas plus qu'ils n'admettent que cette obligation fera nécessairement obstacle au progrès dans d'autres domaines de son action. Ce manque de compréhension de la situation conduit à supposer que l'action étatique n'a qu'un faible rendement et affaiblit la capacité de la puissance publique à orienter le processus de développement.

La situation internationale

Cinq aspects principaux de l'évolution économique internationale présentent une importance particulière pour le développement de l'Amérique latine : la croissance et la politique économique des pays développés, les modifications de la technologie et de la structure de la production, les mutations de la structure institutionnelle des échanges internationaux, la transnationalisation de l'économie internationale et les modifications de l'équilibre des forces au plan mondial.

a) *La croissance et la politique économique des pays développés*

Les estimations élaborées par divers organismes indiquent toutes que durant le reste de la décennie le taux de croissance des pays industriels restera quelque peu inférieur à son niveau traditionnel, que l'inflation y sera moins rapide que durant ces dernières années et que sur les marchés financiers internationaux les taux d'intérêt pourraient baisser légèrement. Elles indiquent également que dans les pays industriels les restrictions aux échanges, sans s'aggraver, ne s'assoupliront pas au cours des quelques années qui viennent.

On considère que les besoins de financement des Etats-Unis et d'autres pays industriels absorberont une grande partie des ressources dont disposent les marchés financiers internationaux. Ces ressources, qui risquent d'être moins importantes que durant les années 70 par suite de modifications dans la répartition des déficits et des excédents entre les divers pays, ne permettront au secteur privé d'accroître le financement net qu'il offre aux pays en développement que d'un montant très limité, par comparaison avec les périodes antérieures. Quant à l'aide publique au développement, on s'attend à la voir stationnaire en termes réels, ou en progression très faible.

La capacité d'adaptation des divers pays développés aux mutations de l'économie internationale semble très différente, ce qui a des incidences sur leur compétitivité et sur le dynamisme de leur production et de leurs exportations.

Ce sont les Etats-Unis et le Japon qui semblent dotés de l'économie la plus souple et des plus grandes possibilités de modernisation et d'adaptation aux modifications de structure de la demande, ainsi que d'introduction des innovations techniques et des changements de production. Certains pays européens, en revanche, montrent une plus grande résistance à ces mutations, ce qui ralentit leur modernisation et affecte leur compétitivité.

En résumé, il semble raisonnable d'escompter une reprise modérée dans les pays développés, encore qu'elle doive être moins régulière et plus lente qu'au cours des décennies qui suivaient la Seconde Guerre mondiale et se caractériser par un chômage plus important et des tendances protectionnistes plus fortes. Il pourrait s'ensuivre un redressement de la demande se portant sur les exportations de l'Amérique latine, quoique sur un rythme assez lent, accompagné d'instabilité et d'incertitude. On doit s'attendre à voir les ressources financières internationales s'offrir dans une mesure bien moins grande que durant des périodes antérieures de prospérité, tandis que les pays développés y feront appel de leur côté pour leurs propres investissements et que les prêteurs seront probablement disposés à donner la préférence à certains pays d'Asie moins lourdement endettés que ne le sont ceux d'Amérique latine.

b) *Les modifications de la technologie et de la production dans les pays développés*

Un second événement se produisant dans les pays développés, qui a d'importantes répercussions sur l'Amérique latine, est l'introduction rapide, avec une aide importante des pouvoirs publics, de nouvelles techniques de production des biens et des services, comprenant la microélectronique, la robotique, le contrôle informatisé des processus de production, l'informatique, la télématique, la biotechnologie et le génie génétique, les techniques, processus et équipements permettant d'économiser l'énergie ou de remplacer les combustibles fossiles et enfin les nouveaux matériaux, résistants et légers.

Ces nouvelles techniques ont des répercussions très favorables pour les pays développés en ce qui concerne les processus de production, le niveau et la structure des coûts, la direction, l'administration et la comptabilité des entreprises et la qualité des produits. Elles facilitent en outre une gestion et un contrôle centralisés des filiales, ce qui permet aux entreprises d'accroître leur pénétration des marchés étrangers.

A long terme, ces nouvelles techniques permettent de réduire la main-d'œuvre et les ressources naturelles utilisées dans la production, d'accroître le rendement de ces ressources ou de les remplacer par des produits de qualité inférieure, tout en améliorant la précision et la qualité des produits manufacturés.

Un autre aspect important de la mutation qui intervient dans l'économie des pays développés est la croissance des services, y compris ceux qui sont liés aux «techniques de l'information» et qui contribuent à augmenter la productivité des branches qui produisent des biens, des services d'ingéniérie, des banques, des institutions financières et des compagnies d'assurances. Certains services liés au tourisme et aux loisirs, où la demande présente une forte élasticité-revenu, connaissent eux aussi une croissance rapide. En revanche, certains services traditionnels tendent à perdre du terrain, l'un des plus importants sous l'angle quantitatif étant le commerce de détail des articles spécialisés, qui souffre de la concurrence des grandes surfaces.

Les pays développés sont extrêmement intéressés à la pénétration de leurs activités de services sur les marchés des pays en développement. A cet égard, l'exemple le plus remarquable est celui des Etats-Unis, qui ont pris position de manière très ferme et très active en faveur d'un assouplissement des restrictions qui entravent les échanges internationaux de services ; ils cherchent à étendre à ces derniers la compétence du GATT, afin d'empêcher d'autres pays de prendre des mesures de protection ou d'encouragement d'activités du même type sur leur territoire.

Bien qu'il ne soit pas encore possible d'apprécier les répercussions de ces nouvelles techniques sur la compétitivité de l'Amérique latine et d'autres pays en développement, il est évident que leur mise en œuvre dans les pays développés peut contribuer à réduire l'avantage comparatif dont dispose l'Amérique latine pour les productions faisant fortement appel à la main-d'œuvre et aux ressources naturelles. Ces considérations font clairement ressortir l'importance de l'effort de développement technologique qui doit être consenti au cours de la prochaine décennie au plan tant national que régional.

c) *Les mutations institutionnelles des échanges internationaux*

Un troisième aspect important a trait aux mutations institutionnelles des échanges internationaux. Les problèmes posés par la récession, le chômage et la balance des paiements ont provoqué une modification de fait des règles qui régissent le commerce mondial. La clause de la nation la plus favorisée, qui est à la base du GATT, est de moins en moins appliquée ; dans le cas de nombre de produits exportés par l'Amérique latine, elle tend à devenir l'exception plutôt que la règle. Le système multilatéral et le libre-échange sont en voie d'être partiellement supplantés par des accords bilatéraux et des échanges organisés, ce que le GATT a sanctionné dans une certaine mesure en acceptant l'accord multifibres. Des négociations et des décisions importantes, ayant trait aux échanges, se déroulent de plus en plus en dehors du GATT, avec la participation d'un groupe limité de pays.

Le protectionnisme devient un phénomène multiforme, ne se limitant pas à un ensemble déterminé de secteurs, mais s'étendant à ceux où les exportations de l'Amérique latine et d'autres pays en développement créent sur les marchés des pays développés une concurrence dépassant le niveau qu'ils sont disposés à tolérer à court terme. Outre les répercussions défavorables qu'il a dans l'immédiat sur les exportations de l'Amérique latine, ce phénomène crée une grande incertitude sur les échanges extérieurs de cette dernière et la politique à suivre en matière de production et de spécialisation, tout succès obtenu dans un domaine déterminé devant sans doute provoquer de la part des pays acheteurs des réactions qui limiteront la progression ultérieure des exportations. De leur côté, les pays développés prennent des mesures pour encourager l'exportation de produits entrant en concurrence avec ceux de l'Amérique latine ; qui plus est, la notion de modulation conduit à attribuer à divers pays de cette région un régime moins favorable qu'à d'autres pays en développement.

d) *La transnationalisation de l'économie internationale*

En quatrième lieu, il convient d'examiner la transnationalisation de l'économie mondiale. Nombre de décisions importantes y échappent, au moins en partie, à l'influence des pouvoirs publics et des pays, phénomène qui tient à divers facteurs. Le premier est l'énorme puissance économique dont jouissent les sociétés transnationales et leur aptitude à déplacer librement, d'un pays à l'autre, la production et les capitaux. Le second est l'interdépendance croissante des pays, qui les soumet davantage aux influences extérieures et limite leur capacité à mettre en œuvre une politique économique sans tenir compte des réactions d'autres pays. Le troisième est la dispersion croissante de la production au travers de la sous-traitance, qui répartit entre divers pays les fabrications d'un secteur, voire celle d'un produit déterminé. En quatrième lieu, les marchés financiers internationaux, tel celui de l'eurodollar, ainsi que la prédominance des grandes banques transnationales, limitent fortement les possibilités de réglementation par les pouvoirs publics d'une large gamme d'opérations financières.

Cette transnationalisation a des répercussions complexes pour l'économie des pays en développement, tels ceux d'Amérique latine, qu'elle met au défi d'apprendre à se conduire dans un monde moins ordonné, où les règles du jeu sont moins nettes que dans le système de Bretton Woods, qui comporte des possibilités et des risques nouveaux, ainsi que de plus grandes incertitudes. Les sociétés transnationales jouent un rôle important dans les pays d'Amérique latine et des Caraïbes, à qui elles apportent la technologie et l'accès aux marchés étrangers que nécessite leur développement industriel ; faut-il encore que dans chaque pays elles adaptent leurs méthodes d'action et leurs opérations à la politique de développement suivie au plan national.

e) *Evolution de l'équilibre des forces au plan mondial*

Un cinquième aspect a trait aux modifications que subit l'équilibre des forces au plan mondial. Au cours des quarante dernières années, on a vu se diversifier les acteurs et les domaines de l'activité économique internationale. L'Europe et surtout le Japon sont devenus d'importants concurrents économiques des Etats-Unis dans les échanges de marchandises, les fonctions d'intermédiaire financier, la technologie et les investissements directs ainsi que les services liés aux activités de production. Plus récemment, les pays nouvellement industrialisés d'Asie et d'Amérique latine sont devenus des concurrents redoutables sur les marchés internationaux de produits manufacturés.

Dans chaque pays, la société se diversifie en s'assignant une gamme de plus en plus large d'objectifs, dont beaucoup sont tributaires d'événements extérieurs. Au plan international, l'interpénétration des sociétés va croissant et l'ordre du jour des débats est moins bien défini et plus complexe. L'Etat perd en partie son aptitude à gérer les relations extérieures, tandis que de nouveaux agents commencent à faire entrer en ligne de compte des sources de pouvoir non traditionnelles.

Les pays d'Amérique latine et des Caraïbes pour qui la multipolarité représente en général un élargissement de leur marge de manœuvre en matière de relation internationale, apprécient le côté favorable de ce phénomène, avec des nuances qui traduisent dans la pratique la diversité des situations caractérisant leur insertion internationale.

Les considérations qui précèdent soulignent la nécessité d'entreprendre, du point de vue latino-américain, une analyse approfondie de l'évolution de l'équilibre mondial des forces et de contribuer à une mise à jour de la diplomatie économique internationale de l'Amérique latine et des Caraïbes, fondée sur une analyse dynamique des tendances globales permettant de définir à chaque étape une gamme plus détaillée et plus sélective d'objectifs, qui traduiront mieux les intérêts et les possibilités des divers groupes de pays et ne devront pas se borner à la répétition d'une liste type de revendications, mais au contraire s'appuyer sur un véritable développement de leurs capacité institutionnelles, productives et technologiques.

Les relations économiques internationales

Le développement de l'Amérique latine et des Caraïbes se heurtera à de grands obstacles extérieurs du fait du protectionnisme croissant pratiqué par les pays du centre, des taux d'intérêt élevés de la dette extérieure et de la limitation des nouveaux apports financiers. Dans sa stratégie économique, cette région doit s'efforcer d'atténuer ou d'éviter ces obstacles par des mesures en matière d'échanges, de financement et d'intégration régionale.

a) *Conditions d'un renforcement des échanges internationaux*

Il convient d'admettre que dans le domaine des échanges le dialogue Nord-Sud n'a pas jusqu'ici été fructueux. Les pays en développement n'ont pas su faire le meilleur usage de leurs atouts, les pays développés n'ont pas fait preuve de beaucoup de souplesse et les problèmes ont été examinés de manière fragmentaire, sans tenir compte de l'étroite interdépendance de ces pays. Il faut donner un nouvel élan à ce dialogue et en revoir les mécanismes. Il importe d'en finir avec la fragmentation des problèmes, tout en donnant aux négociations une base plus sélective. Il est essentiel de renforcer les mécanismes de coordination entre pays en développement ; à cette fin, on a envisagé dans le passé l'établissement au sein du Groupe des 77 d'un secrétariat spécialisé.

L'ordre existant pose de graves problèmes, tant aux pays en développement qu'aux pays développés ; il convient de le modifier pour le mettre au service de la croissance et de la mutation structurelle de l'économie mondiale, ainsi que d'une meilleure répartition des fruits de cette croissance.

On peut ici résumer brièvement les principales conditions permettant d'aboutir à un nouveau système d'échanges, plus équitable, plus sain et plus dynamique, telles que les ont définies les débats organisés au sein de la CNUCED.

A l'avenir, le système des échanges doit contribuer au processus de la croissance dynamique et de la mutation structurelle de l'économie mondiale. Le protectionnisme – surtout par ses aspects discriminatoires – traduit dans une large mesure les rigidités structurelles qui caractérisent l'économie mondiale. L'hypothèse d'une réalisation automatique des ajustements structurels par le jeu des mécanismes du marché s'est révélée fausse.

Il faut créer un système satisfaisant de sauvegardes pour assurer aux problèmes et difficultés qui se présenteront inévitablement de temps à autre une solution transparente, prévisible, non discriminatoire et équitable.

Il faut en outre prendre bien garde au traitement futur des processus qui sortent du système actuel des échanges ou ne se laissent pas absorber par lui de manière adéquate, telles que les pratiques commerciales restrictives, une grande partie des échanges de produits agricoles et les opérations des sociétés transnationales.

Le futur système des échanges doit constituer un cadre où les relations commerciales entre les divers sous-systèmes s'articulent de manière satisfaisante. Cela vaut non seulement pour les groupements d'intégration et de coopération économiques des pays développés à économie de marché et des pays socialistes [tels que la CEE, l'Association européenne de libre-échange (EFTA) et le Conseil d'assistance économique mutuelle (CAEM)] mais pour les dispositifs d'intégration et de coopération des pays en développement.

Un problème qui intéresse particulièrement l'Amérique latine et les Caraïbes est celui du régime dont les pays en développement bénéficieront au sein de ce nouveau système. Le Système généralisé de préférences ne constitue qu'une solution partielle de ce problème. Outre qu'il n'a pas été intégré de manière permanente au système des échanges, sa portée et ses incidences ont été affaiblies par l'introduction de nouvelles notions, telles que celles de modulation et de réciprocité. Le futur système des échanges doit résoudre toutes ces contradictions et créer un lien essentiel entre les échanges et le développement.

Le système d'échanges multilatéraux créé à Bretton Woods n'était nullement destiné à fonctionner tout seul ; il devait recevoir le soutien d'autres mécanismes et d'autres systèmes pour atteindre ses objectifs, qui étaient le plein emploi, la stabilité des monnaies et un transfert suffisant de ressources aux pays en développement.

Il est bien évident que pour atteindre ces objectifs par l'établissement d'un nouveau système d'échanges internationaux on ne saurait s'en tenir aux seules mesures prises à cet égard par les pays en développement.

Pour bloquer et inverser le glissement vers le protectionnisme, on peut envisager des mesures préventives ou correctrices plus efficaces. Il faut arriver à une meilleure compréhension des forces et des mécanismes qui régissent la prise des décisions dans les pays développés. Une fois cette compréhension assurée, il sera possible de prendre des mesures préventives appropriées lors de l'adoption imminente de dispositions protectionnistes. Pour la décourager, on pourrait envisager la possibilité de mesures de rétorsion analogues, sur le plan collectif ou individuel, lorsqu'un pays développé prend des dispositions dommageables pour les pays d'Amérique latine.

Lors des négociations, il convient de tenir compte des relations entre aspects monétaires, financiers et commerciaux.

b) *Lignes directrices à long terme pour les mesures internationales en matière financière et monétaire*

La crise récente a mis en lumière les principales faiblesses des systèmes monétaire et financier internationaux : l'asymétrie des politiques d'ajustement, qui leur donne un biais récessionniste, leur comportement procyclique, qui aggrave la crise, l'inexistence de mécanismes d'atténuation des effets de chocs externes et l'absence de tout lien entre négociations commerciales et financières, qui renforce les tendances protectionnistes. Toutes ces faiblesses ont des répercussions importantes sur les pays en développement et créent un déséquilibre dans la répartition des fruits de l'activité économique mondiale. Elles élèvent énormément la charge du service de la dette, tout en réduisant les possibilités d'accroître la valeur des exportations des pays en développement.

Seule une action ferme et concertée des pays en développement peut parvenir à corriger les défauts de l'ordre existant en matière monétaire et financière. Elle devrait s'efforcer d'assurer le respect des accords déjà conclus au niveau international pour donner aux droits de tirage spéciaux (DTS) un rôle directeur dans le système monétaire, ce qui permettrait d'atténuer l'asymétrie des incitations à l'ajustement, tout en régulant de manière plus efficace la progression et la répartition des liquidités internationales.

Il faudra également une action concertée pour parvenir à un accroissement appréciable de l'importance des organismes de financement multilatéraux et modifier les conditions de leurs prêts de manière à exclure un comportement procyclique des organismes financiers – en particulier ceux du secteur privé – tout en compensant la contraction du financement qu'ils assurent.

Il convient de concilier les mesures à court terme avec la possibilité d'assurer à l'avenir le service de la dette. Seule une politique qui renforce la croissance de l'économie au lieu de la paralyser constitue la garantie d'un service normal des engagements extérieurs.

Les responsabilités dans ce domaine se répartissent entre les quatre agents en cause. Les pays débiteurs n'ont guère de marge d'erreur dans leur politique interne et leur stratégie de négociation. Ils doivent coordonner de manière plus efficace les mesures qu'ils prennent dans les domaines qui touchent à leurs intérêts communs, un objectif crucial étant la stabilisation à un bas niveau des taux d'intérêt. Une coordination visant cet objectif a été amorcée lors des réunions de Quito, de Carthagène, de Mar del Plata et de Saint-Domingue.

Les banques créancières devraient accorder de nouveaux prêts au lieu d'aggraver les difficultés dont souffrent les débiteurs par une contraction des crédits, voire un accroissement des remboursements qu'elles exigent. Elles devraient en même temps reconnaître et admettre les risques que comportent les prêts déjà accordés.

Les organismes internationaux devraient éviter d'assortir leurs prêts de conditions qui favorisent la récession et faire l'impossible pour mobiliser un plus grand volume de ressources financières au service du développement.

Quant aux pays créanciers, ils sont responsables de la mise en œuvre et du maintien d'une politique pouvant stimuler leur économie et réduire les taux d'intérêt.

Comme on ne saurait envisager pour l'avenir un scénario où ne figurent pas les fluctuations économiques auxquelles sont sujets les pays industriels, les mesures à prendre par les pays en développement devraient également comporter le renforcement des dispositifs actuels d'amortissement des chocs et la création de nouveaux mécanismes dans ce domaine. Il conviendrait d'élargir considérablement tant les ressources du mécanisme de financement compensatoire du FMI que le champ qu'il couvre, et de mettre en place des dispositifs permettant de compenser les répercussions exercées sur les pays débiteurs par une hausse des taux d'intérêt internationaux ; à l'heure actuelle les prêteurs, qui fixent le coût de l'endettement en fonction de leurs besoins internes, les ont portés à un niveau qui se traduit par un transfert de ressources réelles dans un sens régressif.

Il convient de revoir les mécanismes des négociations Nord-Sud. A l'heure actuelle, il n'existe aucun lien entre négociations commerciales et financières, ce qui encourage à la fois le protectionnisme et la mise en œuvre par les pays du centre d'une politique financière qui ne tient pas compte des intérêts et des sacrifices des pays de la périphérie. Il est dans l'intérêt de tous de mettre sur pied des mécanismes de négociations de nature à faciliter à la fois une plus grande sélectivité quant aux problèmes à examiner et la reconnaissance explicite des rapports étroits qui unissent tous les domaines de la vie économique.

c) *Coopération et intégration régionales*

Pour l'Amérique latine et les Caraïbes, l'une des principales conséquences de la crise internationale a été la réduction de la marge de manœuvre qu'avaient réussi à s'assurer les pays de cette région, ainsi que l'accroissement de leur vulnérabilité externe.

Il convient de rappeler que dans les exportations totales de cette région on a vu diminuer la part de celles qui sont destinées aux autres pays d'Amérique latine et des Caraïbes. Il est essentiel d'éviter des restrictions réciproques ayant pour effet une contraction cumulative des échanges intra-régionaux, qui porterait préjudice à la région dans son ensemble.

En second lieu, il convient d'évoquer la multiplication, au cours des dernières années, et notamment avant la crise des dispositifs de coopération entre les entreprises publiques et privées et de nouveaux acteurs, gouvernementaux ou non, d'Amérique latine, y compris des accords de coopération commerciale, industrielle et technique, ainsi que des accords de marché entre les entreprises.

Les gouvernements de la région ont en outre conclu de nouveaux accords de coopération bilatéraux. On s'oriente nettement vers une coopération bilatérale et portant sur des points particuliers, tandis que s'affaiblit la coopération multilatérale et globale.

S'il semble approprié d'exploiter les possibilités qu'offre la coopération bilatérale et spécifique lorsque les effets en sont favorables, il ne convient pas de négliger la coopération multilatérale.

Il faut rendre plus dynamiques les processus d'intégration. L'Association latino-américaine d'intégration (LAIA) est devenue un mécanisme plus souple que l'Association latino-américaine de libre-échange (LAFTA), ce qui peut être utile à ses pays membres et favoriser leurs relations avec d'autres pays d'Amérique latine et des Caraïbes.

Quant aux mécanismes ou dispositifs permettant d'accroître le dynamisme des processus d'intégration, on peut citer :

a) les préférences douanières, négociées et adoptées dans une modeste mesure au sein de l'ALADI et susceptibles d'extension ;

b) l'élimination ou la limitation des restrictions non tarifaires ;

c) l'attribution de certains marchés publics aux pays de la région ;

d) l'amélioration et l'interconnection des systèmes de paiement et de crédit mutuel, ainsi que de manière plus générale des mécanismes financiers liés aux échanges intra-régionaux, qui constituent un instrument très important ;

e) l'encouragement d'accords de portée partielle et de dispositifs d'échange compensés.

Il faut rechercher de nouveaux moyens d'accroître la coopération régionale et de l'adapter aux nécessités actuelles. A cet égard, on peut évoquer deux sortes de mesures qui ont dernièrement permis d'enregistrer des progrès appréciables. Dans le domaine politique, le groupe de Contadora a rendu possible une action concertée tendant à calmer un conflit entre les pays de la région. Dans le domaine économique, l'action entreprise au sujet de la dette extérieure a débuté en janvier 1984 lors de la réunion de Quito et s'est poursuivie lors des réunions de Carthagène, de Mar del Plata et de Saint-Domingue.

Ces réunions avaient pour but de réaliser un minimum de coopération entre les pays d'Amérique latine, qui tout en continuant de négocier au sujet de leur dette de manière distincte et indépendante s'efforceront d'organiser un échange d'informations et de définir des critères de négociation communs.

Le renforcement de la démocratie et le règlement des conflits contribueront à une réduction des dépenses militaires dont bénéficiera le développement des pays de notre région.

Cette compression des dépenses militaires permettra de consacrer davantage de ressources aux objectifs économiques et sociaux, d'atténuer les contraintes externes, ce qui favorisera la croissance, et de créer une situation politique favorisant davantage la compréhension et la coopération entre les pays en cause.

Si l'on envisage l'intégration comme un processus où tous les acteurs sociaux, politiques et économiques jouent un rôle actif, l'existence de gouvernements démocratiques devient un facteur très important d'un degré d'intégration réellement élevé entre les pays participants.

Chapitre 3

SCÉNARIOS A MOYEN TERME POUR L'AVENIR DE L'AMÉRIQUE LATINE

[Version abrégée d'un article préparé pour l'Istituto Italo Latino-Americano (IILA) ayant servi de base de discussion pour le séminaire]

par

Juan C. SANCHEZ-ARNAU

INTRODUCTION

Des années 50 au début des années 80, la plupart des pays d'Amérique latine enregistraient un taux de croissance relativement élevé qui contribuait à provoquer de profondes mutations économiques et sociales, voire à absorber une population qui progressait à un rythme sans précédent. En dépit des problèmes qui souvent accompagnaient cette croissance – forte inflation, difficultés chroniques de paiements extérieurs, inégalité prononcée de la répartition du revenu – on en venait à considérer comme normale la notion de «développement» et la conviction se répandait que ces problèmes pourraient graduellement se résoudre. Bien plus, dans certains milieux, gagnait du terrain l'idée que des «pays nouvellement industrialisés» (NPI) allaient se joindre aux pays économiquement les plus avancés du monde.

Les graves répercussions de la crise économique qui frappe les pays industriels et les conséquences des mesures prises par un certain nombre de pays d'Amérique latine au cours des années 70, se combinant avec un lourd endettement, ont provoqué la crise la plus grave que cette partie du monde ait connue depuis la grande dépression.

L'espoir d'une croissance continue et autoentretenue s'est affaibli, pour faire place à une vision pessimiste de l'avenir de l'Amérique latine. La plupart des prévisions dont on dispose ne permettent pas d'excompter avant 1990 un retour au niveau de revenu antérieur à la crise.

On est donc passé rapidement de l'optimisme au pessimisme. Cependant, il convient de se demander si l'avenir de l'Amérique latine est réellement aussi sombre que le donnent à penser la plupart des analyses récentes. Il s'agit de savoir si les ressources humaines et naturelles dont dispose l'Amérique latine, le dynamisme dont son économie a fait preuve dans le passé et les répercussions favorables de la reprise que l'on peut escompter dans les pays industrialisés ne permettraient pas d'établir des scénarios plus optimistes et s'il existe une raison quelconque d'exclure que la réaction à la crise actuelle puisse prendre la forme d'une nouvelle transformation importante de l'économie latino-américaine, à la manière de celle qui avait suivi la crise des années 30.

En dernière analyse, il convient de se rappeler que l'industrialisation de l'Amérique latine était au départ une réponse à la nécessité de remplacer les importations par une production nationale, du fait de la pénurie de devises résultant de la grande dépression, et qu'elle devait se renforcer et s'accélérer par suite de la contraction des échanges provoquée par la Seconde Guerre mondiale ; il est donc permis de penser qu'au cours de la crise actuelle l'Amérique latine pourrait à nouveau trouver à ses difficultés une solution lui assurant une nouvelle période de croissance prolongée et continue, comme celle qu'elle a connue durant l'après-guerre. De fait, si l'on admet que cette vue optimiste puisse être un tant soit peu réaliste, il convient de se demander quelles conditions seraient requises pour la rendre possible, quels obstacles majeurs devraient être surmontés, quelles erreurs rectifiées et quels pièges évités. Ce sont ces questions que pose notre étude.

Pour tenter d'y répondre, nous examinerons quelques analyses à long terme portant sur l'économie mondiale en général et celle de l'Amérique latine en particulier, réalisées vers la fin des années 70. Si depuis cette date la situation s'est modifiée de manière sensible, un certain nombre de raisons peuvent nous inciter à revoir le problème. Tout d'abord, cela nous permettra d'apprécier les perspectives de croissance globale à long terme qui s'offrent à l'Amérique latine et les conditions qui leur permettraient de se vérifier. En second lieu, ces scénarios à long terme nous permettront de saisir à nouveau l'image d'une zone en croissance, qui a été estompée par la crise actuelle. En troisième lieu, il faudra utiliser bien des données fournies par ces analyses pour établir des comparaisons avec la situation actuelle et corroborer en partie notre propre analyse de l'économie latino-américaine.

Outre ces prévisions «globales», nous examinerons des projections plus récentes de la population et de l'emploi, de la répartition du revenu et de la production et consommation de denrées alimentaires, qui compléteront le tableau que nous entendons établir de l'avenir de l'Amérique latine et des problèmes qu'il posera.

La seule question que n'examine pas explicitement notre étude est celle de la dette extérieure, encore qu'elle soit de toute évidence fondamentale pour l'avenir de l'Amérique latine. Si nous la négligeons, c'est essentiellement parce qu'elle donne déjà lieu à des analyses approfondies dans d'autres chapitres du présent ouvrage et qu'en outre nous l'avons examinée en détail dans d'autres publications[1].

L'avenir de l'Amérique latine : scénarios et réalité

Un certain nombre d'études à long terme de l'économie mondiale ont vu le jour au cours des années 70, allant des analyses quelque peu «néo-malthusiennes» du Club de Rome[2] à l'approche, orientée vers les objectifs, de la fondation Bariloche[3]. Au cours de ces années, la pensée économique s'est enrichie d'une série de travaux prévisionnels, globaux et à long terme, dont les hypothèses et les conclusions ont souvent été démenties du fait de la crise économique internationale qui devait éclater peu après. Cependant, certaines de ces études répondaient à quelques-unes des questions que posait le premier «choc pétrolier». Les réponses apportées restent valables et pertinentes, à divers égards, pour l'avenir du développement de l'Amérique latine.

Il convient ici de mettre en relief deux de ces réponses. La première a trait aux limites physiques de la croissance. Selon le rapport du Hudson Institute[4], il est peu probable que dans l'avenir prévisible la croissance de l'économie mondiale soit entravée par une pénurie des ressources d'énergie ou de matières premières, ou encore par des problèmes tenant à la pollution de l'environnement. Des crises temporaires peuvent néanmoins intervenir, du fait que le gros de ces ressources d'énergie et de matières premières est situé dans des pays qui n'en sont pas les consommateurs principaux, ou du fait que le coût de la lutte contre la pollution risque d'augmenter plus rapidement au cours des décennies à venir. Ces conclusions sont aussi celles de deux autres rapports – celui de Leontief[5] et celui d'INTERFUTURS[6] – que nous examinerons de plus près dans la suite de notre étude.

La seconde réponse est un corollaire de la première, à savoir que les tentatives de mise sur pied de cartels contrôlant les ressources énergétiques ou minières ne parviendront guère, à l'avenir, à exercer une influence comparable à celle dont jouissait l'OPEP dans les années 70. S'il peut à nouveau se produire des fluctuations conjoncturelles avantageant les producteurs d'une ressource donnée, il sera difficile de fonder une politique de développement à long terme sur l'attente de recettes croissantes provenant de l'exportation de produits primaires, comme on le croyait à l'époque dans plus d'un pays latino-américain.

Le rapport Leontief

Cette étude a été réalisée sous les auspices des Nations Unies pour examiner les conditions permettant d'atteindre les objectifs fixés dans le cadre de la seconde décennie de la Stratégie Internationale du Développement (SID), qui prévoyait un taux de croissance annuel de 6 pour cent pour l'ensemble des pays en développement tout au long des années 70, impliquant – sur la base d'une progression démographique de 2.5 pour cent – une croissance annuelle de 4.5 pour cent du produit brut par habitant.

Le rapport Leontief projetait ces objectifs jusqu'à la fin du siècle, à partir d'un modèle divisant le monde en quinze régions, l'Amérique latine et la région des Caraïbes constituant deux sous-régions en fonction du niveau de revenu des pays qui les composent. Ce modèle couvrait 45 secteurs d'activité économique.

Dans le cadre des travaux consacrés à ce modèle, on établissait plusieurs scénarios admettant des taux différents de progression démographique et de croissance du produit brut par tête. Cependant, les travaux étaient essentiellement axés sur le scénario de base, conforme aux objectifs fixés par la SID aux pays en développement. Selon ce scénario, si ces objectifs étaient atteints et si les pays industrialisés maintenaient leur taux de croissance historique, l'écart des niveaux de revenu entre ces deux catégories de pays ne commencerait pas à s'atténuer, même à la fin du siècle. C'est pour cette raison que l'on établissait d'autres scénarios, visant à examiner la possibilité de ramener l'écart de revenu moyen par habitant à un rapport de 7 à 1 en l'an 2000, contre 12 à 1 en 1970.

Ces scénarios admettent pour les pays en développement une progression démographique plus lente que ne le supposait la Stratégie internationale du développement, ainsi qu'une croissance plus rapide du PNB, hypothèse que les auteurs du rapport considèrent toutes deux comme «relativement optimistes». Même dans ce cas, le niveau de revenu atteint à la fin du siècle par certains pays du Tiers-Monde restait insuffisant pour couvrir les besoins fondamentaux de leur population.

On établissait en outre d'autres scénarios qui, tout en conservant les hypothèses du scénario de base, devaient tester les répercussions d'une modification de certaines variables, notamment de celles dont la réalisation semblait la plus difficile.

Les principales conclusions qui se dégageaient de cette étude étaient les suivantes :

– le problème le plus urgent, celui de la satisfaction des besoins alimentaires d'une population en progression rapide, peut être résolu dans les pays en développement par la mise en valeur d'importantes superficies actuellement inexploitées, ainsi que par un doublement ou un triplement des rendements à l'hectare. L'une et l'autre de ces tâches sont techniquement réalisables, mais sont tributaires de mesures radicales prises par les pouvoirs publics pour favoriser une telle évolution, ainsi que de mutations sociales et institutionnelles dans le pays en développement.

– une accélération de la croissance des pays en développement n'est possible qu'à condition qu'ils consacrent à la formation de capital entre 30 et 35 pour cent, voire dans certains cas, jusqu'à 40 pour cent de leur produit brut. Pour porter le taux d'investissement à ce niveau, il faut prendre des mesures radicales de politique économique en matière de fiscalité et de crédit, pour accroître le rôle joué par les investissements et le secteur public dans la production et les équipements collectifs. Des mesures conduisant à une répartition plus équitable du revenu sont nécessaires pour accroître l'efficacité de cette politique, qui devrait s'accompagner d'importantes mutations sociales et institutionnelles. Tout en étant importants, les investissements étrangers resteraient secondaires par rapport aux ressources intérieures.

– une accélération du développement suppose une croissance plus rapide, en moyenne, de l'industrie lourde que de l'ensemble des industries manufacturières. Une telle évolution – valable pour chaque région comme telle, sinon pour de petits pays – accroîtrait les possibilités de coopération industrielle entre pays en développement. Dans bien des régions, néanmoins, les industries légères resteraient encore longtemps au premier rang des activités manufacturières, ce qui permettrait notamment aux pays en développement d'augmenter de manière importante leurs exportations de produits finis.

– l'accélération du développement entraînerait progressivement une élévation sensible de la part des pays en développement dans le produit brut et la production industrielle mondiaux, par opposition à la stagnation relative de cette part au cours des dernières décennies. Vu la forte élasticité-revenu de leur demande d'importations, il s'ensuivrait certainement un accroissement sensible de leur part dans les importations mondiales destinées au développement. Cependant, on s'attend à voir leur part des exportations mondiales augmenter plus lentement, par suite de sévères contraintes de capacité et de la progression relativement lente de la compétitivité de leurs industries manufacturières. De ce fait, l'accélération du développement crée le risque de voir apparaître d'importants déficits de la balance commerciale et de la balance des paiements dans la plupart des zones en développement.

– ce dilemme de la balance des paiements comporte deux issues. L'une consiste à ramener le rythme du développement au taux qu'autorise la contrainte des paiements extérieurs. L'autre consiste à combler le déficit potentiel en modifiant les relations économiques entre pays développés et pays en développement, comme le préconisait la Déclaration sur la création d'un nouvel ordre économique international, à savoir par la stabilisation des marchés de produits de base, l'encouragement des exportations de produits manufacturés par les pays en développement, l'accroissement des transferts financiers, etc.

Un examen plus attentif des conclusions relatives à l'Amérique latine fait ressortir les points suivants :

a) la croissance annuelle admise pour son PIB dans le scénario de base est quasiment la même que pour l'ensemble des pays en développement, soit 7.2 pour cent entre 1970 et 2000. C'était là, en fait, le taux atteint par cette région entre 1970 et 1974, essentiellement grâce au taux élevé enregistré par le Brésil (11 pour cent), seul pays, avec l'Equateur et la République dominicaine, à réaliser une croissance plus rapide que la moyenne de l'Amérique latine.

b) en ce qui concerne le revenu par habitant, le scénario de base admettait une croissance de plus en plus rapide, un ralentissement continu de la progression démographique se conjuguant avec une accélération de la croissance économique.

De ce fait, le revenu par habitant s'élevait de 28 pour cent entre 1970 et 1980 et l'on escomptait un accroissement de 56 pour cent entre 1980 et 1990 et de 79 pour cent entre 1990 et 2000. En dollars de 1970, il devait passer de 545 au cours de la première année à 1 959 en l'an 2000. En fait, le revenu par habitant a connu au cours de la première décennie envisagée une progression réelle plus rapide que ne l'admettait le Rapport Leontief (38.5 pour cent contre 28.4). Toutefois, cette évolution s'inversait complètement entre 1980 et 1984, le revenu par habitant de l'Amérique latine dans son ensemble chutant de 8.9 pour cent.

c) pour réaliser le taux de croissance admis dans le scénario de base, il faudrait de toute évidence prendre des «mesures radicales de politique économique» pour comprimer la consommation et accroître les investissements. Selon ces prévisions, si l'on admet qu'en l'an 2000 la part du secteur public dans la consommation finale s'établit comme en 1970 à quelque 10 pour cent du PNB, tant dans les pays à revenu moyen que dans les pays à faible revenu d'Amérique latine, la consommation des particuliers devrait revenir dans les premiers de 68 à 55 pour cent du PNB et dans les seconds de 71 à 57 pour cent, afin de permettre à la part des investissements fixes bruts, tant publics que privés, de passer respectivement de 20 à 33 pour cent et de 17 à 31 pour cent.

d) les mesures de politique économique adoptées devraient également provoquer des modifications sensibles de la structure de la production, en l'alignant sur les tendances déjà prédominantes dans la plupart des pays en développement. Ainsi, la part dans le PNB de l'agriculture et des industries manufacturières devrait s'accroître de 20 pour cent par rapport à 1970. De même, les services publics et le bâtiment devraient accroître leur contribution au PNB de 40 pour cent dans les pays latino-américains à revenu moyen et de près de 75 pour cent dans les pays à faible revenu. En revanche, dans le premier groupe de pays, la part des services – à l'exclusion des services publics et du bâtiment – ne devrait pas augmenter (se maintenant à quelque 37 pour cent du PNB, comme en 1970), alors qu'elle devrait passer de 33.4 à 39.2 pour cent dans le second.

e) simultanément, l'importance plus grande accordée au développement industriel devrait permettre aux industries manufacturières de connaître une croissance annuelle de 8.5 à 8.8 pour cent principalement grâce à une expansion très soutenue du secteur des machines et équipements, où l'on escompterait une progression de 10.5 pour cent par an. De ce fait, l'Amérique latine porterait sa part de la production manufacturière mondiale de 3 pour cent en 1970 à 8 pour cent en l'an 2000. Au passage, on relèvera que même si l'ensemble des pays en développement parvenait à atteindre le taux de croissance élevé qu'admet ce scénario, ils ne seraient toujours pas parvenus, en l'an 2000, à s'assurer la part de 25 pour cent de la production industrielle mondiale préconisée par la Déclaration de Lima dans le cadre de la Stratégie internationale du développement, mais au mieux une part de 17.5 pour cent.

f) en ce qui concerne le problème alimentaire, le scénario de base donne à penser que, toujours entre 1970 et 2000, la consommation quotidienne de calories s'élèverait de 2.4 à 3 kilocalories dans les pays latino-américains à revenu moyen et de 2.2 à 2.9 dans les pays à faible revenu. Malgré cette augmentation considérable, la consommation moyenne resterait en l'an 2000 inférieure à celle des pays industrialisés en 1970 (3.2 kilocalories par tête et par jour). La consommation de protéines passerait de 60 à 86 grammes par tête et par jour dans le premier groupe de pays et de 50 à 77 dans le second. Là encore, elle resterait en Amérique latine en-dessous du niveau atteint en 1970 par l'Amérique du Nord et l'Europe occidentale et orientale (respectivement, 96 et 92 grammes par jour), mais dépasserait les 71 grammes enregistrés à cette date au Japon.

g) pour rendre possible cette progression, la production agricole devrait s'accroître de manière considérable, tout d'abord grâce à une augmentation de 66 pour cent de la superficie cultivée dans les pays à revenu moyen et de 40 pour cent dans les pays à faible revenu. En second lieu, il faudrait plus que tripler les rendements à l'hectare, de manière que la production totale puisse plus que quintupler en l'espace de trente ans. A l'exception du Moyen-Orient, aucune autre partie du Tiers-Monde n'aurait besoin d'augmenter autant que l'Amérique latine sa production agricole pour faire face à la demande.

h) s'agissant des échanges internationaux, les modifications résultant du scénario de base pour l'an 2000 sont encore plus importantes. Selon ce scénario, on estimait que le commerce mondial progresserait entre 1980 et 2000 à un taux annuel moyen de 5.9 pour cent, soit plus rapidement que le produit brut mondial, qui devait croître au taux de 4.8 pour cent. Ainsi, à la fin du siècle, 14.5 pour cent de ce produit devaient entrer dans les échanges internationaux, contre 10.6 pour cent en 1970. Qui plus est, tandis que les échanges de produits industriels devaient connaître une progression annuelle de quelque 6.8 pour cent, celle-ci ne serait que de 2.5 à 2.6 pour cent pour les produits agricoles et les matières premières, ce qui entraînerait de profondes modifications de la structure des échanges internationaux et de la part qu'y prenaient les diverses parties du monde.

Dans les exportations mondiales, la part de l'Amérique latine devait tomber en l'an 2000 à 4.6 pour cent contre les 5.7 pour cent estimés par le Rapport Leontief pour 1970, évolution conforme aux tendances à long terme, puisque, comme le montrent les statistiques du Fonds Monétaire International (FMI), cette part avait régulièrement baissé, revenant de 11.5 pour cent du total en 1950 à 7.8 pour cent en 1960, 5.6 pour cent en 1970 et 5.3 pour cent en 1980. Il semble que cette évolution se soit inversée depuis 1983, la part de l'Amérique latine dans les exportations mondiales passant alors à 5.9 pour cent.

D'un autre côté, la composition des exportations latino-américaines subirait des modifications sensibles, la part des matières premières diminuant, tandis que celle des produits manufacturés serait presque triplée.

Pour les importations, la situation serait tout à fait différente : au cas où se réaliseraient les prévisions du scénario de base, la part de l'Amérique latine dans les importations mondiales devrait passer en l'an 2000 de 3.5 à 7.5 pour cent pour les produits agricoles, de 3.5 à 8.2 pour cent pour les produits minéraux et les combustibles, de 3.7 à 4.4 pour cent pour les produits manufacturés légers et de 6.4 à 12 pour cent pour les machines et équipements, seul moyen lui permettant d'atteindre le niveau élevé d'investissements prévu par ce scénario.

A la suite de cette progression de ses échanges extérieurs, l'Amérique latine enregistrait des déficits considérables de la balance des paiements, rendant pratiquement impossible la réalisation des taux de croissance élevés admis par le scénario. A cet égard, le Rapport Leontief indique : «En l'absence de mesures de redressement prises au cours des années 70 et 80, le déficit de la balance des paiements connaîtrait une énorme augmentation, atteignant 190 milliards de dollars pour l'ensemble des pays en développement dans les années 1990. Selon ces hypothèses, seul le Moyen-Orient est en mesure de retrouver un excédent. Des déficits d'une telle ampleur interdiraient aux pays en développement de connaître une croissance aussi rapide que l'admet le scénario de base et provoqueraient au cours des années 80 un ralentissement brutal, rendant une progression rapide impossible dans les années 90».

Au vu de cette conclusion, on apportait au scénario de base diverses modifications, portant notamment sur le prix de diverses catégories de produits qui jouent un rôle important dans les échanges internationaux des pays en développement. On augmentait donc de 3.25 fois, en termes constants, le prix du pétrole entre 1970 et l'an 2000, tandis qu'était un peu plus que doublé celui du cuivre, du nickel, du zinc et de l'étain. Même dans cette hypothèse, l'Amérique latine dans son ensemble enregistrait un déficit commercial plus important que dans le scénario de base. Seuls, donc, un accroissement considérable des entrées nettes de capitaux étrangers, une bonification des intérêts servis au titre de la dette accumulée par suite de la succession des déficits commerciaux, la baisse des coefficients d'importation et une forte augmentation des exportations – principalement de produits agricoles – permettraient d'aboutir en l'an 2000 à un endettement extérieur nettement plus faible que dans le scénario de base, mais néanmoins très important.

Le rapport INTERFUTURS

Ce rapport, publié par l'OCDE, avait pour objectif principal « de définir les problèmes et d'examiner les choix politiques qui s'offraient de leur fait aux pays développés » et non de tenter de prévoir l'évolution de l'économie mondiale au cours du dernier quart du siècle actuel.

Les scénarios que présente ce rapport au sujet de la croissance future de l'économie mondiale étaient établis à l'aide d'un modèle plus simple que celui que les Nations Unies avaient utilisé pour le Rapport Leontief. Ce modèle avait été construit par le Systems Analysis Research Unit (SARU) du ministère de l'Environnement du Royaume-Uni.

Le premier (scénario A) suppose une collaboration sur un pied de plus grande égalité dans la gestion des intérêts des pays industrialisés et des conflits qui les divisent, une libération croissante des échanges, une participation de plus en plus grande du Tiers-Monde à l'économie mondiale, admettant toutefois des distinctions entre les divers pays qui le composent, une croissance économique soutenue des pays développés, sans modification prochaine des valeurs dominantes auxquelles ils souscrivent et une progression convergente de la productivité relative des pays industrialisés.

Le second ensemble de scénarios (B1, B2 et B3) adopte les mêmes hypothèses au sujet des relations entre pays industrialisés, entre pays en développement et entre ces deux groupes de pays. En revanche, il part de l'hypothèse que les pays développés connaîtront à l'avenir un taux de croissance modeste, qui varie d'un scénario à l'autre, sans toutefois conduire à des résultats différents sous l'angle qui nous intéresse ici.

Le troisième scénario (C) envisage la possibilité d'une confrontation Nord-Sud, dont les principaux aspects seraient l'application par la plupart des pays du Tiers-Monde d'une stratégie de désengagement de l'économie mondiale, un effort des pays du Nord pour parvenir à une gestion collégiale et donc une libération encore plus poussée de leurs échanges mutuels, un taux de croissance plus faible de ces pays et l'absence de convergence de leur productivité, les principales composantes de la zone de l'OCDE étant affectées de manière différente par l'effondrement des relations Nord-Sud.

Le quatrième scénario (D) se caractérise par une fragmentation du groupe des pays industrialisés et un renforcement du protectionnisme, marqué par l'apparition de sphères d'influence ayant pour pôles les Etats-Unis, la Communauté économique européenne et le Japon et comprenant des groupes continentaux de pays en développement. Par exemple, selon ce scénario, l'Amérique latine entrerait dans la sphère d'influence des Etats-Unis, qui seraient le centre principal de ses flux d'échanges et de capitaux. Ces hypothèses sont aggravées par un taux de croissance plus faible, s'expliquant notamment par la désorganisation des courants d'échanges.

Aux termes de ces divers scénarios, le produit intérieur brut global de l'Amérique latine, exprimé en milliards de dollars de 1970 passerait de 235.5 en 1975 à 1 279 en l'an 2000 selon le scénario A, à 1 137 selon le scénario B, 1 085 selon le scénario C et 964 seulement selon le scénario D. A d'autres égards, sous l'angle des intérêts de cette zone, le scénario le plus approprié serait celui qui conserve intacts les aspects structurels existants des relations économiques internationales, tout en admettant une croissance soutenue des pays industriels. En revanche, les scénarios les moins appropriés seraient ceux qui supposent la fragmentation du monde en sphères d'influence ou le divorce entre pays en développement et pays développés.

On observera que sur la base du scénario A, le PIB prévu pour l'an 2000 par INTERFUTURS est très proche du niveau envisagé par le scénario de base du Rapport Leontief (1 270 milliards de dollars au prix de 1970). En revanche, tandis que le Rapport Leontief estimait le revenu par habitant de l'Amérique latine en l'an 2000 à 1 959 dollars au prix de 1970, INTERFUTURS l'estime comme suit : 2 300 selon le scénario A, 2 040 selon le scénario B, 1 730 selon le scénario C et 1 950 selon le scénario D. Cette différence s'explique par la progression démographique sensiblement plus faible admise jusqu'à la fin du siècle pour l'Amérique latine par INTERFUTURS (2.1 contre 2.5 pour cent).

On observera également que ces quatre scénarios admettent une forte progression de la part de l'Amérique latine dans le produit brut mondial entre 1975 (6.2 pour cent) et l'an 2000 (10 à 11 pour cent). Cette progression est encore plus forte que celle du Japon, dont la part s'élève, selon le scénario le plus favorable, de 6.8 à 10 pour cent. En revanche, selon le scénario C, c'est-à-dire dans l'hypothèse d'un effondrement des relations Nord-Sud, cette part tombe à 5 pour cent, tandis que selon le scénario D, où le monde est partagé en sphères d'influence, elle ne monte qu'à 9 pour cent.

S'agissant des perspectives, INTERFUTURS relève que « à bien des égards, l'Amérique latine semble plus proche en l'an 2000 des pays industriels avancés que des pays en développement ... un niveau du revenu par tête beaucoup plus élevé que celui des autres régions ... des perspectives d'accélération de la croissance qui feraient passer ce revenu à un niveau se situant entre 2 600 et 3 200 dollars au cours de la période allant de 1976 à l'an 2000, soit approximativement le niveau atteint aujourd'hui (c'est-à-dire en 1977) par l'Italie ... enfin, le niveau relativement avancé de la diversification industrielle (la part des biens de consommation dans la production manufacturière revenant de 65 à 45 pour cent entre 1950 et 1970) ».

Cependant, ce rapport fait valoir que certaines caractéristiques essentielles de l'Amérique latine en font sans équivoque une partie du Tiers-Monde. A ce propos, il évoque la rapidité de la progression démographique, surtout en ce qui concerne la population active (3 pour cent par an en 1977) et le fait que la transition démographique est loin d'avoir été effectuée. Il mentionne également la structure sociale, « profondément et traditionnellement inégalitaire, qui a des répercussions prédominantes sur le type d'industrialisation et de modernisation ... l'arrêt des réformes agraires, d'où résulte un faible progrès du monde rural et de la production vivrière, ainsi que la persistance, voire l'aggravation des inégalités de revenu, rendant la croissance industrielle tributaire d'un accroissement de la consommation des riches ou des exportations ».

Le rapport ajoute qu'au cours des 25 années précédentes le revenu par habitant avait augmenté moins rapidement en Amérique latine (2.6 pour cent par an) que dans l'ensemble des pays en développement et qu'il persiste des situations « d'extrême pauvreté ».

Enfin, il souligne que « la structure politique de la plupart des pays de cette région est étroitement liée aux caractéristiques latino-américaines de ce type de croissance : l'autoritarisme interne se conjugue dans la plupart des cas avec un risque d'instabilité chaotique et des relations de dépendance politique ».

Cependant, envisageant l'avenir, le rapport indique qu'en dernière analyse, l'Amérique latine accroîtra probablement son avance sur la plupart des autres grandes régions du Tiers-Monde. Le scénario A d'INTERFUTURS prévoit, par exemple, qu'en l'an 2000 son revenu par habitant s'élèvera à quelque 2 300 dollars (au prix de 1970), contre 210 pour l'Asie et 380 pour l'Afrique au sud du Sahara. Pour que cette croissance entraîne un développement réel, toutefois, il faudra faire face à deux grands défis :

- le premier a trait à son équilibre interne, politique et social, l'extrême inégalité étant à l'origine d'éventuelles explosions qu'il ne sera pas toujours possible de contenir par un renforcement de l'autoritarisme,
- le second a trait à la maîtrise qu'elle exerce sur sa croissance économique par un accroissement de l'efficience de son système de production et une plus grande expansion de son marché intérieur ...

Perspectives de croissance de la population totale et active

Comme on l'a déjà vu, le rapport Leontief prévoyait que la population de l'Amérique latine progresserait entre 1970 et 2000 à un taux annuel de 2.5 pour cent tandis qu'INTERFUTURS estimait ce taux à 2.1 pour cent pour la période 1975-2000.

La dernière estimation des Nations-Unies, qui remonte à 1980, prévoit pour la période 1980 à 2000 un taux se situant entre 2 et 2.2 pour cent. Selon l'hypothèse admise par Leontief, l'Amérique latine aurait à la fin du siècle une population de 621 millions d'habitants, alors que l'estimation la plus faible des Nations Unies situe ce chiffre à 536 millions.

Cette révision en baisse des prévisions de croissance démographique s'explique par la chute rapide du taux de natalité, en cours dans la quasi-totalité des pays d'Amérique latine. Si la situation varie grandement selon les pays, on a des raisons de supposer que cette évolution s'accentuera encore à l'avenir, particulièrement si les facteurs qui influencent le plus le taux de natalité élargissent leur action.

On peut considérer comme extraordinaire la chute du taux de mortalité enregistrée au cours des dernières décennies par tous les pays d'Amérique latine. Si au départ elle contribuait à accélérer la progression démographique, elle a été au cours des dernières années l'un des facteurs qui ont sans doute le plus contribué à la baisse du taux de natalité qui, en dernière analyse, est responsable du ralentissement à long terme de la progression démographique. Entre 1950 et 1955, le taux de mortalité était de 15.7 pour mille pour l'ensemble de l'Amérique latine. Entre 1975 et 1980, il n'était plus que de 8.9 pour mille, et l'on s'attend à le voir tomber à 8.2 pour mille entre 1980 et 1985. A l'exception de l'Argentine et de l'Uruguay, où le taux de mortalité est resté stationnaire aux environs de 10 pour mille depuis le milieu des années 60, tous les pays d'Amérique latine ont enregistré une baisse très prononcée de ce taux.

Par voie de conséquence, l'espérance de vie a considérablement augmenté dans tous les pays en cause, passant d'une moyenne de 51.6 années au cours de la période 1950-55 à une moyenne de 64.4 au cours des cinq années allant de 1980 à 1985.

On peut voir une indication très nette de la chute brutale du taux de fécondité dans la baisse du taux de natalité de la région dans son ensemble, tombé de 46.6 pour mille en 1950-55 à 33.5 pour mille en 1975-80 et destiné, selon les projections, à tomber à 31.9 en 1980-85.

Cette baisse traduit d'importantes mutations sociales et économiques, telles que l'expansion et la modernisation de l'activité des industries manufacturières et du secteur tertiaire de l'économie, notamment lorsqu'elles se conjuguent avec la tendance à l'urbanisation et à une participation croissante des femmes à l'activité économique, avec la croissance et le renforcement des classes moyennes et du prolétariat urbain, ainsi que l'amélioration de l'instruction de la population rurale et le renforcement de ses liens avec les centres urbains, sous l'angle tant de l'accès matériel que de l'exposition à la culture et de l'intégration aux marchés.

Cependant, la principale raison qui explique la baisse prononcée du taux de natalité intervenue en Amérique latine depuis les années 60 est peut-être le progrès des techniques contraceptives et leur diffusion rapide dans la plupart des pays en cause, facteur qui ressort très nettement de la chute brutale du taux de natalité observée dans des pays tels que Cuba, le Costa Rica et le Panama, qui ont consacré des efforts particuliers tant à la santé publique qu'à la contraception[7].

Cette évolution a exercé une forte influence sur la progression de la population active. En 1950-55, le taux de croissance annuel de la population âgée de 15 à 64 ans était de 2.4 pour cent, alors que durant les années 70, il était de 3 pour cent. On s'attendait en revanche à le voir tomber à 2.8 pour cent par an au cours des années 1980 à 1985.

Comme on peut le remarquer, l'évolution du taux de progression de la population d'âge actif retarde sur celle de la population totale. En revanche, l'évolution de la population active peut être différente, en fonction, tout d'abord, du taux d'intégration des femmes à l'activité économique et, en second lieu, des possibilités d'emploi offertes à diverses catégories de la population dans les divers pays.

Il existe en Amérique latine trois organismes établissant des prévisions d'évolution du marché du travail : le Centre de Démographie latino-américain [Centro Latino Americano de Demographia (CELADE)], le Bureau International du Travail (BIT) et le Programme régional de l'emploi pour l'Amérique latine et les Caraïbes [Programa Regional del Empleo para America Latina y el Caribe (PREALC)]. Les projections établies par ces organismes pour l'an 2000 ne présentent pas de différences significatives. Selon les estimations du CELADE et du PREALC, la population active de l'ensemble de l'Amérique latine (à l'exclusion des pays anglophones de la région des Caraïbes) se situera en gros entre 193.3 et 193.7 millions, ce qui représente un accroissement de 107 millions par rapport au chiffre de 1970.

Cette croissance spectaculaire du marché du travail est une tendance que l'on ne saurait modifier, puisqu'elle concerne des gens qui sont déjà nés et qui sont presque fatalement destinés à se présenter sur le marché au cours des deux décennies à venir. Pour la seule période allant de 1990 à 2000, le PREALC estime que dans les pays en question la population active s'accroîtra de quelque 44.4 millions de personnes, soit sensiblement plus de 29.8 pour cent.

Cette progression rendra nécessaire un effort considérable d'investissement et de création d'emplois, qui devrait être encore plus grand si l'on tentait de réduire le niveau traditionnel du chômage et surtout celui du sous-emploi, qui est largement répandu dans bien des pays d'Amérique latine.

Dans les pays où les statistiques sont relativement fiables, on peut voir que le chômage urbain se situe en général à un niveau élevé. Ainsi, en 1980, il s'établissait au Brésil à 6.2 pour cent et en Colombie à 9.7 pour cent tandis qu'au Mexique il fluctuait, de 1973 à 1979, entre 5.7 et 8.3 pour cent. En Colombie et en Uruguay, un taux de 10 pour cent a été souvent enregistré, tout au moins depuis 1974. Dans tous les cas, il s'agit uniquement du chômage urbain, car l'on ne dispose pratiquement en Amérique latine, d'aucune information détaillée au sujet du chômage dans les zones rurales.

Cependant, le principal problème qui se pose à l'Amérique latine est moins celui du chômage proprement dit que celui du sous-emploi. Entre 1950 et 1980, celui-ci diminuait légèrement, passant de 22.9 à 19.9 pour cent. De même, la part de la population active touchée par le sous-emploi tombait au cours de ces trente années de 46 à 38 pour cent[8].

Lorsqu'on examine la situation existant en 1980, il convient de distinguer trois groupes de pays, dont les caractéristiques sont fort différentes. Dans le premier, le taux de sous-emploi est très proche de la moyenne des 14 pays d'Amérique latine qui représentent 95 pour cent de sa population active et que couvre notre analyse ; en d'autres termes, il est de l'ordre de 37 pour cent. Dans ce groupe de pays, qui comprend le Brésil, la Colombie, le Costa Rica, le Mexique, le Panama et le Venezuela, le sous-emploi est du même ordre dans les zones rurales (18.4 pour cent) que dans les villes (18.6 pour cent). Le pays le moins affecté est la Costa Rica (25.1 pour cent), le plus affecté la Colombie (41 pour cent). Le second groupe de pays, comprenant la Bolivie, l'Equateur, le Salvador, le Guatemala et le Pérou, enregistre des taux de sous-emploi très supérieurs, la moyenne étant 57.7 pour cent. Dans ce cas, le taux est bien plus élevé dans les zones rurales (35.9 pour cent) que dans le secteur urbain inorganisé (21.8 pour cent). Le pays le moins affecté est le Salvador (49 pour cent), le plus affecté la Bolivie (74.1 pour cent). Le troisième groupe de pays, où le sous-emploi est en moyenne de 28.4 pour cent, comprend l'Argentine, le Chili et l'Uruguay, le taux étant plus élevé dans les zones urbaines (21.4 pour cent) que dans les zones rurales (7 pour cent).

Sur cette base, le BIT estime[9] que pour ramener dans les 14 pays en cause le sous-emploi du taux de 19.1 pour cent observé en 1980 à 6.5 pour cent en l'an 2000, le PIB de ces pays devrait progresser à un taux annuel de 8.3 pour cent, bien supérieur à ceux qu'envisagent les scénarios à long terme évoqués dans la première partie de notre étude.

Pauvreté et répartition du revenu

Selon les estimations établies par la Commission économique pour l'Amérique latine et la région des Caraïbes (CEPALC), la pauvreté absolue frappait au début des années 70 une partie extrêmement forte des ménages latino-américains, à savoir 34 pour cent au Mexique, 45 pour cent en Colombie, 49 pour cent au Brésil, 50 pour cent au Pérou et 65 pour cent au Honduras. Qui plus est, ces chiffres ne portent que sur les pays où l'on dispose de ce genre de statistiques[10]. On n'a guère d'informations au sujet de l'évolution ultérieure, et pratiquement aucune estimation quant à l'avenir. Il est néanmoins possible d'avancer, à titre de projection, un certain nombre de considérations générales.

La première est qu'en Amérique latine le problème de la pauvreté est essentiellement rural, 60 pour cent de la population sous-alimentée ou pauvre provenant des campagnes. Qui plus est, 62 pour cent des familles rurales entrent dans cette catégorie, contre 26 pour cent seulement des familles urbaines[11]. En outre, tous les indicateurs font ressortir une forte corrélation entre les symptômes de la pauvreté, tels que la sous-alimentation, l'espérance de vie ou la mortalité infantile et les statistiques du sous-emploi.

« L'essence du problème de la pauvreté tient au sous-emploi. Les écarts de revenu entre personnes ayant un emploi expliquent plus de la moitié de ceux qui séparent les ménages pauvres du reste de la pyramide des revenus, le reste étant imputable au taux d'activité et au nombre de personnes à charge. La pauvreté frappe essentiellement, dans les zones rurales, les ouvriers agricoles et les petits exploitants et dans les zones urbaines les travailleurs indépendants, les manœuvres et les salariés du secteur des services »[12].

S'il n'existe malheureusement guère d'études comparatives récentes au sujet de la répartition du revenu en Amérique latine, on peut établir à partir des données recueillies par la Banque mondiale une pyramide des revenus hypothétique[13]. Les estimations portant sur l'Argentine (1970), le Brésil (1972), le Costa Rica (1971), le Chili (1968), le Mexique (1977), le Panama (1970), le Pérou (1972) et le Venezuela (1970) permettent d'établir la répartition du revenu par quintiles de la population. Ces pays représentent 76.1 pour cent de la population totale de l'Amérique latine. L'échantillon comprenant des pays dont le niveau de revenu est très différent, on peut considérer la pyramide ainsi établie comme représentative de la région dans son ensemble.

A cette fin, on a pondéré le revenu de chaque quintile de la population de chacun de ces pays par la population totale de ce dernier.

Ce calcul permet de conclure que vers le début ou le milieu des années 70, les 20 pour cent les plus riches de la population de l'Amérique latine percevaient 60.73 pour cent de son PNB total, le décile le plus riche en percevant 44.23 pour cent. Le second quintile percevait 19.18 pour cent et le troisième 11.10 pour cent. Le quatrième quintile en percevait 6.34 pour cent et les 20 pour cent les plus pauvres 2.64 pour cent seulement du PNB total.

Ainsi, alors que le dixième de la population avait un revenu moyen se rapprochant de celui des pays les plus avancés d'Europe occidentale, les 40 pour cent les plus pauvres avaient un revenu moyen équivalent à celui des pays les plus pauvres d'Asie.

Cet écart particulièrement prononcé entre les revenus des catégories les plus riches et les plus pauvres est fort éloigné de ceux que l'on observe en Europe occidentale. Ainsi, l'écart qui sépare les quintiles extrêmes de la pyramide des revenus est en Amérique latine de 28 à 1, alors qu'en Italie, en 1977, il n'était que de 7 à 1.

Qui plus est, cette situation risque de s'être aggravée au cours des dernières années. Par exemple, dans le cas du Brésil, les données dont on dispose indiquent qu'entre 1979 et 1983, par suite de la crise économique, les 30 pour cent les plus riches de la population ont vu leur revenu baisser de 21.2 pour cent tandis que pour les 30 pour cent les plus pauvres, cette baisse était de 29.8 pour cent[14].

Production agricole et besoins alimentaires

En 1980, la FAO entreprenait une analyse à long terme de l'évolution possible de la demande, de la production et des échanges de produits agricoles[15].

Pour l'Amérique latine, les résultats de cette analyse montraient que la production brute de l'agriculture, qui avait progressé entre les années 1961-65 et 1980 au taux de 3 pour cent par an, devait progresser annuellement de 3.3 pour cent entre 1980 et 2000 selon le modèle le moins optimiste et de 3.8 pour cent selon le plus optimiste. De son côté, la demande de produits agricoles, qui avait progressé dans le passé au taux de 3.2 pour cent, devait le faire au taux de 3.4 pour cent selon le scénario le moins optimiste et de 3.7 pour cent selon le plus optimiste.

Du fait de cette évolution, les importations totales de produits agricoles, qui augmentaient au taux annuel de 6.1 pour cent entre 1961-65 et 1980-1979, progresseraient entre 1980 et 2000 au taux de 1.8 pour cent seulement selon le scénario le plus optimiste et de 2.6 pour cent selon l'autre. En revanche, les exportations qui, au cours de la période de base, augmentaient au taux annuel de 3.1 pour cent continueraient à progresser au même rythme selon le scénario le plus optimiste et au taux de 2.5 pour cent selon le moins optimiste. En d'autres termes, le scénario optimiste prévoyait une forte progression de l'excédent des échanges de produits agricoles, alors que l'autre envisageait une contraction progressive.

Cependant, si ces résultats semblent très encourageants pour l'Amérique latine dans son ensemble, il n'en est pas tout à fait de même pour chacun des pays pris à part. La FAO estimait que, comparativement aux 41 millions d'habitants gravement sous-alimentés en 1974-76, l'Amérique latine en compterait encore 17 millions en l'an 2000 selon l'hypothèse optimiste et 26 selon la moins optimiste[16].

En outre, pour parvenir à ces résultats, il faudrait que l'Amérique latine accroisse considérablement la superficie exploitée, grâce à la mécanisation et à un recours accru aux engrais, de manière à augmenter le rendement à l'hectare de 27 à 37 pour cent, selon le produit envisagé.

Il faudrait porter la superficie exploitée, qui était en 1974-76 de 161 millions d'hectares de cultures sèches et de 12 millions d'hectares irrigués, respectivement à un niveau situé entre 241 et 251 millions d'hectares et à 19 millions d'hectares vers la fin du siècle.

Conditions de la croissance et crise

Tous les scénarios évoqués ci-avant avaient été établis en supposant que des objectifs déterminés pouvaient être atteints dans un délai donné, généralement fixé à la fin du siècle. Qu'il s'agisse d'atténuer l'écart de revenu entre pays industrialisés et pays en développement (Leontief) ou d'atteindre un niveau adéquat d'emploi ou de consommation (FAO), ce délai semble raisonnable, étant donné l'urgence des problèmes en cause. Il l'est d'autant plus si l'on tient compte qu'au cas où ces objectifs pourraient être atteints, le niveau de vie de l'Amérique latine resterait, à la fin du siècle, inférieur à celui d'un pays comme l'Italie en 1970, avec toutefois des écarts de revenu plus prononcés et des poches d'extrême pauvreté – entre 17 et 27 millions d'habitants étant encore sous-alimentés – que l'Italie de cette époque ne connaissait plus.

Cependant, aussi raisonnable que puissent sembler ces objectifs ou le délai assigné à leur réalisation, notre conception du problème en cause se modifie radicalement lorsque nous examinons, premièrement, ce qu'exigent ces scénarios et deuxièmement, la rupture que connaît depuis le début de la décennie actuelle la croissance de l'Amérique latine.

En résumé, ce qu'exigent ces scénarios, c'est un ralentissement de la progression démographique, une accélération de la croissance de la production, un fort accroissement des investissements et notamment de leur part dans le revenu total et enfin la solution des problèmes de balance des paiements que poseraient des taux de croissance et d'investissement aussi élevés.

En ce qui concerne la progression démographique, tout porte à croire que les résultats obtenus au cours des dernières années s'amélioreront encore à l'avenir et atténueront, dans une certaine mesure, les tensions qui s'exercent sur le marché du travail, réduisant du même coup les taux de croissance et d'investissement nécessaires pour combattre le chômage, et contribuant éventuellement à élever le revenu par habitant. En revanche, il semble impossible de satisfaire dans le délai envisagé les autres conditions. Par exemple, s'agissant de la progression du produit brut, il faudrait pour atteindre les objectifs fixés par le Rapport Leontief ou par INTERFUTURS une croissance annuelle de 7 pour cent, qui devrait dépasser 8 pour cent pour permettre de réaliser les objectifs d'emploi définis par le Bureau international du travail (BIT). Même les scénarios de la FAO supposent implicitement un taux de croissance global de cet ordre.

Pour y parvenir, il faudrait, selon le Rapport Leontief, un taux d'investissement de près de 40 pour cent du revenu national, qui dépasse largement les possibilités actuelles de l'Amérique latine. Chose plus grave, il semble difficile de satisfaire les conditions définies dans le Rapport Leontief ou tacitement supposées par le Rapport INTERFUTURS en ce qui concerne les rapports avec le reste du monde. C'est pour cette raison que l'une et l'autre de ces études mettaient l'accent, à des degrés divers, sur la nécessité de prendre des mesures de libération des échanges ou d'adopter diverses formes de compensation pour accroître de manière significative les recettes d'exportation des pays en développement et leur permettre de faire face au déficit extérieur croissant qu'impliquaient ces projections.

L'un et l'autre de ces problèmes, que ces études ne résolvaient pas de manière adéquate, ont été considérablement aggravés par la crise née de l'endettement excessif de l'Amérique latine[17].

Si bien des problèmes, parmi ceux qui affectent cette région, sont d'origine externe, on peut considérer comme erronées un certain nombre de mesures prises au plan national au cours des années 70. La première était la surévaluation excessive du change, qui servait dans certains cas à combattre les incidences inflationnistes des mouvements de prix relatifs évoqués ci-avant et résultait dans d'autres des entrées nettes de capitaux correspondant à l'endettement extérieur.

La seconde mesure erronée était l'ouverture excessive du marché intérieur, visant à satisfaire la demande de produits qui souvent n'étaient pas essentiels et qui fréquemment donnaient lieu à un endettement extérieur. Si l'on considère, par exemple, la propension à importer des biens de consommation (mesurée par le rapport de ces importations à la consommation privée de l'année correspondante), on constate qu'en Argentine elle passait de 0.2 en 1976 à 2.5 en 1981, en Colombie, de 1.7 en 1975 à 3.6 en 1982, au Pérou, de 0.8 en 1978 à 4.3 en 1982 et au Chili de 1.3 en 1975 à 11.1 en 1981[18].

On trouverait sans doute des exemples analogues de mauvais emploi des ressources extérieures si l'on disposait de statistiques au sujet des achats d'armements d'un certain nombre de pays latino-américains, particulièrement de ceux d'Amérique du Sud, au cours de ces mêmes années. Cependant, la surévaluation des monnaies locales et l'ouverture excessive de l'économie ne se manifestaient pas seulement dans le commerce extérieur, mais aussi dans une augmentation spectaculaire des dépenses en devises consacrées au tourisme.

Plus grave encore est l'incidence défavorable de cette politique sur les sorties de capitaux, particulièrement à un moment où les taux d'intérêt s'élevaient sur les marchés internationaux des capitaux tandis que s'affaiblissait le crédit de l'Amérique latine.

Conjuguées avec les dépenses militaires que ne couvrent pas les statistiques du commerce extérieur publiées par certains pays latino-américains, ces sorties de capitaux expliquent dans une certaine mesure qu'à concurrence de 82 pour cent pour l'Argentine, de 63 pour cent pour le Mexique et de 42 pour cent pour le Chili, l'accroissement de la dette extérieure intervenu entre 1974 et 1984 n'ait pas de contrepartie dans les importations de biens et de services statistiquement enregistrées[19].

Cette politique ne pouvait être mise en œuvre qu'au moyen d'un fort accroissement de l'endettement extérieur, grâce à la baisse momentanée des taux d'intérêt réels et aux surplus de capitaux que créait le recyclage des excédents des pays exportateurs de pétrole. L'endettement servait à retarder ou à atténuer les ajustements qu'il aurait fallu réaliser à la suite des importantes modifications que subissaient au début des années 70 les prix relatifs internationaux, ainsi que les autres ajustements que rendait nécessaire le ralentissement de la croissance des pays du centre.

Entre 1977 et 1978, les entrées de capitaux dont bénéficiait l'Amérique latine augmentaient cinq fois plus vite qu'avant le renchérissement du pétrole. Ce mouvement se poursuivait normalement jusqu'en 1979-80, date du second renchérissement. Si celui-ci exerçait par lui-même des incidences très défavorables sur l'économie des pays latino-américains importateurs nets de pétrole, ses répercussions les plus fâcheuses étaient imputables à ses effets sur la politique suivie par les pays industrialisés.

A cette occasion, ces derniers décidaient d'atténuer l'impact du renchérissement du pétrole par l'adoption d'une politique déflationniste. On passait de ce fait d'une situation presque traditionnelle, où les taux d'intérêt réels étaient légèrement négatifs ou nuls, à une situation où ils étaient nettement positifs. Par voie de conséquence, les intérêts servis annuellement par l'Amérique latine au titre de sa dette extérieure passaient de 9.64 milliards de dollars en 1979 à 30 milliards en 1983. A partir de 1979, ces intérêts devenaient un facteur fondamental de la dégradation de sa balance des paiements.

De ce fait, la plupart des pays d'Amérique latine devenaient extrêmement vulnérables aux facteurs extérieurs, leur équilibre financier dépendant fondamentalement de leur aptitude à accroître indéfiniment leur endettement. En 1982, toutefois, intervenaient deux événements qui modifiaient radicalement cette situation : le premier était la guerre des Malouines, avec l'insécurité et les troubles qui s'ensuivaient sur le marché international des capitaux, tandis que le second était la crise financière déclenchée en septembre au Mexique, celui-ci se révélant incapable d'assurer le service de sa dette extérieure. Cette crise conduisait, à très brève échéance, au lancement de l'une des opérations de sauvetage financier les plus importantes de tous les temps, qui toutefois entraînait l'arrêt complet des entrées volontaires de capitaux pour l'ensemble de l'Amérique latine.

Ces entrées ayant pris fin, la plupart des pays en cause devaient, en premier lieu, refinancer leur dette et, en second lieu, prendre de sévères mesures d'ajustement.

Le résultat en était une chute du revenu par habitant qui atteignait entre 1981 et 1984 quelque 8.9 pour cent avec des maxima de près de 25 pour cent dans des pays tels que la Bolivie et de plus de 15 pour cent dans d'autres, tels que le Salvador, le Guatemala, l'Uruguay et le Venezuela, situation qui risque d'avoir des répercussions beaucoup plus graves pour les couches les plus pauvres de la population latino-américaine que pour les autres.

La reprise de la croissance et l'avenir de l'Amérique latine

La crise actuelle a mis en lumière, non seulement la dépendance extérieure et la vulnérabilité des pays d'Amérique latine, mais aussi leur énorme capacité d'ajustement. Il n'est pas facile d'imaginer qu'une autre partie du monde puisse être capable de réduire de plus de 30 pour cent d'une année à l'autre la consommation de la masse de sa population, sans déclencher de graves conflits sociaux ou politiques. Au contraire, cette évolution intervient dans le cadre d'un progrès général de la démocratie, qui explique sans doute l'ampleur des sacrifices que les populations d'Amérique latine sont prêtes à accepter.

Les mesures d'ajustement adoptées à ce jour par les pays d'Amérique latine ont conduit à une amélioration considérable de leur balance des paiements, mais comme elles ne s'accompagnaient pas d'une reprise significative de la croissance des pays industriels et des échanges internationaux, ou d'une chute appréciable des taux d'intérêt réels, leur impact se trouve considérablement affaibli et les problèmes posés par l'endettement restent sans solution.

En dernière analyse, pour pouvoir reprendre sa croissance, l'Amérique latine devra rechercher des voies et des modèles de développement nouveaux lui permettant, non seulement d'échapper au cercle vicieux de l'endettement et de la récession, mais aussi d'affronter, avec plus de succès que par le passé, les principaux problèmes économiques et sociaux qui se posaient dès avant la crise actuelle et qui, au surplus, semblent inhérents au type de développement choisi par la plupart des pays de cette région.

Si les réponses apportées à ces problèmes doivent de toute évidence différer d'un pays à l'autre, nombre d'entre elles sont communes à tous, tout au moins au niveau très général où se situe notre analyse.

On a déjà relevé qu'en Amérique latine le problème de l'extrême pauvreté est essentiellement rural, sans prétendre nier qu'il devienne graduellement aussi un problème urbain, du fait de l'exode rural et du ralentissement de l'industrialisation. De ce fait, si l'on veut affronter le problème de la pauvreté, l'une des premières mesures à prendre est une réforme agraire visant à redistribuer la terre et à créer les conditions d'une progression appréciable de la production.

De toute évidence, on peut obtenir d'importants résultats par une politique appropriée des prix et du crédit, la vulgarisation agricole, l'amélioration de la qualité des semences ou des techniques de production, la création de dispositifs de commercialisation efficients, ainsi que la mécanisation et l'électrification de l'agriculture. Cependant, la plupart de ces mesures nécessitent l'existence de la base d'un esprit d'entreprise, d'une infrastructure administrative et d'un niveau des investissements qui n'existent pas à l'heure actuelle et ne seraient pas faciles à mettre en place dans la plupart des pays d'Amérique latine. En d'autres termes, il s'agit de processus qui exigent du temps ainsi que d'énormes ressources matérielles et humaines.

La nécessité d'un progrès sur le front démographique devient encore plus aiguë lorsqu'on considère que rien qu'au cours de la dernière décennie du siècle actuel on peut escompter l'arrivée sur le marché du travail de quelque 45 millions de personnes. D'ici là, en dépit du ralentissement de la progression démographique, la population active continuera de croître à un taux annuel de 2.8 pour cent, les habitants en cause étant déjà nés ou destinés à naître au cours des quelques années à venir, avant que cette évolution puisse se faire sentir. Cette progression de la population active est l'un des plus graves défis que doivent affronter au cours des prochaines années les pays d'Amérique latine.

Faut-il donner la priorité aux objectifs sociaux ou à l'équilibre économique ? C'est là un débat largement engagé en Amérique latine, et qu'il n'y a pas lieu de reprendre ici. En tout état de cause, la gravité des problèmes sociaux dont il s'agit et le risque de les voir s'aggraver – de même que l'urgence supplémentaire que leur confèrent les répercussions sociales de la crise – rendent essentielle l'élaboration d'une politique capable de concilier ces divers objectifs. Le type d'ajustement réalisé jusqu'ici a entraîné une sérieure dégradation de la situation sociale, sans réellement contribuer à rétablir l'équilibre de l'économie. Si l'on envisage cette situation dans une perspective à plus long terme, on a toute raison de penser qu'il convient de s'engager dans une politique différente, mieux adaptée à la réalisation de ces objectifs.

Dans la plupart des pays latino-américains, le «type de développement» dominant est le fait d'un gouvernement émanant des couches sociales à revenu moyen ou élevé, qui empruntent habituellement leur modèle de société – celui qu'elles aspirent à édifier – aux pays industrialisés. De ce fait, l'histoire de l'industrialisation de ces pays a été fortement déterminée par «l'évolution de la consommation des couches sociales supérieures et la nécessité de satisfaire les exigences des couches à revenu moyen qui sont intégrées à cette société». Par opposition à ce type de développement, la réaction habituelle consiste à postuler la nécessité d'encourager l'apparition d'autres formes de développement, plus attentives aux besoins élémentaires des couches défavorisées de la population ou visant davantage à atteindre des objectifs sociaux, tels qu'une répartition plus équitable de la richesse ou le plein emploi. Si l'on ne peut négliger l'existence de ces dilemmes on peut tenter d'y échapper en faisant valoir que, même du seul point de vue de l'efficience à moyen terme, il semble urgent de rechercher un nouveau type de développement, permettant de rétablir un marché intérieur suffisamment dynamique et une industrialisation qui crée davantage d'emplois.

En réalité, ces modifications ont moins à voir avec la seule efficience économique qu'avec l'organisation du pouvoir et le type de décisions politiques qu'elle détermine, voire avec l'évolution des modèles culturels. Si toutefois on peut à nouveau en tirer argument pour préconiser des mesures autres que celles qui donnent comme justification l'efficience économique, c'est parce que la dégradation du climat social risque dans nombre de pays d'Amérique latine de saper l'équilibre social sur lequel est fondée cette organisation du pouvoir.

En ce qui concerne le type d'industrialisation souhaitable ou possible, il convient de tenir compte de certaines des conclusions qui ressortent tant du Rapport Leontief que d'INTER-

FUTURS. La première a trait à l'importance que doit prendre en Amérique latine le secteur de l'industrie lourde et des biens d'équipement, et aux possibilités de croissance que présente la fabrication de tracteurs et autres machines agricoles, du fait des mutations que doit subir à l'avenir la production agricole. La seconde est la part croissante que doivent prendre dans les exportations totales de la région celles de produits manufacturés légers. La troisième est la nécessité d'encourager le développement d'industries de substitution aux importations, en vue de faire face au déséquilibre actuel des comptes extérieurs qui, selon les scénarios évoqués ci-avant, interviendrait également si l'Amérique latine devait revenir à une croissance économique rapide.

Traditionnellement, le débat économique s'est limité en Amérique latine au choix entre des types de développement «extrovertis» ou «introvertis», sans que l'on prête beaucoup d'attention à la possibilité de les combiner, en fonction du secteur en cause. On a ainsi négligé l'expérience historique des pays industrialisés, où une politique de la «porte ouverte» pour les industries manufacturières a toujours été précédée d'une période de protectionnisme généralisé, ce qui reste la pratique actuelle lorsque la situation le permet ou lorsque l'exige la pression exercée par les branches qui souffrent de la concurrence étrangère.

En tout état de cause, cette approche pragmatique doit tenir compte d'un aspect particulièrement important du développement industriel futur de l'Amérique latine, à savoir des possibilités d'intégration régionale et de planification à l'échelon de la région ou de la sous-région, du genre de celle qu'avaient entreprise en leur temps – sans grand succès, il faut le reconnaître – les pays du Groupe andin. Si dans le passé, cette politique a échoué, parce qu'il était difficile de concilier les intérêts nationaux dans un cadre régional intégré, un certain nombre d'arguments militent aujourd'hui en sa faveur. L'un deux est la pénurie relativement plus grande de fonds propres et de crédits ou d'investissements étrangers disponibles ; le second est la restructuration des marchés intérieurs et le troisième l'élargissement des débouchés que suppose une production compétitive de biens recourant aux technologies les plus récentes.

La pénurie de ressources peut, dans bien des cas, justifier une attitude plus ouverte que par le passé vis-à-vis du capital étranger, à condition, bien entendu, que celui-ci s'investisse dans le cadre d'un plan de développement clairement défini et d'une politique de suivi stable et équitable.

A plus long terme, une fois surmontés les problèmes posés par la charge excessive du service de la dette, on peut supposer que les importations auront à nouveau tendance à reprendre fortement et qu'en l'absence d'une réelle reprise de l'économie mondiale, permettant un fort accroissement des exportations et une amélioration des termes de l'échange, nombre de pays d'Amérique latine connaîtront à nouveau des difficultés par suite de l'augmentation du déficit de leur balance commerciale.

On ne peut éviter cette éventualité que par l'adoption d'une politique sélective des importations, interdisant une expansion de celles qui portent sur des produits de luxe ou des biens servant à les produire (catégorie où il convient de faire entrer la plus grande partie des dépenses d'armement) et par l'amélioration du financement du commerce extérieur.

Il conviendra en outre de poursuivre l'action que l'Amérique latine mène traditionnellement dans les instances internationales pour défendre ses intérêts commerciaux contre les atteintes du protectionnisme sélectif dont elle sera de plus en plus victime tant que les pays industrialisés ne reprennent pas leur croissance ou ne parviennent pas à maîtriser le chômage ; cette action, il faudra la renforcer en passant de la récrimination à la négociation, domaine où les capacités de l'Amériquelatine restent à découvrir. De fait, ses plus grandes possibilités de développement résident certainement dans son propre développement et dans le renforcement de la coopération régionale à tous les niveaux possibles.

NOTES ET RÉFÉRENCES

1. Voir en particulier Maddison, *Dette et développement*, Paris, 1982.

2. D.H. Meadows *et al.*, *The Limits to Growth*, New York, Universe Books, 1972.

3. A. Herrera *et al.*, *Un Monde pour Tous*, Paris, PUF, 1975.

4. H. Kahn *et al.*, *The Next 200 Years*, New York, Morrow & Co., 1976.

5. W. Leontief, *The Future of the World Economy*, Oxford, Oxford University Press, 1977.

6. INTERFUTURS, *Face aux futurs : pour une maîtrise du vraisemblable et une gestion de l'imprévisible*, Paris, OCDE, 1979.

7. Gerardo Gonzalez *et al.*, *Estrategia de desarrollo y transicion demografica : los casos de Brasil, Costa Rica, Cuba y Chile*, Santiago, Chili, CELADE, 1980.

8. *El subempleo en América Latina : evolucion historica y requerimientos futuros*, BIT, document de travail.

9. *El subempleo en América Latina*, *op. cit.*

10. *Statistical Yearbook for Latin America : 1983*, CEPALC, Nations Unies, 1985.

11. Alberto Couriel, « Pobreza y subempleo en América Latina », in *ECLAC Review N° 24*, CEPALC, Santiago, Chili, décembre 1984.

12. Oscar Altimar, « La pobreza en América Latina : un examen de conceptos y datos », in *ECLAC Review N° 13*, CEPALC, Santiago, Chili, avril 1981.

13. *World Development Report*, Washington, Banque mondiale, 1985, tableau 28 de l'Annexe statistique.

14. R. Boneli, « Renda : Todos perdem mais alguns mais do que oltros », in *Economia en perspectiva*, rapport de situation du conseil régional de Sao Paulo, Sao Paulo, novembre 1984.

15. *Agriculture : Horizon 2000*, Rome, FAO, 1981.

16. *Op. cit.*, tableau 34.

17. Pour une analyse détaillée de l'évolution qui devait conduire à cette crise, voir J.C. Sanchez-Arnau, « La crisis economica internacional y su repercusion en América Latina », CEPALC, Etudes et rapports N° 32, Santiago, Chili, Nations Unies, 1983.

18. Inter-American Development Bank, *Economic and Social Progress in Latin America, External Debt : Crisis and Adjustment*, Rapport 1985, Washington D.C.

19. P. Rocca, article présenté à la réunion « America Latina : Realta e prospettive dell'interscambio economico », Milan, avril 1985.

RÉSUMÉ DES DÉBATS PORTANT SUR LES PERSPECTIVES ÉCONOMIQUES DES PAYS DE L'OCDE ET LEURS CONSÉQUENCES POUR L'AMÉRIQUE LATINE

La conférence disposait d'un important rapport de la CEPALC (chapitre 2 ci-avant) qui situait la crise actuelle de l'Amérique latine dans une perspective historique et analysait les options futures. Elle bénéficiait également du rapport du CEPII sur l'économie mondiale (*Configurations Perspectives de l'Economie mondiale*).

Le débat sur la conjoncture et les perspectives des pays de l'OCDE était introduit par Richard Carey, qui soulignait que dans la première moitié des années 80 c'était leur propre politique monétaire et budgétaire qui dominait la conjoncture mondiale. En général, cette politique comportait une forte désinflation, qui ralentissait la croissance des pays de l'OCDE, ainsi que la progression du commerce mondial. La nouvelle politique monétaire où s'engageaient les Etats-Unis entre 1979 et 1982 entraînait une très forte hausse des taux d'intérêt nominaux et réels et une importante appréciation du dollar, contribuant ainsi par inadvertance à la crise de l'endettement de l'Amérique latine. La charge réelle que représentaient les intérêts servis au titre d'une dette essentiellement contractée à taux flottants s'élevait de manière spectaculaire, tandis que prenait fin, pour l'essentiel, l'atténuation par l'inflation de la charge future de l'amortissement. Par voie de conséquence, le Mexique suspendait temporairement ses paiements et les entrées de capitaux frais destinés à l'Amérique latine prenaient fin.

Pour s'adapter à cette situation, celle-ci se voyait obligée de réduire très fortement ses importations. Ses difficultés de balance des paiements étaient d'une telle gravité que 20 des pays d'Amérique latine et de la région des Caraïbes faisaient l'objet d'un programme de stabilisation du FMI. Ces programmes provoquaient en général une forte chute du produit intérieur brut, au terme de quatre décennies de croissance assez régulière.

En 1984, les difficultés de balance des paiements dont souffrait l'Amérique latine s'atténuaient grâce à la croissance économique, d'une rapidité inhabituelle, réalisée par les Etats-Unis et au fort déficit extérieur de ce pays, qui rendait possible un fort accroissement des exportations latino-américaines. On admettait toutefois que cette situation ne pouvait se renouveler.

Dans leur appréciation des perspectives d'avenir, la plupart des intervenants escomptaient une progression du PIB de l'OCDE de quelque 3 pour cent par an et ne prévoyaient pas la reprise d'appréciables sorties de capitaux privés à destination de l'Amérique latine. La plupart escomptaient une baisse modérée du prix du pétrole et un certain recul du cours du dollar, mais tous n'étaient pas prêts à accepter le scénario de base envisagé par le FMI, prévoyant une baisse d'environ 3 points des taux d'intérêt réels. Tous les participants soulignaient l'existence de graves incertitudes sur des points essentiels intéressant le bien-être futur de l'Amérique latine, tels que l'éventualité d'un renforcement du protectionnisme aux Etats-Unis ou d'une hausse des taux d'intérêt en dollars.

Les participants latino-américains soulignaient la gravité de la crise qui frappait l'économie de leurs pays et les énormes transferts de ressources qu'ils avaient été contraints d'effectuer. Il leur fallait désormais consacrer quelque 4 pour cent de leur revenu national au versement d'intérêts, alors que les entrées de capitaux frais avaient pris fin. Les pays développés essayaient depuis des années de porter les flux d'aide à 1 pour cent de leur revenu national, objectif qu'ils trouvaient trop difficile politiquement à atteindre. Le gros du problème actuel du transfert et de la balance des paiements tenait à des taux d'intérêt tout à fait aberrants d'un point de vue historique et directement attribuables à la politique peu orthodoxe suivie par les Etats-Unis.

Qui plus est, les programmes de stabilisation avaient provoqué une forte chute du revenu réel, une dégradation de la répartition des revenus et des tensions sociales qui risquaient de mettre en danger le retour de l'Amérique latine à la démocratie, éventuellement du fait d'une nouvelle vague de coups d'Etat militaires de gauche.

Plusieurs participants latino-américains soulignaient que la renonciation par l'Amérique latine à un défaut de paiement avait contribué de manière importante à préserver la stabilité financière des pays de l'OCDE, dont les grandes banques étaient très fortement engagées dans cette partie du monde. A plus long terme, l'Amérique latine pouvait être forcée de recourir à cette solution, si elle représentait la seule possibilité d'atténuation des sacrifices intérieurs et de préservation des institutions démocratiques.

Richard Carey relevait que les difficultés éprouvées par l'Amérique latine s'expliquaient dans une certaine mesure, par exemple en Argentine et au Mexique, par un net relâchement de la discipline budgétaire et que les fortes entrées de capitaux qui avaient eu lieu dans les années 70 avaient élargi au cours de cette période ses possibilités de développement. D'autres intervenants soulignaient l'ampleur de la fuite des capitaux latino-américains, ou l'affectation d'emprunts étrangers au financement de projets pharaoniques et faisaient valoir que l'Amérique latine aurait pu s'inspirer davantage de l'exemple des NPI asiatiques. Toutefois, on admettait en général que les dangers que couraient la stabilité économique mondiale et la démocratie en Amérique latine exigeaient que l'on se préoccupât essentiellement de la politique possible pour l'avenir.

Norberto Gonzalez (Secrétaire exécutif de la CEPALC) exposait les idées de la CEPALC au sujet des problèmes et des perspectives de l'Amérique latine. Celle-ci avait accepté les plus grands sacrifices pour honorer ses dettes, ce qui avait impliqué une forte réduction du revenu par habitant ; il soulignait également qu'il était techniquement difficile, dans la situation où se trouvait l'Amérique latine, de conjuguer l'ajustement extérieur avec un recul de l'inflation et qu'un fort recul du revenu réel, imposé sur une longue période, posait des problèmes socio-politiques. Au sujet de l'avenir, il était plus pessimiste que ne l'étaient les scénarios de l'OCDE ou du FMI. L'Amérique latine visait trop d'objectifs pour pouvoir les atteindre par ses propres moyens et avait besoin d'une plus grande coopération économique internationale. La responsabilité d'une baisse du niveau actuel des taux d'intérêt incombait directement aux pouvoirs publics des pays de l'OCDE, de même que celle de la politique des échanges et de l'accès aux marchés.

Jorge Ruiz Lara présentait certains points du rapport qui devait être publié par la Banque Interaméricaine de Développement au titre de l'année 1985. Il soulignait combien il était difficile de concilier la très lourde charge que représentait le service de la dette latino-américaine avec une reprise de la production. Pour l'essentiel, l'Amérique latine devait les succès qu'elle avait remportés au plan des échanges internationaux à la dépréciation du change et à une contraction de son activité économique, qui avait entraîné une forte réduction de ses importations. La forte compression des investissements et des importations de capitaux compromettait les futures possibilités de croissance. Le revenu par habitant avait baissé dans pratiquement tous les pays, et de manière inégale, les salaires réels ayant subi une réduction très prononcée : entre 1981 et 1984, ils avaient baissé de 30 pour cent au Mexique et de

23 pour cent au Brésil. Le chômage avait doublé au Chili et augmenté considérablement même en Colombie, qui avait le moins souffert de la récession. Même dans l'hypothèse la plus favorable, il ne prévoyait pas pour la période 1985-89 une croissance dépassant 3.5 pour cent par an, en admettant le maintien du service de la dette. Mais la population active s'accroissant en moyenne de 3 pour cent par an et compte tenu d'une certaine progression de la productivité, une telle croissance impliquait une augmentation du chômage et, étant donné la progression démographique, une accentuation de l'écart de revenu par habitant qui séparait l'Amérique latine des pays de l'OCDE.

Juan-Carlos Sanchez-Arnau présentait une étude importante, consacrée à des scénarios à plus long terme pour l'Amérique latine (on en trouve une version abrégée au chapitre 3 ci-avant). Il soulignait trois points essentiels : la progression rapide de la population totale et active, l'inégalité des revenus et les problèmes que posait l'insuffisance de l'alimentation et de la production agricole.

Si la progression démographique n'était plus que de 2.1 pour cent par an, il faudrait encore beaucoup de temps avant que se ralentisse celle de la population active, qui se poursuivrait sans doute au rythme de 3 pour cent par an, donnant lieu à de graves problèmes d'emploi.

La répartition des revenus est beaucoup plus inégale en Amérique latine que dans les pays de l'OCDE.

Le progrès de l'agriculture est entravé par l'inégale répartition de la terre, la politique des prix suivie au plan national et la politique agricole très protectionniste des pays de l'OCDE. Oscar Altimir soulignait certains autres problèmes posés par l'ajustement structurel et la dynamisation technique de l'économie, ainsi que par l'élaboration de nouveaux types de politique économique, pouvant exiger une réorientation importante de la dépense publique.

Deuxième Partie

PROBLÈMES D'AMÉRIQUE CENTRALE ET DES CARAÏBES

Chapitre 4

LA SITUATION DE LA RÉGION DES CARAÏBES

(Version légèrement abrégée d'une étude parue sous le même titre le 14 mars 1985)

par

le Secrétariat de la CEPALC, Port of Spain

Origine et évolution du Comité de développement et de coopération des Caraïbes (CDCC)

La création du Comité de développement et de coopération des Caraïbes (CDCC), intervenue en novembre 1975, représentait une étape importante dans l'évolution des institutions de cette région. Non seulement elle entamait le processus de dialogue et d'interaction entre les pays de la région des Caraïbes au sens large du terme, mais elle leur donnait l'occasion de faire progresser leurs rapports avec l'Amérique latine et, au niveau opérationnel, avec les Nations Unies.

Tard venus aux Nations Unies, les pays anglophones des Caraïbes se trouvaient faire partie d'un système régional dominé par les formes et les conceptions constitutionnelles et politiques propres à l'Amérique latine, qui risquaient de ne pas leur convenir. Qui plus est, ils n'avaient pas le sentiment que les préoccupations qui animaient l'Amérique latine en matière de développement fussent identiques à celles des petites îles des Caraïbes.

Les propositions initialement présentées au Secrétaire général des Nations Unies pour la création d'une commission économique pour les Caraïbes étaient retirées à la suite de la mise en place d'un Bureau des Caraïbes de la Commission économique pour l'Amérique latine et les Caraïbes (CEPALC), ayant son siège à la Trinité-et-Tobago et couvrant la Jamaïque, la Trinité-et-Tobago, la Guyane, le Surinam, Curaçao, Aruba, et les Iles du Vent et Sous-le-Vent, alors britanniques. Ce bureau entrait en fonction le 1er décembre 1966. Il avait pour objectif principal la collecte et l'analyse d'informations au sujet de ces territoires, en vue de mieux déterminer les caractéristiques et les problèmes particuliers des petites îles de la région des Caraïbes et donc de mieux représenter leurs intérêts dans les activités de la Commission économique.

Cependant, le programme de travail du Bureau des Caraïbes restait pour l'essentiel un complément de celui qui était défini pour l'Amérique latine. Néanmoins, le programme latino-américain mettant l'accent sur l'intégration, il était possible d'organiser de nombreuses activités intéressant les pays du Commonwealth de la région des Caraïbes qui s'efforçaient à l'époque de mettre au point des mécanismes de coopération, à la suite de la liquidation de la Fédération des Indes occidentales. Le Bureau soutenait donc activement les négociations qui conduisaient à la création de l'Association de libre-échange des Caraïbes (CARIFTA) et de la Banque de développement des Caraïbes (CDB).

Parmi les activités du Bureau, on peut également citer la préparation de la mise en œuvre du Protocole de commercialisation des produits agricoles, la part prise à la création au sein de la CARIFTA du Marché commun des Antilles orientales (MCAO), la mise en place de la Société d'investissement des Caraïbes (CIC) et les travaux préparatoires à l'approfondissement du processus d'intégration des échanges. Le Bureau coopérait donc étroitement avec le Commonwealth Caribbean Regional Secretariat à l'occasion de la signature du Traité de Chaguaramas, qui créait la Communauté et Marché commun des Caraïbes (CARICOM). Après s'être acquitté de ces tâches, le Bureau des Caraïbes se consacrait à d'autres travaux, liés aux besoins de coopération à plus long terme de la région des Caraïbes au sens large.

En mai 1975, le CEPALC tenait sa Seizième Session à Port of Spain, capitale de la Trinité-et-Tobago. Le Dr. Eric Williams, Premier ministre de l'époque, conscient de la nécessité d'élargir les compétences du Bureau des Caraïbes de la CEPALC, pour mieux traduire les intérêts et les préoccupations communs de cette région, et craignant de la voir perdre son identité si elle n'unissait pas mieux ses efforts, proposait «la création au sein de la CEPALC d'un Conseil des Caraïbes chargé spécifiquement des problèmes et de la situation propres à cette région et couvrant tous ses éléments, de Belize à Cayenne, quel que soit leur statut politique». Cette proposition servait de base à la résolution 358 (XVI), qui créait le Comité de développement et de coopération des Caraïbes (CDCC), et qui bénéficiait du soutien de Cuba, pays qui partageait certaines des préoccupations de la Trinité-et-Tobago.

Adoptée le 13 mai 1975, cette résolution définissait comme membres du CDCC les pays «qui relèvent du Bureau de la CEPALC à Port of Spain, ainsi que les gouvernements cubain, haïtien et dominicain et les gouvernements des autres pays des Antilles, à mesure que ceux-ci accèderont à l'indépendance». Aux termes de cette résolution, le Comité devait «servir d'organe de coordination pour les activités relatives au développement et à la coopération». On priait donc le Secrétaire exécutif de la CEPALC de «coopérer avec les gouvernements dans les domaines ressortissant à sa compétence qui intéressent les pays en question ... et d'entreprendre des études et d'encourager des initiatives visant à renforcer la coopération entre les pays et les groupements d'intégration de pays de la région d'Amérique latine ... et le Comité ...».

Le CDCC a tenu sa première réunion à Cuba du 31 octobre au 4 novembre 1975. Y participaient de plein droit les Bahamas, la Barbade, Cuba, la République Dominicaine, la Grenade, la Guyane, Haïti, la Jamaïque et la Trinité-et-Tobago, ainsi que, en tant que membres associés, Belize et les Etats associés des Indes occidentales. La réunion prenait note du fait que le Surinam devait accéder à l'indépendance en novembre 1975 et serait membre de plein droit une fois admis aux Nations Unies. Un observateur des Antilles néerlandaises était également invité à assister à cette première session. Ultérieurement, la Résolution I (I) du CDCC invitait les Membres associés et les observateurs présents à assister à toutes les réunions du Comité.

Dans la Déclaration de constitution du CDCC, les ministres «reconnaissant que les pays de la région des Caraïbes partagent une proximité géographique, culturelle et historique dont il convient de tenir compte lors de la mise en place des formes et des mécanismes de leur coopération, et qu'ils ont également hérité de structures économiques analogues et présentent des similitudes dans la plupart des problèmes économiques et sociaux qu'ils affrontent», s'engageaient politiquement à «suivre une politique visant à l'utilisation optimale des ressources dont dispose la sous-région, afin d'encourager son développement social et économique et à progresser vers une meilleure coordination de leurs économies nationales». Ils déclaraient en outre que «fondée sur les avantages reconnus de la complémentarité économique, cette politique stimulera la coopération entre pays membres, notamment dans la mise en œuvre de projets conjoints, l'échange d'expériences et l'aide mutuelle, ainsi qu'au travers de mécanismes – y compris les échanges – pouvant servir à cette fin».

Pour mieux comprendre l'institution ainsi mise en place, il convient d'isoler certains des fils importants qui composaient la trame lui servant de toile de fond : le renchérissement du pétrole intervenu à l'initiative de l'OPEP, la Charte des droits et devoirs économiques des Etats, la Septième Session spéciale des Nations Unies et la création du SELA (Système Economique Latino-Américain), événements qui manifestaient la confiance des pays en développement dans les mécanismes de la coopération Sud-Sud et la solidarité qui en résulterait dans les négociations Nord-Sud. Simultanément, ces événements créaient un malaise dans les pays du Nord, qui mettaient au point une politique visant à contenir ce que certains considéraient comme la formation d'un «syndicat des pauvres».

Dans la région des Caraïbes elle-même, on observait, d'une part, des tentatives d'établissement de liens avec les pays pétroliers, devenus riches et influents, notamment le Mexique et le Venezuela et, d'autre part, la crainte de voir la région tomber sous la domination de puissances situées, soit au Nord, soit au Sud. Simultanément, les termes de la Déclaration conduisaient certaines institutions existantes à redouter de voir leur rôle usurpé ou réduit par la nouvelle. Il en était ainsi d'autant plus que la CEPALC a comme thème central l'intégration régionale de l'Amérique latine, où l'on inclut habituellement les Caraïbes. En outre, la stratégie ultérieurement adoptée consistait à encourager des mouvements d'intégration sous-régionaux, que l'on s'efforcerait en fin de compte de relier entre eux. Certains considéraient de ce fait le CDCC comme un mécanisme permettant d'intégrer l'ensemble de la région des Caraïbes avant de l'incorporer à l'Amérique latine, tandis que d'autres y voyaient le moyen de tirer parti de l'expérience de la coopération fonctionnelle, propre à cette région, précisément pour la préserver de cette incorporation.

La portée du programme de travail du CDCC était définie lors de sa première réunion. A ce stade, on envisageait le Comité comme chargé d'encourager une plus grande coopération entre ses pays membres et d'assurer une meilleure coordination des apports d'assistance technique provenant de diverses sources. Avec l'aide du Secrétariat, le CDCC était donc chargé de deux tâches fondamentales. Il avait pour mandat de coordonner les apports des divers organismes d'assistance technique dans un cadre théorique que devaient définir les réunions ministérielles. On s'attendait également à le voir encourager la coopération entre les pays Membres, Associés et Observateurs. Le Secrétariat était censé fournir des contributions de fond dans la mesure nécessaire. Les débats portant sur le programme de travail visaient donc avant tout à rendre la coopération et la coordination aussi complètes et exhaustives que possible. A ce stade, on n'envisageait pas de programme de travail comportant des projets.

Si l'on s'est efforcé, par l'intermédiaire du Groupe des Caraïbes pour la coopération au développement économique (CGCED) de coordonner au niveau national les apports des pays donateurs, la coordination des apports des organisations internationales n'est pas assurée. Bien que le CDCC reste le seul organisme pouvant s'acquitter de cette tâche – grâce à son caractère universel et à sa nature multidisciplinaire – cette possibilité ne pourra être exploitée que lorsqu'un nombre suffisant de pays membres parviendront à coordonner et à systématiser leur propre politique étrangère.

En l'absence de coordination, on mettait l'accent sur la coopération. Mais si la coopération entre pays du Sud était considérée par quelques-uns comme un élément nécessaire du processus de développement, bien plus nombreux étaient ceux qui y voyaient une tactique visant à renforcer dans le dialogue Nord-Sud la capacité de négociation du Sud. Avec le temps, c'était cette orientation qui allait l'emporter, sous l'effet d'un certain nombre de facteurs. On constatait qu'il n'était guère facile de créer d'autres cartels à l'image de l'OPEP.

On constatait également que les pays en développement, et tout particulièrement les pays à revenu moyen importateurs de pétrole, étaient ceux qui souffraient le plus des activités de l'OPEP, qui de son côté ne mettait pas ses ressources au service d'une coopération effective avec les pays du Sud, les pétrodollars étant recyclés sous la forme de prêts à court terme et à taux d'intérêt élevé. La récession frappant les pays du Nord, ceux du Sud consacraient l'essentiel de leur attention aux recettes en devises qui en provenaient, en même temps qu'ils commençaient à se préoccuper de leur propre politique. De ce fait, c'étaient donc les préoccupations intérieures et les négociations avec le Nord qui venaient désormais au premier plan.

Au cours des cinq dernières années, le CDCC s'est efforcé avant tout de répondre aux besoins et aux exigences changeants de ses membres. Son secrétariat a dû s'efforcer de s'assurer les ressources nécessaires pour mettre son programme de travail en rapport avec ces exigences et idées changeantes, en même temps que celles qui lui permettraient de s'acquitter des tâches plus larges qui lui incombaient.

Dix-huit ans après, le siège sous-régional de la CEPALC à Port of Spain a toujours pour objectifs, liés quoique distincts, d'une part de faire entrer dans les activités de la Commission le point de vue des Caraïbes et, d'autre part, d'exécuter pour le compte du CDCC un programme fonctionnel pertinent. Ces objectifs traduisent la recherche par les pays de la région des Caraïbes d'un organisme des Nations Unies qui leur soit propre, préoccupation qui conduisait en 1966 à la mise en place du Bureau des Caraïbes de la CEPALC et qui inspirait neuf ans plus tard la création du CDCC. On remarquera que cette préoccupation reste d'actualité et se rattache aux conditions de base qui sont les fondements du Bureau, en tant qu'organisme chargé, d'une part, de préserver la conscience et l'intégrité de la région des Caraïbes et d'autre part de l'incorporer à l'Amérique latine. S'il est difficile de parvenir à un ensemble d'activité communes, c'est par suite d'idées différentes au sujet des possibilités de développement de la région des Caraïbes et de l'orientation à lui donner, selon qu'on les envisage du point de vue de cette région ou de celui de l'Amérique latine.

La région des Caraïbes et sa réalité structurelle

Tout débat au sujet des Caraïbes donne immédiatement lieu à la question «Quelles Caraïbes ?».

Aux fins de notre analyse, nous entendons par là les pays prenant part au Comité de développement et de coopération des Caraïbes (CDCC), qui sont pour la plupart des îles, à l'exception de trois d'entre eux (Belize, la Guyane et le Surinam) qui, néanmoins, présentent de nombreuses caractéristiques propres à «des îles latino-américaines tournées vers les Caraïbes». Si cette définition est d'ordre politique et institutionnel, ces pays présentent suffisamment de similitudes socio-culturelles pour que Charles Wagley[1] et d'autres auteurs les définissent comme formant «l'Amérique des plantations» par opposition à l'Euro-Amérique et à l'Indo-Amérique.

Il est évident qu'en dépit de ces similitudes socio-culturelles le CDCC ne forme pas un groupe homogène et qu'aux fins de l'analyse politique on peut y distinguer divers sous-groupes. Pour saisir les liens de diverse nature qui unissent ses membres, il peut être utile de recourir à une typologie par cercles concentriques.

Le cercle le plus central est constitué par l'Organisation des Etats des Caraïbes orientales (OECO), qui comprend huit pays anglophones, très petits, unis par un traité couvrant les Affaires étrangères, la Défense nationale et la Sécurité. Il s'agit d'Antigua et Barbuda, de la Dominique, de la Grenade, de Montserrat, de Saint Christopher-Nevis, de Sainte-Lucie, de Saint-Vincent et des Grenadines, ainsi que des Iles Vierges britanniques. Antérieurement à l'OECO on trouve des tentatives de fédération remontant au milieu des années 60, où l'on envisageait d'inclure parmi les «huit petits pays» la Barbade (avec qui ils restent liés par des accords de défense collective). Par la suite était fondée l'Organisation des Etats associés des Indes occidentales (WISA) tandis que le Marché commun des Antilles orientales (MCAO) était crée en juillet 1968. Ce dernier poursuit désormais ses activités sous l'égide de l'OECO, qui a également absorbé d'autres organismes fonctionnels, tels que la Banque centrale des Caraïbes orientales (ECCB), l'Association touristique des Caraïbes orientales (ECTA) et l'Administration de l'aviation civile des Caraïbes (CCAA).

L'organe suprême de l'OECO est la réunion des chefs de gouvernement, qui dispose d'un secrétariat central chargé de mettre en œuvre ses décisions. Le pays membre le plus peuplé compte 120 000 habitants, le plus vaste a une superficie de 751 kilomètres carrés. Au total, ce groupe de pays compte 550 000 habitants et un territoire d'environ 2 515 kilomètres carrés, réparti entre un grand nombre d'îles et d'îlots. En 1980, le PIB par habitant s'élevait pour l'OECO à 640 dollars.

Tous les Etats membres ont une constitution de type parlementaire et comptent des partis politiques librement formés, se disputant le pouvoir à intervalles réguliers, sur la base du suffrage universel. Traditionnellement, il existe une grande mobilité des personnes et des biens entre les îles qui composent l'OECO, d'où des liens d'interdépendance économique, de familiarité et de consanguinité.

Vu leur très petite taille et le fait que beaucoup d'entre eux se composent d'une multitude d'îles, ces Etats suscitent de grandes inquiétudes au sujet de la fragilité de leur intégrité territoriale, menacée principalement par la sécession et les forces extérieures. D'ordre peut-être plus immédiat sont les inquiétudes que suscite l'intégrité de leur espace maritime.

Il n'est donc guère difficile de comprendre leur intention de créer des liens étroits en matière de sécurité, ainsi qu'une représentation diplomatique commune, idée qui a davantage de chances de succès que des initiatives analogues lancées au niveau plus large du CARICOM. L'un des objectifs et des fonctions principaux de l'OECO est de «promouvoir l'unité et la solidarité des Etats membres et de défendre leur souveraineté, leur intégrité territoriale et leur indépendance».

En ce qui concerne les dispositions du MCAO, les formes et conditions portant sur les mouvements de marchandises y sont analogues à celles qu'applique le CARICOM (dont les pays du MCAO font également partie). En ce qui concerne les mouvements de personnes, des services et des capitaux, le MCAO prévoit une mobilité beaucoup plus grande que celle qui existe dans la pratique.

Le second cercle concentrique comprend, outre l'OECO, la Barbade, Belize, le Commonwealth des Bahamas, la Guyane, la Jamaïque et la Trinité-et-Tobago, dont l'ensemble constitue le CARICOM. Ce groupe de pays a une population d'environ 5.5 millions d'habitants et un PIB moyen par habitant d'environ 1 600 dollars en 1980, variant entre 3 324 dollars pour la Trinité-et-Tobago et 368 dollars par Saint-Vincent. Du fait de ces disparités, le CARICOM prévoit un régime spécial pour les pays les moins avancés (PMA), à savoir ceux de l'OECO et Belize.

Les trois objectifs fondamentaux du CARICOM sont les suivants :

a) l'intégration économique (au travers du Marché commun des Caraïbes) ;
b) la coopération fonctionnelle ;
c) la coordination de la politique étrangère.

Le CARICOM comporte des liens moins étroits que ceux qu'envisage l'OECO. Ces espoirs plus limités sont déterminés par l'échec de la Fédération des Caraïbes, qui s'efforçait de mettre sur pied une structure politique à un moment où le nationalisme îlien était en progression ; cependant, même les ambitions économiques du CARICOM sont limitées : une lecture attentive du traité montre qu'il ne s'agit pas d'un marché commun au sens propre du terme, puisqu'il ne prévoit pas le libre mouvement des facteurs, qu'il s'agisse du capital, du travail ou des produits.

Si les échanges inter-régionaux représentaient en 1982 près de 9 pour cent du commerce total, des éléments essentiels du plan visant à leur expansion, tels que le Protocole de commercialisation des produits agricoles, n'ont pas eu le succès escompté. Le Tarif extérieur commun (TEC), non seulement n'a pas encore été adopté par tous les pays en cause, mais ne comporte que des conséquences limitées même là où il l'a été, chaque Etat restant libre d'établir des droits de manière unilatérale sur la plupart des matières premières, des consommations intermédiaires et des biens d'équipement. Toutefois, la principale entrave aux échanges est la situation de la balance des paiements de certains pays membres, qui a mis fin depuis 1975 à la progression du commerce au sein du CARICOM. La Caisse de compensation multilatérale du CARICOM (CMCF), créée en 1979, a été suspendue en 1983, par manque de liquidités.

En dépit des grands efforts déployés par le Secrétariat du CARICOM, les pouvoirs publics n'ont généralement pas accepté de programmer les activités industrielles en fonction de critères d'efficience.

Les résultats ont été meilleurs dans le domaine de la coopération fonctionnelle, qui s'étend à la santé, à l'enseignement, à l'Université des Indes occidentales et au Conseil des examens des Caraïbes (CXC), à l'assistance technique, essentiellement par l'intermédiaire de la Banque de développement des Caraïbes (BDC), à l'information par l'intermédiaire du Festival artistique des Caraïbes (CARIFESTA) qui a lieu tous les deux ans.

La coordination des politiques étrangères, qui a débuté relativement tard au sein du CARICOM, a remporté quelques succès, en dépit de la force des nationalismes, grâce à l'existence d'un solide consensus sur des questions telles que l'apartheid, le droit de la mer, les prétentions territoriales dont font l'objet la Guyane et Belize, les négociations entre les pays de l'ACP et la CEE. En outre, dans les instances multilatérales, les pays des Caraïbes ont des idées presque identiques.

Quelles que soient les difficultés qu'a pu rencontrer la création du CARICOM, il y existe un sentiment communautaire, provenant de racines communes au niveau historique, ethnique, culturel et constitutionnel, qui est à la base de sa solidarité. De fait, le Traité de Chaguaramas commence par énoncer la volonté des chefs de gouvernement de «renforcer les liens historiques qui unissent leurs peuples». Si les possibilités d'atteindre cet objectif dans le domaine économique risquent d'être limitées, ces sentiments fondamentaux sont néanmoins forts et durables, même s'ils doivent trouver leur pleine expression dans d'autres domaines.

Le CDCC constitue le troisième cercle concentrique, ajoutant aux pays du CARICOM Cuba, la République Dominicaine, Haïti, les Antilles néerlandaises, le Surinam et les Iles Vierges britanniques et américaines. Il compte 20 pays, peuplés d'environ 28 millions d'habitants et couvrant au total une superficie terrestre de quelque 630 000 kilomètres carrés, soit un ensemble analogue par sa population à la Colombie et par sa superficie au Chili. Dans ce groupement, l'hétérogénéité s'accroît encore, de par l'inclusion de nouveaux éléments culturels, linguistiques et constitutionnels : si les pays membres du CARICOM sont d'anciennes colonies britanniques, le CDCC comprend aussi d'anciennes colonies espagnoles, françaises et néerlandaises. Mais si la concurrence entre empires coloniaux devait provoquer une fragmentation politique et culturelle, il existait aussi des thèmes unificateurs communs et des expériences analogues, qui permettent de croire à l'existence d'une société et d'une culture caraïbes.

Charles Wagley a baptisé cette zone «l'Amérique des plantations», par opposition à l'Euro-Amérique et à l'Indo-Amérique. Parmi ses traits communs, on peut citer la monoculture dans le cadre des plantations, une stratification sociale rigide, des sociétés multiraciales, la faiblesse de la cohésion communautaire, l'existence de petits groupes de paysans vivant en autosubsistance. Sous l'angle culturel, tous ces Etats présentent des similitudes de techniques de production, de méthodes de commercialisation, de cuisine, de musique et de danse, de folklore, de cultes religieux, de traditions, de valeurs et de croyances. D'autres expériences communes ont pour source les institutions et la lutte des esclaves libérés pour s'approprier la terre.

Par la suite, tous ces pays s'efforçaient de rejeter le joug colonial, subissaient les séquelles d'un mélange racial de type complexe et affrontent actuellement les mêmes problèmes, tant économiques que sociaux. Ils assurent actuellement, dans bien des cas, les mêmes productions par les mêmes méthodes et se concurrencent sur le plan international pour les mêmes débouchés. Au cours des années 80, ils affrontent les mêmes problèmes d'ajustement aux mutations de l'environnement extérieur, qui les affectent de la même manière. De ce fait, à mesure que progresse la décolonisation, les pays de la région des Caraïbes sont tentés de se tourner vers leurs voisins pour rechercher leur compréhension, trouver des solutions à leurs problèmes communs et satisfaire leur sens de l'identité. A cet égard, on remarquera que Haïti, la République Dominicaine et le Surinam ont recherché une participation plus forte au CARICOM, tandis que les Antilles néerlandaises se tournaient vers les Caraïbes pour définir éventuellement leur orientation future.

Le quatrième cercle concentrique s'étend aux pays situés à la périphérie du Bassin des Caraïbes : la Colombie, le Costa Rica, le Guatemala, le Mexique, le Nicaragua, le Panama et le Venezuela.

L'analyse présentée ci-avant des diverses sortes de liens qui unissent les pays de cette région a aussi des conséquences pour le programme des activités du CDCC lui-même, puisqu'il est évident que celles de ces activités qui exigent un niveau élevé de consensus ont plus de chances d'être adoptées par l'OECO que par l'ensemble du CDCC.

Il convient également de modifier quelque peu cette typologie pour prendre en compte divers autres éléments, tels que les groupes créoles anglo-français et anglo-espagnols qui existent dans certains pays du CARICOM et constituent des liens supplémentaires avec les zones non anglophones.

Notre analyse sera centrée sur les 20 pays participant au CDCC, encore qu'il faille se rappeler qu'à la longue cet organisme pourrait compter au moins cinq membres supplémentaires.

Outre la taille, le facteur le plus important qui est commun à tous les pays du CDCC est le degré d'ouverture de leur économie, qui s'explique par des raisons de taille, de dotation en ressources et d'histoire. Ces pays sont fortement tributaires des échanges et donc sensibles aux tribulations de l'environnement économique international. Par voie de conséquence et compte tenu de leurs moyens limités, ils ont établi un ensemble relativement sophistiqué de liens et d'arrangements avec le reste du monde, les comportements qui résultent de ces contacts exerçant leurs effets ailleurs que dans le domaine purement économique.

La région des Caraïbes et ses relations extérieures

Si la notion de cercles concentriques est utile pour décrire les liens qui unissent les pays de la région des Caraïbes, il est moins facile de l'appliquer à la description de leurs relations extérieures, qui sont dominées par un ensemble de facteurs politiques, sociaux et économiques qui ont évolué avec le temps.

Il subsiste avec l'Europe des liens importants, hérités du passé, au travers de dispositifs économiques, de formes politiques et constitutionnelles, ainsi qu'au plan des rapports sociaux, ces pays comptant d'importantes communautés caraïbes. Cependant, au cours du 20ᵉ siècle, l'axe des Caraïbes s'est peu à peu déplacé, à tel point que dans les années 80 ce sont les rapports avec l'Amérique du Nord qui constituent la principale préoccupation de la plupart des pays de cette région.

Si tous les pays examinés ont été des colonies, appartenant parfois successivement à plusieurs empires européens, selon les vicissitudes de la guerre, la nature et la durée de la colonisation ont varié, de même que les voies par lesquelles ils ont accédé à l'indépendance. Ainsi, Haïti devenait indépendant de la France dès 1804. La République Dominicaine, d'abord dominée par Haïti, devenait indépendante en 1844 et Cuba en 1898. Les îles britanniques, françaises et néerlandaises restaient sous régime colonial jusqu'aux années 60, lorsque commençait la décolonisation britannique.

C'est toutefois dans les territoires britanniques, français et néerlandais que se tissaient les liens verticaux les plus forts au sein de chacun des empires, à tel point que des matières premières étaient importées en Europe en provenance des Indes occidentales pour y être ensuite réexportées après transformation en produits finis. Cette intégration dans l'économie européenne subsiste dans le cas des îles françaises et néerlandaises et subsistait dans les îles britanniques jusqu'à la Seconde Guerre mondiale, période où débutait la décolonisation, à la suite d'un concours de circonstances caractérisé par la baisse du niveau de vie et l'essor du nationalisme îlien.

L'histoire des Caraïbes se caractérise également par des mouvements massifs de personnes, qui ont exercé d'importantes répercussions sur les relations extérieures de cette région. Au départ, les migrations prenaient la forme d'entrées de colons européens, puis d'un vaste commerce d'esclaves destinés aux plantations en plein essor et, à la suite de l'abolition de ce trafic, de l'arrivée d'une main-d'œuvre asiatique sous contrat. Au 20ᵉ siècle, les entrées de migrants baissaient, pour faire place à des migrations internes à mesure que le système des plantations déclinait dans les vieilles colonies et se développait à Cuba et en République Dominicaine. Par voie de conséquence, on voyait affluer à Cuba, entre 1913 et 1924, 217 000 travailleurs provenant de Haïti, de la Jamaïque et de Porto Rico. Rien qu'en 1920, 63 000 travailleurs émigraient de Haïti, de la Jamaïque à Cuba[2]. Les plantations de sucre qui se développaient en République Dominicaine étaient elles aussi tributaires d'une main-d'œuvre immigrée, provenant principalement de Haïti, mais aussi de la Jamaïque et dont une grande partie devait s'établir à demeure. Entre 1905 la construction du canal de Panama exigeait un effectif permanent de 35 000 travailleurs, recrutés principalement à la Jamaïque et à la Barbade[3], dont beaucoup devaient rester sur le continent, se déplaçant le long des côtes nord-est de l'Amérique centrale, où ils constituaient des enclaves anglophones, ou finissant par émigrer aux Etats-Unis.

Après la Seconde Guerre mondiale, les flux migratoires se modifiaient, un grand nombre de travailleurs originaires des Indes occidentales britanniques émigrant au Royaume-Uni. On estime qu'entre 1951 et 1961 ce mouvement concernait quelque 280 000 personnes[4]. Même après l'adoption en 1962 du Commonwealth Immigrants Act, ce mouvement se poursuivait, quoique sur un rythme plus lent, à mesure que les premiers immigrés faisaient venir leur famille. Une évolution du même ordre se dessinait aux Pays-Bas, où l'on estimait en 1975 à 135 000 personnes la population originaire du Surinam[5], soit quelque 37 pour cent de celle du territoire en cause.

A la suite de la modification de la politique d'immigration, intervenue en 1965, c'étaient les Etats-Unis et le Canada qui devenaient la principale destination des émigrants originaires des Indes occidentales britanniques. On estime qu'entre 1950 et 1972 100 000 d'entre eux entraient au Canada, tandis que 200 000 entraient légalement aux Etats-Unis, outre les 150 000 que l'on estime l'avoir fait de manière illégale[6]. Il convient également de tenir compte des travailleurs agricoles saisonniers, dont quelque 12 000 émigraient en 1981, année normale[7].

De 1970 à nos jours, le rythme de l'émigration s'est maintenu, avec cette différence qu'aujourd'hui la plupart des migrants sont des travailleurs qualifiés. En 1978, 44 pour cent du total des Jamaïcains émigrant au Canada et aux Etats-Unis entraient dans la catégorie des cols blancs[8]. L'émigration des Etats-Unis en provenance de Cuba et d'Haïti a été plus spectaculaire et plus commentée. De 1960 à 1978 quelque 900 000 immigrés cubains entraient aux Etats-Unis, soit 18 pour cent de l'ensemble des migrants[9].

L'émigration cubaine a évolué d'une manière un peu différente, essentiellement pour des raisons politiques. On sait qu'une grande partie de la main-d'œuvre qualifiée avait quitté le pays entre 1958 et 1973, date de la fermeture des voies légales d'émigration. On peut voir une indication de la pression migratoire qui s'est développée par la suite dans le fait qu'entre avril et septembre 1980, jusqu'à la fermeture du port de Mariel, plus de 125 000 Cubains arrivaient aux Etats-Unis, tandis que les autorités cubaines estimaient que 375 000 autres demanderaient par la suite l'autorisation d'émigrer[10]. En Haïti, l'émigration prenait son essor au cours de l'après-guerre avec le départ d'un grand nombre d'intellectuels et de membres des professions libérales. On estime que depuis 1950, 75 pour cent de ces derniers et du personnel technique qualifié ont probablement quitté Haïti pour le Canada, la France et les Etats-Unis[11]. On connaît bien, également, les tentatives ultérieures d'émigration vers les Bahamas et les Etats-Unis, entreprises par des personnes sans qualification au moyen d'embarcations de fortune, mais les estimations dont on dispose à ce sujet sont vagues. On pense, toutefois, que quelque 450 000 Haïtiens vivent actuellement aux Etats-Unis[12].

Bref, l'émigration vers les Etats-Unis en provenance de l'ensemble de la région des Caraïbes a été forte au cours des dernières années.

On estime que quelque 15 pour cent du total de la population de cette région vivent aux Etats-Unis[13], chiffre qui serait encore plus élevé pour l'ensemble de l'Amérique du Nord, puisque l'on pense qu'entre 1971 et 1979 quelque 107 000 personnes émigraient des Caraïbes vers le Canada. On s'attend à voir cette évolution se poursuivre, malgré la politique d'immigration plus restrictive suivie par les pays d'accueil.

Si l'on a examiné de manière assez détaillée la question des migrations, c'est parce qu'elle représente un facteur important dans les relations extérieures de la région des Caraïbes, tant au plan officiel qu'à la base de la société, et parce qu'elle exerce sur cette région de grandes répercussions sociales, politiques, économiques et culturelles. Dans la plupart des pays en cause, on n'envisage pas l'émigration comme un exil permanent, mais plutôt comme un expédient temporaire, permettant d'améliorer son niveau de vie en fonction des modes nord-américaines ou européennes. En fait, certains considèrent l'émigration comme un moyen d'étendre les bornes de leur espace économique, où ils continuent à se déplacer librement. Ainsi, les remises des nationaux vivant à l'étranger constituent une source importante de recettes en devises pour la plupart des pays des Caraïbes et nombre de migrants possèdent des entreprises qui fonctionnent à la fois en Amérique du Nord et dans la région des Caraïbes. Beaucoup d'entre eux y retournent lors de leur retraite, qu'ils ont préparée tout au long de leur vie active. L'interaction entre les originaires des Caraïbes vivant dans les métropoles et ceux qui sont restés au pays est donc continue et intense et ceux qui reçoivent des remises de l'étranger ont une idée précise des avantages qu'assurent des recettes en devises fortes.

Des liens subsistent avec l'Europe au plan politique et économique et ses investissements dans les Caraïbes restent considérables. Français et Néerlandais y ont une présence militaire, respectivement centrée, principalement, sur la Guadeloupe et Curaçao, tandis que le

Royaume-Uni conserve à Belize une base militaire importante. Mais la puissance réelle du Royaume-Uni a commencé à décliner après la Seconde Guerre mondiale et est aujourd'hui presque inexistante, la plupart des anciens territoires britanniques ayant accédé à l'indépendance. Des liens institutionnels hérités du passé colonial subsistent, toutefois, sous la forme du Commonwealth et de l'attachement à certaines normes constitutionnelles importées. Restent également, tout en s'affaiblissant, les liens avec la communauté immigrée au Royaume-Uni.

Les liens économiques tissés par l'histoire vis-à-vis de l'Europe trouvent encore leur écho dans les accords de Lomé, conclus par les îles des Caraïbes avec la CEE et prévoyant notamment un accès préférentiel au marché communautaire, une coopération financière et technique et un dispositif d'indemnisation des pertes de recettes d'exportation, essentiellement en ce qui concerne le sucre et les bananes destinés à la CEE (STABEX).

C'est toutefois la montée en puissance des Etats-Unis, sous l'angle tant politique qu'économique, qui frappe le plus.

Lorsqu'on évoque les points saillants des relations politiques, économiques et sociales entre la région des Caraïbes et les métropoles, on observe un recul de l'Europe au profit des Etats-Unis. Il convient néanmoins de nuancer cette affirmation, particulièrement dans le cas de Cuba, devenu membre du CAEM (Conseil d'Assistance Economique Mutuelle) en 1971, qui a intégré son économie dans celle du bloc socialiste d'Europe orientale.

De leur côté, les Etats-Unis se préoccupent de plus en plus de la région des Caraïbes au sens large, que certains considèrent encore comme leur «Méditerranée». Au cours des 20 dernières années, l'évolution intervenue à Cuba les a conduits à s'inquiéter de manière croissante de la perspective de voir d'autres territoires tomber entre des mains qu'ils pourraient considérer comme hostiles. Cette inquiétude s'explique en partie par une nouvelle conception du «flanc sud», c'est-à-dire de la région des Caraïbes et de l'Amérique latine, dont la sécurité est essentielle pour la stratégie américaine depuis le début du XXe siècle, mais se trouve menacée depuis quelque temps. Si elle est importante pour les Etats-Unis, c'est parce que 50 pour cent du tonnage total de leur commerce extérieur et de leurs importations de pétrole brut passent par les voies maritimes des Caraïbes. Cette région est également considérée comme un important réservoir de matières premières stratégiques. Enfin, le grand nombre d'îles et d'îlots qui la composent complique, surtout lorsqu'ils se trouvent entre des mains inamicales, la défense de ces voies maritimes, ainsi que celle du Canal de Panama, dont l'importance stratégique est cruciale puisqu'il constitue la seule voie de mer entre les côtes est et ouest des Etats-Unis.

Ces derniers s'inquiètent également de l'afflux d'immigrants originaires des Caraïbes, qui tend à s'accroître en provenance de pays où règne l'instabilité politique ou économique. On dit que les Caraïbes constituent, après le Mexique, la seconde source d'immigrés illégaux.

Jusqu'à ces temps derniers, les Etats-Unis n'avaient pas de politique coordonnée et cohérente vis-à-vis de la région des Caraïbes, situation qui est peut-être sur le point de se modifier. Le Caribbean Basin Initiative (CBI) représentait de la part des Etats-Unis une tentative de définition d'un ensemble intégré de mesures destinées aux pays de la région des Caraïbes, sous l'angle des échanges, des investissements et du financement. Il imposait également aux pays bénéficiaires certaines conditions, dans des domaines aussi divers que leur alignement politique, le régime des investissements américains, la lutte contre la drogue, les droits d'auteur, la publicité financière, l'extradition, la politique des échanges et la politique syndicale, toutes questions sur lesquelles les Etats-Unis se sont antérieurement efforcés, de manière peu systématique, d'exercer un droit de regard. Les dispositions de cette loi s'appliquent à tous les pays du CDCC qui souhaitent en bénéficier et qui satisfont à ses critères, à l'exception de Cuba.

On avait envisagé à l'origine d'inclure dans le CBI des pays «donateurs» autres que les Etats-Unis. Le Canada, le Mexique et le Venezuela avaient été invités à prendre part aux discussions initiales, ce qu'ils avaient fait, du reste, mais sans donner de suite à leur participation. A cet égard, on aurait pu espérer que le CBI ferait progresser l'idée du Groupe caraïbe de coopération au développement (CGCED).

Le CGCED est essentiellement une instance où donateurs et bénéficiaires se rencontrent pour examiner les besoins de la région des Caraïbes en matière d'assistance technique et financière ; il représente une tentative de rationalisation de programmes d'aide qui se chevauchent. Outre les donateurs bilatéraux traditionnels, on y observe la présence d'autres organismes qui interviennent dans la région des Caraïbes, tels que le FMI, le PNUD, la CEPALC, le CARICOM et l'OECO.

La région des Caraïbes et ses rapports avec le Tiers-Monde

Les liens traditionnels entre la région des Caraïbes et le Tiers-Monde doivent tout d'abord leur existence au grand nombre de travailleurs transportés vers cette région en provenance de l'Afrique et de l'Asie, d'abord comme esclaves, puis comme ouvriers sous contrat. Certains historiens considèrent le commerce des esclaves noirs comme l'une des plus grandes migrations de l'histoire connue de l'humanité[14]. S'il est difficile de parvenir à des chiffres précis, on peut trouver des ordres de grandeur dans les estimations qui fixent à 610 000 l'effectif des esclaves arrivant entre 1770 et 1786 dans la seule Jamaïque et à 800 000 celui des esclaves arrivant en Haïti et en République Dominicaine entre 1680 et 1776[15]. Entre 1838 et 1918, c'étaient les immigrés sous contrat, originaires d'Asie, qui représentaient le gros de l'accroissement de la population active, estimé à 425 000 personnes pour les pays anglophones de la région des Caraïbes, principalement la Trinité-et-Tobago[16]. Si la population de ce dernier territoire quintuplait entre 1844 et 1911, c'est essentiellement grâce aux travailleurs issus des Indes orientales[17].

Au cours de l'une et de l'autre période, les immigrés conservaient de puissants liens psychologiques avec leur patrie. Les esclaves avaient en fait été enlevés et déportés d'Afrique, contre leur volonté, pour travailler dans les Caraïbes. Les Indiens émigraient dans cette région avec l'intention de rentrer chez eux, ce que quelque 20 pour cent d'entre eux devaient effectivement faire. Le désir de retourner en Afrique était particulièrement fort chez les esclaves ou anciens esclaves et s'est maintenu jusqu'à nos jours sous la forme de diverses idéologies politico-religieuses, de Marcus Garvey à Rastafari. En fait, certains intellectuels caraïbes se sont installés en Afrique, où leur apport a été important. On observe avec intérêt que les Caraïbes anglophones s'installaient dans les colonies britanniques d'Afrique, et les Haïtiens dans les colonies françaises ou belges. Les Indiens d'Asie qui se fixaient dans les Caraïbes conservaient leur culture et continuaient à suivre la situation politique et sociale de leur patrie d'origine.

A mesure que progressait la décolonisation britannique, menée par l'Inde, bientôt suivie par l'Afrique occidentale, les élites politiques qui se formaient dans les Caraïbes se tournaient vers les dirigeants de ces régions pour trouver auprès d'eux exemple et encouragement. C'est donc, paradoxalement, par l'intermédiaire de l'Empire et du Commonwealth qui lui succédait que les pays anglophones de la région des Caraïbes tissaient leurs premiers liens institutionnels avec l'Afrique et l'Asie. Mais pour ceux qui ne pouvaient s'identifier, ni à l'Afrique, ni à l'Asie, ni à l'Europe, tel le nombre croissant d'élites mulâtres qui n'étaient acceptées nulle part, pour ceux qui ne toléraient aucun lien colonial et ceux qu'attiraient les notions de justice sociale préconisées par le parti travailliste britannique et le mouvement socialiste international, le mouvement des non-alignés représentait un havre bienvenu, du fait de ses préoccupations de décolonisation, de développement, de justice sociale et d'égalité raciale, qui étaient aussi celles des Etats en voie de formation dans les Caraïbes. Les fondateurs de ce mouvement, Nehru, Nkrumah et Tito, étaient déjà bien connus des dirigeants caraïbes. C'est ainsi qu'en dépit de sa proximité géographique avec l'Amérique latine, la région des Caraïbes, dans ses relations internationales avec le Tiers-Monde, entretient dans l'ensemble des liens plus étroits avec les pays afro-asiatiques, dont elle tend à partager les points de vue.

Si les rapports avec l'Amérique latine avaient sans aucun doute été importants dans le cadre de l'empire espagnol, ils devaient se relâcher quelque peu au XXe siècle, vu le déclin de l'Espagne et la montée en puissance des Etats-Unis, devenus la puissance dominante dans cette partie du monde. Ces rapports n'ont repris de l'importance que depuis que Cuba s'efforce de prendre ses distances vis-à-vis des Etats-Unis et de s'assurer des alliés en Amérique latine, et depuis que les pays anglophones, ayant accédé à l'indépendance, ont dû prendre eux-mêmes la responsabilité de leurs relations avec leurs voisins.

Dans le cas de Cuba, la quête de pays sympathisants en Amérique latine avait été au départ infructueuse et cédait de ce fait le pas à une politique de soutien aux groupes révolutionnaires inspirés des idées cubaines, qui devait entraîner un isolement encore plus complet aboutissant à l'expulsion de Cuba de l'OEA (Organisation des Etats Américains) en 1964. Au cours des années 70, en accord avec la politique globale de détente, Cuba orientait ses efforts vers un accommodement avec la communauté latino-américaine, marqué par sa réadmission au sein du Groupe latino-américain, le rétablissement des relations diplomatiques avec plusieurs pays, la levée en 1975 des sanctions économiques édictées contre elle par l'OEA et sa participation à part entière au SELA. Par la suite, sa politique a consisté à conforter les larges avancées réalisées au cours des années 70, tout en accroissant son soutien aux forces susceptibles de contracter à l'avenir, avec elle, une alliance bilatérale plus étroite.

Dans le cas des pays anglophones des Caraïbes, les rapports avec l'Amérique latine prennent une forme plus défensive. Tout d'abord, les contestations territoriales entre le Venezuela et la Guyane interdisaient à cette dernière une pleine participation au Système inter-américain. Un désaccord sur le tracé des frontières entre le Guatemala et Belize retardait également l'accession de cette dernière à l'indépendance. L'une et l'autre de ces disputes mobilisaient en bloc les pays du CARICOM contre ces Etats latino-américains. La délimitation des zones de pêche entre la Trinité et le Venezuela, de même qu'entre la Jamaïque, la Colombie et le Nicaragua, constitue un autre facteur d'irritation, tandis que la définition de l'espace maritime conduit également certains pays des Caraïbes orientales à mettre en cause la validité des prétentions du Venezuela sur l'Ile Bird, au large de la Dominique, qui réduisent fortement leurs propres droits sur les ressources économiques de la mer des Caraïbes.

Simultanément, les relations économiques entre la région des Caraïbes et l'Amérique latine (principalement le Mexique et le Venezuela) s'intensifiaient durant les années 70, essentiellement parce que les pays des Caraïbes, tributaires du pétrole pour la couverture de leurs besoins d'énergie, entraient dans une période de pénurie financière provoquée par la raison même qui enrichissait le Mexique et le Venezuela. Ainsi, au cours des années 70, les initiatives prises dans cette région par le Venezuela aboutissaient au Programme de coopération avec les Caraïbes (PROCA) et au fonds spécial pour les Caraïbes, tandis que de nombreux accords bilatéraux étaient conclus avec des pays des Caraïbes. De même, la plupart de ces derniers, de même que le CARICOM, signaient des accords de coopération bilatéraux avec le Mexique, qui faisait son entrée à la Banque des Caraïbes (BDC) en tant que donateur. L'accord de San José, d'août 1980, engageait conjointement le Venezuela et le Mexique à aider la Jamaïque, la Barbade et la République Dominicaine au moyen d'un fonds pétrolier qui accordait aux pays bénéficiaires des crédits équivalant à 30 pour cent de la valeur de leurs importations de pétrole. Tout en apportant une aide à court terme à des pays qui connaissaient des difficultés sévères de financement, ces accords signalaient l'entrée en scène, dans la région des Caraïbes, de nouvelles puissances moyennes, comprenant non seulement le Mexique et le Venezuela, mais aussi la Colombie et le Brésil[18].

Au niveau multilatéral, les relations entre la région des Caraïbes et l'Amérique latine passent également par le Système inter-américain, le SELA.

La recherche du développement économique et social

Les liens économiques des pays des Caraïbes avec l'Europe remontent au XVIIIe siècle, leurs liens avec l'Amérique du Nord au début du XXe. Ils se spécialisaient dans la production d'un petit nombre de denrées agricoles d'exportation, en échange desquelles ils importaient des produits manufacturés. Par voie de conséquence, ils étaient sensibles aux fluctuations que subissait le prix d'un ou de plusieurs produits entrant dans les échanges internationaux, marquées par l'alternance de périodes de prospérité et de dépression, qu'en tant que petits producteurs ils ne pouvaient influencer. En outre, ils devaient faire face à une dégradation de leurs termes de l'échange, s'expliquant en partie du fait qu'à mesure que leurs principales exportations parcouraient le cycle des produits, la rente qu'elles rapportaient diminuait, dans la mesure où elles devenaient des articles de consommation de masse et qu'apparaissaient de nouveaux producteurs, plus efficients. Ainsi, ce type de développement conduisait à des recettes d'exportation qui non seulement étaient irrégulières, mais avaient tendance à perdre de leur pouvoir d'achat avec le temps.

Malgré les risques qu'il comportait, le secteur des exportations était néanmoins rémunérateur : l'histoire a retenu d'innombrables épisodes retraçant les dépenses effrénées du planteur caraïbe, fêtant une période de prospérité à Londres, Paris ou Madrid. Simultanément, la misère où vivait le petit paysan qui produisait des cultures vivrières locales mettait fortement en relief le dualisme de cette économie, qui se traduisait, non seulement dans les échelles de rémunération relative, mais aussi dans les modes d'organisation, le niveau technologique, l'accès au capital et donc le produit par tête. Au total, s'il était clair que l'économie produisait un surplus, le responsable de la politique économique ne semblait pas à même de s'en servir pour créer de nouvelles capacités de production et donc atténuer le dualisme.

Face à ces injustices, endémiques dans tous les pays des Caraïbes, les élites nationalistes naissantes, cherchaient à les attribuer à des causes historiques, que ce soit le colonialisme britannique dans les pays anglophones ou l'impérialisme américain dans le cas de ceux qui avaient déjà accédé à l'indépendance. Ainsi Cuba, qui représente en quelque sorte le cas classique du dualisme, marqué par de grandes inégalités de patrimoine et un progrès inégal vers la modernisation, en imputait la responsabilité à l'«impérialisme yankee» et choisissait à partir de 1959 une voie de développement destinée à rompre ses liens économiques avec les Etats-Unis et à réduire la domination exercée par le «sucre-roi».

Les nouvelles élites cubaines ne devaient pas tarder à se rendre compte que le sucre était la principale source des recettes en devises qui finançaient l'achat de tous les biens indispensables, dans la mesure où ils n'étaient pas produits sur le plan local. Qui plus est, le boycottage spectaculaire et décisif entrepris par les Etats-Unis ne permettait pas à Cuba de survivre en tant qu'économie fermée. Tout en s'efforçant de diversifier sa production, ce pays devait donc faire face au problème supplémentaire d'une réorientation de ses échanges. En 1958, il faisait 68 pour cent de son commerce de marchandises avec les Etats-Unis et moins de 1 pour cent avec l'URSS En 1965, ses échanges avec les Etats-Unis étaient presque nuls, alors qu'avec l'URSS ils atteignaient 48 pour cent du total. En 1982, la part de cette dernière représentait 67 pour cent du total du commerce cubain, et celle des Etats-Unis moins du dixième de 1 pour cent[19].

Dans les pays anglophones des Caraïbes devenus indépendants, les responsables de la politique économique devaient faire face aux pires répercussions du dualisme et à un chômage en augmentation rapide. Sir Arthur Lewis[20] avait construit un modèle plausible, expliquant comment le secteur capitaliste moderne (qui dans le cas des Caraïbes pouvait se fonder sur la production d'articles manufacturés destinés à l'exportation) pouvait croître en absorbant l'excédent de main-d'œuvre du secteur non capitaliste, vivant en économie de subsistance. Ce transfert de main-d'œuvre aurait lieu, puisque le taux de salaire serait plus élevé dans le secteur le plus productif. A mesure que se développait le secteur manufacturier capitaliste, il engendrait des excédents de capitaux, qui serviraient à financer de nouveaux investissements, jusqu'au moment où l'excédent de main-d'œuvre aurait disparu. Si ce modèle comportait un certain nombre d'hypothèses qui ne correspondaient pas à la réalité, il représentait une théorie très attrayante pour les gouvernements caraïbes, dont il continue à ce jour à inspirer la politique, moyennant quelques adaptations ultérieurement empruntées à l'«école de la plantation».

Cette théorie était le second grand thème commun aux économistes anglophones des Caraïbes. Elle faisait valoir que le système des plantations, qui s'était développé à l'époque coloniale, présentait certaines caractéristiques. Il produisait des denrées agricoles, principalement destinées à l'exportation, à l'aide d'une main-d'œuvre sans qualification, mais aussi d'un noyau de surveillants et d'administrateurs bien formés[21]. C'était plus qu'un mode de production, puisqu'il organisait la vie sociale des producteurs et conditionnait leur psychologie. Sous l'angle spatial, c'était un système social et économique qui liait le territoire où il fonctionnait à l'ensemble de la communauté mondiale, au travers de ses exportations et du capital étranger. Une économie de plantation était celle d'un pays où «les aspects internes et externes du système de la plantation dominent la structure économique, sociale et politique et ses relations avec le reste du monde»[22]. Ce modèle liait en outre les échanges à l'exploitation et au pillage et semblait impliquer que le développement ne deviendrait possible que moyennant la fermeture des plantations[23]. Tous les pays des Caraïbes étaient censés être des économies de plantation. On considérait que si ce système présentait au départ des avantages suffisants pour faire passer l'économie du non-développement au sous-développement, il ne lui permettait jamais de progresser au-delà de ce stade, puisqu'il refusait à la majorité de la population tout droit réel sur son pays et créait une tradition de dépendance qui sapait sa motivation. Pour sortir de ce cercle vicieux, on estimait nécessaire de démanteler le système des plantations, de réduire le degré d'ouverture de l'économie, d'accroître la propriété nationale de la terre et du capital et de parvenir à une intégration économique au plan régional[24].

Enfin, le modèle cubain exerçait une certaine influence sur les élites caraïbes, en ce qui concerne notamment la question des nationalisations, le rôle de l'Etat et la possibilité de diversifier les courants d'échanges traditionnels. Ses tentatives d'atténuer les effets les plus pernicieux du dualisme en améliorant les services de santé et d'enseignement, ainsi que ses efforts pour accroître la participation nationale par la création d'emplois rencontraient également un écho favorable chez les dirigeants des pays anglophones et semblaient à certains d'entre eux représenter un nouveau modèle de développement, couronné de succès.

A de rares exceptions près[25], un examen de la politique économique des pays des Caraïbes rencontrera des éléments empruntés à ces divers courants de pensée, quoique combinés de diverses manières et bénéficiant d'une importance différente selon le moment et le lieu.

On observe ainsi, dans les pays du CARICOM, des stratégies du développement se fondant sur «l'industrialisation par invitation» aboutissant à la fabrication à l'abri de barrières douanières de produits manufacturés légers destinés au marché du CARICOM. En fait, cette stratégie n'était viable que dans la mesure où certains producteurs étrangers décidaient qu'il pouvait être rentable de créer quelques installations minimales de transformation pour pénétrer sur ce marché, en surmontant les barrières douanières. Les économies d'échelle que pouvait permettre cet élargissement des débouchés étaient limitées par la faible taille du marché que représentait le CARICOM lui-même par rapport aux exigences d'une production moderne, surtout compte tenu de son pouvoir d'achat. Qui plus est, en l'absence de coordination régionale, les pays membres s'empressaient tous de fabriquer les produits les plus évidents et donc les mêmes partout, destinés à leur consommation intérieure, en faisant l'hypothèse peu logique qu'ils pourraient en outre s'assurer une grande part du marché régional. Ils ne tentaient donc nullement de se spécialiser en fonction de critères d'efficience, le résultat en étant des excédents massifs de capacité de production et une tendance à réserver le marché à des producteurs nationaux inefficients, incapables qu'ils étaient de pénétrer les marchés de pays tiers. Préoccupés par l'emploi, les pouvoirs publics ne permettaient pas la disparition d'entreprises inefficientes, qui de ce fait devenaient une charge pour les consommateurs privés, que ce soit directement ou par l'intermédiaire de subventions publiques.

Le second élément important de cette politique était la recherche d'une maîtrise économique nationale ou, selon une formule plus élégante, «la maîtrise des positions dominantes de l'économie». Cette notion de maîtrise était souvent utilisée comme synonyme du droit de propriété, d'où les tentatives des pouvoirs publics d'acquérir les capitaux existants, y compris ceux dont la valeur était en baisse. Les arguments qui militaient en faveur de la maîtrise économique nationale étaient issus du débat sur la maîtrise politique et l'attribution aux élites nationales du pouvoir économique et des avantages qui en découlaient. Mais ils étaient également inspirés du désir de réduire les risques et les complexités qu'entraînait la participation aux marchés internationaux, ainsi que les injustices résultant du dualisme de l'économie, ce qui les faisait converger avec l'objectif du passage de la production agricole à la production industrielle, selon le modèle popularisé par Lewis. Les arguments militant en faveur d'une maîtrise nationale justifiaient pour l'essentiel une fermeture totale ou partielle de l'économie, sur le plan national ou, sous une forme modifiée, dans le cadre d'un Marché régional des Caraïbes.

Le troisième élément de cette politique était l'emploi, sa sauvegarde et sa création. Ce souci se comprend aisément, vu l'évidence d'un niveau élevé et croissant du chômage et les origines syndicales de nombreux membres de l'élite politique. Néanmoins, la sauvegarde de l'emploi servait souvent de prétexte au maintien d'entreprises inefficientes et au retard du progrès technique. Ainsi, alors qu'il était déjà évident que l'industrie sucrière avait perdu sa compétitivité internationale, on laissait passer l'occasion d'accroître son efficience, par peur des conséquences d'une telle mesure pour les coupeurs de canne. Le souci de créer des emplois servait à justifier la mise en place d'entreprises inefficientes, et qui dans bien des cas étaient utilisatrices nettes de devises.

Si une politique comportant ces trois grands éléments pouvait être mise en œuvre, c'est seulement dans la mesure où jusqu'à la fin des années 70 (et dans le cas de Trinité jusqu'au début des années 80), on pouvait tenir pour acquises de fortes rentrées de devises, provenant essentiellement de produits minéraux, mais aussi du tourisme et de booms sporadiques des denrées agricoles. C'est ce qui rendait possible un programme inefficient de substitutions aux importations, plutôt que celui qui aurait consisté, selon les intentions d'Arthur Lewis, à gagner des devises sur le marché mondial.

Les arguments militant en faveur de l'isolement et de la fermeture de l'économie étaient eux aussi mis en avant au cours d'une période de fortes entrées de capitaux étrangers, qui créaient les conditions justifiant le nationalisme économique, les secteurs clés en voie de croissance, principalement dans les industries extractives, mais aussi dans certaines industries manufacturières, étant aux mains de l'étranger qui les avait développées. Mais c'était aussi l'abondance des devises qui permettait aux pouvoirs publics d'acquérir nombre de capitaux dans l'industrie sucrière, celle de la bauxite et de la pétrochimie et qui autorisait durant les années 70 la croissance de l'appareil d'Etat et la progression de la dépense publique. C'était elle qui rendait possibles les subventions à l'emploi, latentes dans les industries inefficientes, ouvertes dans les programmes de travaux publics.

Le début des années 70 marquait à cet égard une rupture. Les investissements étrangers, provenant surtout des Etats-Unis, avaient commencé à diminuer, la devise américaine n'étant plus surévaluée. Simultanément, le coût de l'énergie commençait à augmenter brutalement pour les pays tributaires d'importations de pétrole. Les gouvernements caraïbes tardaient à comprendre le sens réel de ces événements, l'un d'eux bénéficiant du renchérissement déclenché par l'OPEP, tandis que d'autres croyaient pouvoir suivre pour leurs propres productions l'exemple de cette dernière, d'où la multiplication d'associations de producteurs, telles que le GEPLACEA (Groupe de pays latino-américains et des Caraïbes exportateurs de sucre), l'UPEB (Union des pays exportateurs de bananes) et l'IBA (Association internationale pour la bauxite), respectivement pour le sucre, les bananes et la bauxite. Dans le premier cas, l'aubaine pétrolière servait à financer des activités économiques tournées vers les marchés locaux ou régionaux. Dans le second, les avantages initialement obtenus par l'imitation de l'OPEP – par exemple, la redevance imposée par la Jamaïque sur la bauxite – renforçaient la tendance à l'isolationnisme économique et à la nationalisation, avec la progression rapide des dépenses publiques qui s'ensuivait[26].

Au début des années 70, les pays de la région des Caraïbes bénéficiaient donc une fois de plus d'excédents considérables, résultant de leurs exportations de produits de base, la différence étant qu'ils se présentaient désormais sous la forme de recettes publiques. Dans l'un et l'autre cas, les pouvoirs publics s'efforçaient immédiatement d'accroître l'emploi par un programme de grands travaux. A la Jamaïque, les administrations publiques augmentaient également de manière importante leur rôle et leurs pouvoirs, et donc leur consommation. A la Trinité-et-Tobago elles accroissaient de manière massive leurs investissements pour développer les activités situées en aval de la pétrochimie, en mettant apparemment l'accent sur la viabilité technique plutôt que financière des entreprises ainsi mises en place.

Vers le milieu des années 70, la politique suivie par l'OPEP avait conduit à une contraction de l'activité économique des pays développés, renforçant leur tendance à réduire leurs investissements à l'étranger et réduisant leur demande de produits minéraux importés. Les pays des Caraïbes importateurs de pétrole (dont ils étaient fortement tributaires pour la couverture de leurs besoins énergétiques) devaient faire face à un renchérissement spectaculaire de leurs importations, d'abord en 1973 puis, de manière plus grave, en 1979-1980, ce qui d'une part accroissait de manière stupéfiante leurs dépenses en devises et d'autre part réduisait leurs recettes en nuisant à la compétitivité des industries à forte intensité d'énergie[27]. La nationalisme économique aggravait encore ces difficultés en justifiant une énorme expansion du secteur public, qui simultanément augmentait les sorties de devises et créait l'incertitude dans l'esprit des investisseurs éventuels, tant nationaux qu'étrangers.

La pénurie de devises attirait l'attention sur le fait qu'elles avaient servi à subventionner l'emploi et la croissance d'un secteur public improductif. La première réaction des pouvoirs publics à cette situation consistait à fermer encore davantage l'économie et à financer leur déficit en supposant que les difficultés étaient essentiellement de l'ordre du court terme. Ce faisant, ils supposaient également qu'ils pourraient mettre l'économie nationale à l'abri des mutations qui intervenaient sur le plan international. En fait, cette politique n'a servi qu'à faire prendre aux pays des Caraïbes dix ans de retard sur leurs concurrents étrangers.

Certains pays, tels les Bahamas et les Antilles néerlandaises, choisissant une autre stratégie de développement, se tournaient directement vers les exportations de services, principalement touristiques et financiers, ainsi que le raffinage du pétrole, complétés, dans le cas des Antilles, par la réparation navale et le transbordement du pétrole. Si ces secteurs sont très sensibles à la situation économique extérieure, les exportations de services ont donné de bons résultats, les Antilles néerlandaises s'assurant le PIB par habitant le plus élevé de la région et les Bahamas la troisième place, juste après la Trinité-et-Tobago, seul exportateur de pétrole des Caraïbes.

La situation socioéconomique actuelle

Malgré la diversité des approches empruntées par les pouvoirs publics dans les Caraïbes, l'impression à retenir est celle de la similitude des résultats obtenus. Au cours des années 80, la plupart des pays du CDCC ont dû faire face à un déficit chronique de leur balance des paiements ; ils restent tributaires d'un ou de quelques produits d'exportation, où leur avantage comparatif est en baisse.

En ce qui concerne les denrées agricoles traditionnelles, on observait ce déplacement de l'avantage comparatif dès le début du siècle dans le cas du sucre, la production se déplaçant de la Jamaïque, de la Barbade et d'Haïti vers Cuba, la République Dominicaine et la Guyane. Ultérieurement, elle se déplaçait au profit de producteurs de canne extérieurs à la région des Caraïbes, mais surtout d'autres sources de sucre, telles que le sirop de maïs et la betterave. Si les Caraïbes continuent à en produire, c'est d'une part grâce aux accords préférentiels négociés pour le soutien des prix et d'autre part du fait de l'incapacité des pays en cause à trouver d'autres sources de devises. Ainsi, bien que Cuba, principal producteur de la région, se soit délibérément efforcé au départ de réduire le rôle joué par le sucre, celui-ci conserve, vingt ans plus tard, sa prépondérance. Si en 1958 la production cubaine de sucre brut s'élevait à 6.8 millions de tonnes, qui fournissaient 80.6 pour cent des recettes d'exportation de l'île, elle représentait en 1980 6.7 millions de tonnes et 83.7 pour cent des exportations. Cuba était, néanmoins, en mesure d'atténuer les risques auxquels ce produit donne lieu sur le marché mondial, ainsi que la baisse de ses rendements, en négociant des accords préférentiels avec le CAEM et notamment l'Union soviétique qui, en 1981, achetait 23 pour cent de ses exportations. Au cours de la seconde moitié des années 70, Cuba obtenait de l'Union soviétique un prix du sucre équivalent en moyenne au triple du cours mondial[28].

De même, les producteurs du CARICOM ont pu négocier des prix préférentiels pour leur sucre dans le cadre de la convention de Lomé, tandis que certains d'entre eux, ainsi que la République Dominicaine, bénéficiaient du prix avantageux payé par les Etats-Unis dans le cadre de son quota sucrier.

Quoique en déclin, le sucre reste donc une industrie exportatrice importante pour nombre de pays des Caraïbes, Cuba et, dans une moindre mesure, la République Dominicaine restant tributaires de ce produit pour la majeure partie de leurs recettes d'exportation.

La production bananière a, elle aussi, subi un recul, en dépit des accords préférentiels dont bénéficient les pays du CARICOM. Là encore, les difficultés s'expliquent par des prix insuffisamment compétitifs et un contrôle de la qualité défectueux par rapport à des producteurs plus récents, principalement ceux d'Afrique, mais aussi ceux d'Amérique centrale, la production ne pouvant se poursuivre que grâce à des dispositions préférentielles sur le marché du Royaume-Uni.

L'autre pilier des exportations caraïbes, à savoir les produits minéraux, voit également son avantage comparatif se déplacer. Dans le cas de la bauxite et de l'alumine, les Caraïbes souffrent de l'épuisement du minerai en ce qui concerne Haïti, qui ne produit plus de bauxite, mais surtout d'une modification des coûts énergétiques qui a détruit la viabilité des vieilles raffineries de la côte Est des Etats-Unis, débouché de leur minerai. La baisse de la demande d'alumine dans les pays de l'OCDE a rendu nécessaire une rationalisation de la production, qui aura sans doute une structure très différente lorsque la demande aura repris. L'avantage comparatif passera aux pays qui disposent de gisements de bauxite situés à proximité immédiate de sources d'énergie bon marché, tels que l'Australie, le Venezuela, le Brésil et le Surinam.

A la Trinité-et-Tobago, la production de pétrole a atteint son maximum en 1977-78, pour chuter de manière prononcée au cours des années 80 (baisse de 11 pour cent entre 1980 et 1981, suivie d'une baisse de 6 pour cent en 1982). Simultanément, les prix se sont affaiblis sur les marchés pétroliers internationaux. Une dépression analogue est le sort des raffineries de pétrole situées dans les Caraïbes, créées pour desservir la côte Est des Etats-Unis. La modification des sources d'approvisionnement, de la structure de la demande et des stratégies énergétiques a conduit à profiter de l'actuelle baisse conjoncturelle pour ouvrir de nouvelles raffineries sur le territoire continental des Etats-Unis. Il ne convient donc pas de supposer que lorsque la demande reprendra les vieilles raffineries caraïbes pourront reprendre leur production normale.

Si l'on a donc tendance à mettre l'accent sur la récession mondiale et à supposer qu'une fois que la demande aura repris la situation redeviendra normale, cela revient à masquer le processus d'adaptation, de changement et de transformation actuellement en cours, et ses répercussions défavorables sur les futures recettes d'exportation des pays caraïbes.

Dans ces pays, les ventes de services, principalement touristiques, sont la source de devises la plus répandue. Elles sont activement encouragées partout, sauf en Guyane, au Surinam et à la Trinité-et-Tobago.

Au cours des années 80, le tourisme a souffert de la mauvaise conjoncture régnant dans les pays de l'OCDE et d'une vive concurrence sur les prix, exercée par des pays voisins, tels que le Mexique. Cette activité est également sensible aux événements politiques et à l'idée que les visiteurs éventuels se font de l'accueil de la population et des administrations locales. Tous les pays des Caraïbes ont été affectés par l'un ou l'autre de ces facteurs. A quelques exceptions près, tous ont souffert d'un recul des arrivées de touristes et de leur dépense, l'augmentation intervenue en Jamaïque constituant une reprise par rapport aux années précédentes, où cette activité était déprimée par la situation politique. On observait de même, jusqu'à une date récente, une dépression à la Grenade. La variable politique contribue également à expliquer la faible importance du tourisme à Cuba, qui n'accueillait en 1980 que 129 500 visiteurs[29], alors qu'au cours des années 50 elle était le principal pays touristique des Caraïbes. Néanmoins, Cuba continue à devoir près de 80 pour cent de ses visiteurs à des pays qu'il définit comme capitalistes.

On observe une influence croissante des activités de services aux Bahamas et aux Antilles néerlandaises, principalement dans le domaine des banques offshore et dans l'enregistrement de sociétés offshore. C'est ainsi que cette dernière activité rapportait plus de 218 millions de dollars au cours de l'exercice 1982-83.

Il convient enfin d'évoquer les devises reçues des originaires des Caraïbes résidant à l'étranger, que couvre, pour l'essentiel, le poste «transferts unilatéraux privés» de la balance des paiements. Pour certains pays, on peut en comparer le montant à celui des recettes touristiques, pour en apprécier l'importance relative dans le total de leurs ressources en devises. Le cas des Antilles néerlandaises et celui de la Trinité-et-Tobago sont intéressants, les sorties de devises s'effectuant au profit de certains pays de l'OECO, dont Saint Christopher-Nevis, la Grenade et Saint Vincent. Si l'on ne dispose pas de chiffres au sujet des remises effectuées par les Cubains résidant à l'étranger, les efforts faits pour les encourager à visiter Cuba ont atteint leur maximum en 1979, année où 102 000 d'entre eux ont répondu à cette invitation, représentant près de 54 pour cent du total des visiteurs. Par la suite, toutefois, leur nombre a diminué et en 1982 il n'était plus que de 8 000, soit 7.6 pour cent des arrivées totales[30]. Néanmoins, la communauté cubaine expatriée reste pour Cuba une source effective ou potentielle importante de recettes en devises. On observera en outre que dans certains cas les remises sont affectées par des considérations politiques et par le climat des investissements. Dans le cas de la Jamaïque, elles diminuaient de 92 pour cent entre 1970 et 1976, mais s'accroissaient de 728 pour cent entre 1978 et 1982[31].

A quelques exceptions près, notamment celle de l'unique pays exportateur de pétrole, la Trinité-et-Tobago, la balance commerciale est négative, de même que la balance courante, encore que dans ce dernier cas le déficit soit réduit par les recettes au titre des services.

Les mouvements de capitaux constituent donc une part importante de l'activité financière extérieure ; ils comprennent des investissements directs, des prêts et des dons. Vers la fin des années 60, l'expansion des pays caraïbes était essentiellement financée par des investissements directs. Vers la fin des années 70 et au début des années 80, c'étaient les prêts et les dons qui l'emportaient, les secondes allant principalement aux pays de l'OECO, au Surinam et aux Antilles néerlandaises. Pour les pays les plus importants, le marché international des capitaux représente la source principale du financement de la balance des paiements, avec les répercussions qui s'ensuivent pour l'endettement.

Les pays des Caraïbes étant tournés vers l'exportation, les mauvais résultats obtenus à cet égard ont eu d'importantes répercussions sur leurs finances publiques, ainsi que sur le niveau de l'emploi. En 1982, la demande dépassait le PIB dans tous les pays pour lesquels on dispose de données, à l'exception de la Trinité-et-Tobago, et l'épargne intérieure ne parvenait à financer qu'une faible partie des investissements. Dans bien des pays, les recettes publiques courantes étaient insuffisantes pour couvrir les dépenses correspondantes.

Par voie de conséquence, nombre de pays des Caraïbes se voyaient contraints de négocier avec le FMI, soit un accord de confirmation, soit un mécanisme de financement compensatoire, soit encore un recours au mécanisme élargi de crédit ; en 1984, on se rendait compte, de manière générale, que les problèmes qui se posaient aux pays de cette région étaient de nature structurelle et exigeraient une redéfinition fondamentale de la politique suivie.

Politique à suivre dans l'avenir

Comme le montre le tableau 1, qui couvre un échantillon représentatif de pays caraïbes, l'économie de ces derniers présente un degré élevé d'ouverture, qu'expliquent leur petite taille et l'étroitesse de leurs ressources naturelles. Il s'ensuit qu'ils doivent se spécialiser dans une

Tableau 1. INDICATEURS DU DEGRÉ D'OUVERTURE
DE CERTAINS PAYS CARAÏBES (1981)

Pays	Importations[a]	Exportations[b]
Barbade	71.0	61.3
Cuba[b]	38.9	32.6
République Dominicaine	25.2	20.9
Jamaïque	58.4	47.9
St. Christopher-Nevis	115.4	50.1
Sainte Lucie	107.4	63.1
Trinité-et-Tobago	31.5	38.8

a) Biens et services non factoriels en pourcentage du Produit Intérieur Brut.
b) Importations et exportations de marchandises en pourcentage du Produit Matériel Total.
Source : CEPALC, BIRD.

gamme de productions relativement étroite[32] destinée à l'exportation, pour pouvoir acquérir les nombreux articles qu'ils sont incapables de produire eux-mêmes.

Il est donc essentiel de bien choisir les productions, de manière à maximiser les recettes en devises. Au cours des deux dernières décennies, la politique économique a mis l'accent, sans grand succès, sur la substitution aux importations de produits manufacturés ; il est aujourd'hui aisé de démontrer qu'il faut davantage de ressources intérieures pour économiser de cette façon un montant déterminé en devises, que pour s'assurer des recettes d'exportation correspondantes. Qui plus est, les politiques douanières et les mesures de contingentement adoptées pour encourager le remplacement de produits de consommation importés par des articles assemblés sur le plan local ont eu pour effet accessoire d'entraîner une discrimination contre la production vivrière locale, domaine où la substitution des importations serait relativement efficiente. De récentes études de la Banque mondiale indiquent qu'en République Dominicaine le remplacement d'un dollar d'exportations en coûte entre 2 et 4, alors que dans le cas de certains produits agricoles, le coût est inférieur à un dollar[33].

Si les exemples évoqués se réfèrent à un cas particulier et si le détail de la politique douanière et du contingentement varie d'un pays à l'autre, les mesures prises à cet égard sont fondamentalement très analogues et ont donc engendré une même situation : celle d'une stagnation des exportations et d'une incapacité grandissante de la production vivrière locale à satisfaire la demande. Entre 1970 et 1980, le coût des importations de denrées alimentaires par habitant a augmenté de 30 pour cent[34]. Cette observation vaut tout particulièrement pour les pays du CARICOM, où s'est développé un ensemble d'«industries du tournevis», alors qu'était pénalisé le développement agricole, domaine qui pourrait donner lieu à des échanges importants entre les pays en cause. Simultanément, il convient de reconnaître que les possibilités actuelles et futures d'échanges au sein du CARICOM sont relativement limitées et que l'expansion des exportations devra donc être tributaire de débouchés extérieurs.

Le régime des changes en vigueur dans la plupart de ces pays contribue, lui aussi, à décourager les exportations. A quelques exceptions près, le change est maintenu à un niveau artificiellement élevé par des mesures de contrôle administratives. Cette situation est devenue encore plus frappante ces temps derniers, du fait de la hausse du dollar, auquel la plupart des monnaies de la région des Caraïbes sont liées par un taux de change fixe. Si la surévaluation ne pénalise peut-être pas certaines exportations traditionnelles, effectuées dans le cadre d'accords particuliers, elle a bel et bien cet effet vis-à-vis d'exportations non traditionnelles de services, tels que le tourisme, et de produits agricoles, qui présentent de bonnes possibilités d'expansion. Un autre facteur de découragement des exportations est constitué par de lourdes mesures de contrôle administratif, qui en outre stimulent la fuite des capitaux.

Pour l'essentiel, les résultats obtenus par le secteur public ont été médiocres. Dans la plupart des cas, on a mis l'accent sur des activités improductives, voire sur une réglementation qui entravait la production, tandis que progressait rapidement la consommation publique. C'est ainsi qu'à la Jamaïque celle-ci passait, entre 1960 et 1980, de 7 à 21 pour cent du Produit intérieur brut (PIB). Durant la même période, elle passait à la Trinité de 9 à 17 pour cent du PIB. Simultanément, les investissements intérieurs bruts, qui entre 1960 et 1970 progressaient à la Jamaïque au taux annuel moyen de 7.8 pour cent, augmentaient entre 1970 et 1980 au taux de 9.5 pour cent[35]. Il faudra réduire les dépenses courantes des administrations publiques pour libérer les ressources, tant humaines que financières, que nécessite la production.

Dans le cas où le secteur public s'est engagé dans des activités productives, les résultats obtenus n'ont pas été particulièrement encourageants. Au départ, les projets d'investissement ne sont souvent pas évalués avec une rigueur suffisante pour garantir leur viabilité financière, notamment en ce qui concerne les incertitudes relatives aux marchés internationaux. Par la suite, il ne sont pas gérés ou contrôlés avec une rigueur suffisante pour garantir leur viabilité, ou encore ils sont détournés vers des objectifs dissimulés, confus ou contradictoires, tels que des subventions implicites accordées au public.

Lorsqu'on estime nécessaire la participation du secteur public à des investissements productifs, par exemple dans les cas où le secteur privé n'est pas disposé à en assumer le risque (encore que la suite des événements ait souvent prouvé que son appréciation du risque était correcte), il faudra mettre en œuvre la discipline nécessaire pour garantir que les entreprises en cause couvrent le coût d'opportunité des ressources qu'elles utilisent. Ces considérations sont, bien entendu, d'autant plus pertinentes que dans un petit pays le secteur public a tendance à s'engager dans des projets relativement importants.

Cependant, les grands investissements publics risquent d'être sévèrement limités par l'incapacité de certains Etats à emprunter à l'étranger, voire à fournir des fonds de contrepartie, même lorsqu'un financement extérieur est disponible. Simultanément, il n'est pas évident que les pouvoirs publics puissent accroître l'épargne en alourdissant l'imposition des personnes physiques, les recettes correspondantes représentant déjà dans certains pays une lourde charge, si on la rapporte au PIB.

Si les pays caraïbes ont des possibilités inégales en ce qui concerne l'alourdissement de l'impôt sur le revenu, il convient d'être prudent dans le choix entre ce dernier et les impôts sur la consommation. Quels que soient les arguments militant dans un sens ou dans l'autre, il est évident dans tous les cas que l'épargne intérieure est insuffisante pour financer le niveau d'activité nécessaire pour réduire le chômage élevé dont souffrent la plupart de ces pays ; dans l'avenir prévisible, elle devra donc être complétée par l'épargne extérieure. Mais une participation étrangère comporte des avantages à court terme, tels que des techniques modernes et des informations commerciales. Quand elle prend la forme d'entreprises conjointes, elle peut également permettre aux participants locaux de se former à l'activité d'entreprise et à l'administration, tout en atténuant le risque encouru. Cependant, en dernière analyse, la transformation structurelle doit impliquer une forte progression des investissements, qui a pour condition nécessaire un accroissement de l'épargne intérieure et une baisse de la consommation. En même temps, l'ambiance économique doit également être améliorée, de manière à rendre la production locale plus facile et plus rentable. Il faudra prendre des mesures pour orienter les investissements vers les domaines utiles, sans recourir aux absurdes méthodes bureaucratiques qui ont cours à l'heure actuelle.

En résumé, les pouvoirs publics devront aborder de manière plus sophistiquée, dans leur action et leur planification, l'incorporation du secteur extérieur à leur stratégie de développement. Ils doivent donc s'efforcer de créer un environnement où l'esprit d'entreprise développera ses possibilités latentes, ce qui conduira à une progression des investissements productifs, à une utilisation optimale des ressources et plus particulièrement à l'exploitation des possibilités d'exportation vers les pays tiers.

Tout effort de développement se doit de prêter une attention particulière aux ressources humaines, tout d'abord en leur assurant des conditions sanitaires et alimentaires de base permettant une vie longue et saine et ensuite en leur donnant l'occasion d'acquérir une formation suffisante pour assurer la production. On trouvera au tableau 2 quelques indicateurs sociaux portant sur un échantillon représentatif de pays caraïbes. On observera que si certains d'entre eux ont aujourd'hui atteint une situation sanitaire comparable à celle des pays développés, il reste beaucoup à faire dans d'autres à cet égard. Et si pour certains pays les indicateurs font apparaître un niveau élevé d'instruction formelle, on peut faire valoir que dans les Caraïbes le développement souffre autant de la pénurie de main-d'œuvre qualifiée, sans même parler de l'encadrement, que de la pénurie de capital. Une partie importante de la population se voit interdire l'accès à un emploi productif, tout simplement du fait qu'elle

Tableau 2. QUELQUES INDICATEURS SOCIAUX

	Taux d'alphabétisme des adultes	Espérance de vie	Taux de fécondité (1981)	Mortalité infantile (1981)	Chômage %
Cuba	95	73	2.2	19	n.d.
République Dominicaine	67	62	4.6	66	20.3
Haïti	23	54	4.7	112	11.5[a]
Jamaïque	90	71	3.8	16	25.9
Trinité-et-Tobago	95	72	2.5	31	10.4

a) On arrive à 40 pour cent en incluant le sous-emploi.
Source : Banque mondiale, *Rapport sur le développement de l'économie mondiale en 1983.*

manque d'instruction ou de formation effective. Qui plus est, de nombreuses personnes très instruites ont reçu une formation peu appropriée, comme le montre le nombre d'économistes spécialisés dans le secteur public et non dans l'économie d'entreprise, ce qui traduit la préférence donnée au contrôle par rapport à la production.

Traditionnellement, les pays caraïbes sont de type dualiste. Certains présentent le développement comme une transition du secteur traditionnel au secteur moderne. Ce qui devient évident aujourd'hui, c'est que cette transition suppose, non seulement la transplantation d'usines ou de machines modernes, mais surtout des processus se déroulant dans l'esprit humain. Il s'agit donc d'une tâche à long terme et permanente, puisqu'elle vise un objectif en mouvement. Le «dualisme» subsistera donc encore longtemps et tous les plans devront tenir compte de l'existence de secteurs retardataires. L'action des pouvoirs publics devra être suffisamment sophistiquée pour développer le secteur moderne, fondé sur les échanges avec des pays tiers, tout en encourageant d'autres activités tournées essentiellement vers la consommation intérieure et en maximisant les possibilités d'emploi. Il faudra trouver pour ce secteur une gamme de production faisant davantage appel à la main-d'œuvre et relativement moins à la technologie et au capital.

Aux fins de notre analyse, nous entendons par «marché intérieur» le marché régional, tout d'abord le CARICOM, mais en fin de compte la région des Caraïbes au sens large. Cette zone a de bonnes possibilités d'activité économique, particulièrement en ce qui concerne la production de biens destinés à satisfaire les besoins essentiels. Il semble qu'elle ait la possibilité de couvrir une plus grande partie de ses besoins d'alimentation, de vêtements, de logement et de culture, sans encourir d'inefficience significative.

Actuellement limités par la pénurie de devises, les échanges au sein du CARICOM ont commencé à baisser en 1975, année où le renchérissement du pétrole commençait à affecter la balance des paiements de la Jamaïque et de la Guyane. Mais si les programmes d'austérité avaient des répercussions aussi importantes sur les marchandises produites au sein du CARICOM, c'est par suite de certaines faiblesses structurelles de cette production. Le CARICOM représentait, en bref, l'extension au plan régional de diverses enclaves de production nationales, plutôt qu'une production régionale directement prévue comme telle. A l'avenir, il faudra un marché régional plus intégré, comportant davantage de concurrence entre pays caraïbes pour les marchandises bénéficiant d'une protection.

C'est toutefois un secteur moderne, tourné vers l'exportation, qui devra assurer les recettes en devises nécessaires. Il comprendra des cultures d'exportation, tant traditionnelles que non traditionnelles, certains produits manufacturés, des exportations de produits minéraux et des activités de services en expansion. Il faudra que se modifie l'attitude vis-à-vis du secteur exportateur, qu'il s'agisse des industriels qui préfèrent se consacrer au marché régional, sous la douce protection des barrières douanières, ou des planificateurs et des intellectuels qui considèrent ce secteur comme de nature résiduelle ou périphérique.

Il conviendra d'abolir la plupart des mesures qui découragent l'exportation, telles que le contrôle des changes, puisqu'elles ne font que créer les maux qu'elles sont censées prévenir, tels que la pénurie de devises et la fuite des capitaux. Il faudra toutefois mener ce réajustement avec beaucoup d'ingéniosité pour éviter de provoquer des désordres à court terme.

Les cultures d'exportation traditionnelles se sont vu accorder un sursis, grâce aux accords qui leur assurent un prix garanti et des débouchés protégés, en l'absence desquels elles auraient disparu depuis longtemps. Ces dispositions n'ont pas été exploitées au mieux, puisqu'elles ont eu pour effet de retarder la mutation technique indispensable. Pour pouvoir survivre à plus long terme, ces exportations devront devenir plus efficientes.

Des cultures non traditionnelles à forte élasticité de revenu, telles que les épices, l'horticulture et les fruits et légumes exotiques, ouvrent de bonnes possibilités d'exportation vers des marchés tels que les Etats-Unis ou la Communauté économique européenne. On pourrait également développer des agro-industries, fondées sur la production locale de denrées particulières, mais même s'agissant de celles qui sont cultivées depuis longtemps, il faudra une modification des comportements en matière de contrôle de la qualité et de marchéage pour qu'elles puissent aborder avec succès la concurrence sur les marchés des pays développés.

La capacité de production des Caraïbes étant minuscule au plan mondial, une spécialisation dans les nouveautés n'est pas seulement nécessaire, mais aussi avantageuse, ces produits étant ceux qui rapportent la rente la plus élevée. On observera que toutes les cultures d'exportation aujourd'hui traditionnelles entraient dans cette catégorie dans les premiers stades de leur introduction.

Les industries manufacturières susceptibles d'être viables pourraient avoir comme base, soit des matières premières de source locale, soit des activités où il est possible de mettre à jour des aptitudes traditionnelles en les adaptant aux modifications de la demande, comme dans l'industrie de l'habillement. Dans ce cas aussi, il faudra se spécialiser, par exemple dans des vêtements tropicaux de haute couture, faisant largement appel au travail manuel.

Les pays caraïbes sont, dans l'ensemble, entrés avec un certain succès sur le marché des services. Cependant, les attitudes et les idées nécessaires pour saisir les évolutions qui se dessinent et les exploiter une fois qu'elles sont détectées sont inégalement réparties dans la région. Ce qui les développe, ce n'est pas seulement l'éducation formelle, mais, comme dans le cas de toutes les activités qui s'exercent sur des marchés extérieurs très fluides, une exposition constante à l'évolution des marchés, qui n'apparaît pas dans un pays lorsque celui-ci s'efforce de couper ses communications et ses échanges avec le reste du monde. Dans une première étape, du fait que la production en petite série risque de ne pas pouvoir financer de grandes dépenses d'étude des marchés, il faudrait peut-être réorienter les représentations diplomatiques et commerciales existantes vers l'analyse de l'évolution de la demande et l'assistance commerciale aux nouveaux exportateurs nationaux sur les marchés des pays développés.

Le rôle du CDCC

A l'orée de sa dixième année d'existence, le CDCC conserve un point de vue unique en son genre, qui le conduit, selon les termes si appropriées de feu le Dr. Eric Williams, dans son discours de mai 1975 «à traiter des problèmes et de la situation des Caraïbes et à embrasser tous les pays de cette région, de Belize à Cayenne, quel que soit leur statut politique». Bien que loin d'être au complet, les pays membres du CDCC sont de plus en plus nombreux ; il faudra encore du temps pour convaincre tous ceux qui pourraient intervenir dans le cadre défini par Williams des avantages de la participation. Le CDCC représente l'instance permettant au plus grand nombre de petits pays, d'origines culturelles diverses, mais aujourd'hui si semblables dans leur composition et dans les problèmes qu'ils doivent résoudre, de coopérer pour y apporter des solutions. Car à mesure que le temps passe, il devient évident que les peuples de cette région sont en train de compléter leur vision traditionnellement tournée vers l'extérieur par une autre, tournée vers l'intérieur, pour tenter de résoudre les problèmes uniques en leur genre que leur posent la taille, la localisation et la culture de leur pays, problèmes auxquels le reste du monde n'apporte pas de réponses convaincantes. On peut ainsi voir se former un regroupement de 25 pays caraïbes, dotés de dispositions constitutionnelles diverses et recherchant tous des réponses aux mêmes problèmes et situations fondamentaux.

Dans un monde où l'interaction entre les Etats et autres agents internationaux devient de plus en plus complexe et intense, tous les pays des Caraïbes sont, sans aucun doute, anxieux de connaître l'avenir de leur Etat national, tel qu'il est aujourd'hui constitué. Car si les limites des compétences nationales subissent une érosion, même dans les plus grands pays, les petites économies ouvertes de la région des Caraïbes doivent faire face aux conséquences les plus graves de ce phénomène, dont elles seront les premières victimes si elle ne peut être enrayée. Si au contraire ce processus apparaît comme irréversible, les habitants de ces îles auront besoin de savoir quelles mesures il convient de prendre pour préserver et développer les éléments culturels et psychologiques qu'exige l'intégrité de leur société.

L'autonomie des petits pays pourrait être menacée, non seulement par les super-puissances, mais aussi par des puissances moyennes en cours d'apparition, voire par de grandes organisations visant des buts légaux ou non, ou par des bandes désordonnées de mercenaires.

S'il leur est déjà difficile de défendre leur espace terrestre, la capacité de négocier et d'exploiter effectivement tout le potentiel que recèle leur espace maritime dépasse les possibilités de presque tous les pays des Caraïbes. Qui plus est, ils ont jusqu'ici été incapables de le défendre contre l'exploitation par autrui, y compris par le déversement de déchets dangereux.

Mais l'érosion n'affecte pas seulement les compétences terrestres et maritimes, mais aussi la capacité de prendre des décisions significatives au plan national. L'économie de ces pays est très vulnérable à la politique et au niveau d'activité de leurs principaux partenaires commerciaux, et nombre de leurs instruments de contrôle existent plus sur le papier que dans la réalité. Qui plus est, les décisions internes d'une ou deux sociétés pourraient provoquer de graves difficultés économiques dans la plupart des pays caraïbes. Si dans certains cas on peut considérer qu'il s'agit là d'un risque que de petits pays peuvent légitimement courir pour tirer parti des échanges internationaux, ce phénomène pose néanmoins des problèmes fondamentaux à ceux qui s'efforcent de suivre une politique économique cohérente.

Les pays caraïbes se préoccupent donc de plus en plus, non seulement des limites de l'indépendance et de la souveraineté, mais aussi du rôle et des mécanismes de l'action étatique. Il faudra qu'ils mettent au point des mécanismes économiques, efficients et responsables pour exécuter les tâches confiées à l'Etat. Il faudra qu'ils mettent au point des modèles de développement viables, capables de faire participer une partie beaucoup plus grande de leur population aux grands courants de l'évolution sociale et économique. Et il faudra qu'ils le fassent dans un cadre permettant à leurs citoyens de prendre de plus en plus la responsabilité des décisions qui affectent leur vie quotidienne.

L'évolution scientifique et technique met désormais les Caraïbes à la portée des tout derniers systèmes de communication, qui présentent d'énormes possibilités de modernisation de leur société. En même temps, les changements rapides d'attitude et de technique qui en résulteront impliquent la destruction de nombreux aspects d'une culture riche et spécifique. La solution consiste à adapter les formes culturelles existantes de manière à leur permettre, non seulement de survivre, mais aussi d'utiliser la révolution des communications au profit des peuples des Caraïbes, en même temps que pour enrichir la vie des peuples étrangers.

Ce sont là quelques-uns des problèmes fondamentaux qu'affrontent plus ou moins tous les pays caraïbes. Il n'existe pas actuellement de dialogue systématique à ce sujet pour l'ensemble de la région. Une ou plusieurs de ces questions peuvent être soulevées dans diverses instances, mais la marche inexorable des événements peut forcer les dirigeants de ces petits pays à réagir dans la hâte et la confusion à des changements imprévus. Ce ne serait pas manquer excessivement de réalisme que de supposer qu'un effort intense et coordonné pourrait leur permettre d'élaborer pour certains de ces problèmes des solutions viables.

La tâche initiale du CDCC, encourager la coopération et la coordination entre les divers pays de la région, reste à l'ordre du jour. Ce sont ces modalités qui ont toujours le plus de chances de leur permettre de trouver des solutions rationnelles à leurs problèmes communs, en même temps que les moyens les plus efficients de maximiser les avantages que peuvent procurer des ressources rares. La coopération, la coordination et la mise au point d'approches régionales restent les moyens les plus efficaces de surmonter les limites des capacités d'absorption de petits pays. Des plans et des politiques de développement comportant un minimum de mesures de coopération et de coordination sont nécessaires pour maximiser les avantages que l'on peut recevoir d'un marché régional et tirer parti de ressources complémentaires, qui pourraient permettre de pénétrer sur les marchés mondiaux. Les ressources se raréfiant, les pays caraïbes ne peuvent guère se permettre de tolérer les initiatives d'un grand nombre d'agents isolés, source de doubles emplois, de manque de coordination et parfois de conflits.

Le CDCC occupe une situation unique, lui permettant de suivre l'évolution de la région dans son ensemble et donc d'en saisir les tendances et problèmes à long terme. Ceci grâce à sa large extension géographique, à la nature multidisciplinaire de son programme de travail et à ses activités de recherche de plus en plus importantes, facilitées par l'existence du Centre de documentation des Caraïbes et de la Banque de données statistiques qui font partie intégrante de son secrétariat. Si donc les pays membres ne sont peut-être pas en mesure de consacrer les ressources nécessaires à l'étude des problèmes à long terme, c'est là un service qui pourrait être confié au secrétariat, qui bénéficie du réseau plus large des ressources dont disposent les Nations Unies.

Il ne convient pas de juger le CDCC et son secrétariat de Port of Spain par leur aptitude à consacrer des ressources au développement à court terme. Leur fonction est essentiellement de servir d'instrument à l'incorporation de la politique régionale caraïbe dans le système des Nations Unies et de veiller à ce que celui-ci donne des résultats rationnels, efficients et coordonnés. C'est là un aspect essentiel du mandat des Commissions économiques régionales, tel que le définit la résolution 32/197 de l'Assemblée générale, qui leur prescrit de devenir les «principaux centres généraux d'activités de développement économique et social, dans le cadre du système des Nations Unies, pour leurs régions respectives.

Cependant, la politique régionale n'en est, dans les Caraïbes, qu'aux premiers stades de son élaboration. La politique économique et sociale n'étant pas encore entièrement coordonnée au plan national, les signaux que transmet la politique extérieure ont tendance à être ambigus et parfois peu cohérents. De plus, tous les pays membres n'ont pas encore une idée claire de la région que définit le CDCC. Si certains d'entre eux reconnaissent dans la totalité de cette région un axe acceptable pour certains types d'initiatives, d'autres n'admettent que des actions étroitement définies et limitées à une partie seulement de son champ géographique. Cette vue incomplète s'explique du fait que pour la plupart des pays membres du CDCC la politique extérieure constitue une responsabilité relativement récente.

Il faudra du temps pour que tous les avantages que comportent la coopération et la coordination dans le cadre du CDCC soient entièrement compris et acceptés, et plus encore pour que cette compréhension se traduise dans la réalité des travaux. D'ici là, il appartient donc au Secrétariat du CDCC lui-même de bien comprendre ces idées, d'en tirer les conséquences et de faire vivre cet idéal, avec l'aide des hommes publics et des institutions qui partagent son engagement, jusqu'à ce que les pouvoirs publics trouvent la volonté politique d'en faire une réalité.

NOTES ET RÉFÉRENCES

1. C. Wagley, «Plantation America: A Culture Sphere», in V. Ruben (sous la direction de) *Caribbean Studies – A Symposium*, Seattle, University of Washington Press, 1960.

2. E. Williams, *The History of the Caribbean 1492-1969*, Londres, André Deutsch, 1970, p. 438.

3. B.C. Richardson, *Caribbean Migrants: Environment and Human Survival on St. Kitts and Nevis*, Knoxville, University of Tennessee, 1983, p. 1.

4. *Op. cit.,* p. 22.

5. W. Biervliet, «Surinamers in the Netherlands» de S. Craig (sous la direction de), *Contemporary Caribbean: A Sociological Reader*, Vol. I, Trinité, Craig, 1981. p. 75.

6. B.C. Richardson, *op. cit.,* p. 23.

7. T.H. Moorer et G.A. Fauriol, *Caribbean Basin Security, the Washington Papers*, Vol. 11, New York, Praeger, 1984, p. 104.

8. E. Thomas-Hope. «Off the Island, Population Mobility among the Caribbean Middle Class», in A.F. Marks et H.M.C. Vessuri, (sous la direction de), *White Collar Migrants in the Americas and the Caribbean*, Leiden, Royal Institute of Linguistics and Anthropology, 1983, p. 42.

9. Moorer et Fauriol, *op. cit.,* p. 45.

10. *Ibid.,* p. 46.

11. Thomas-Hope, *op. cit.,* p. 41.

12. J. Allman, «Haitian Migration: 30 years Assessed», *Migration Today*, 1982, p. 8.

13. Moorer and Fauriol, *op. cit.,* p. 45.

14. Williams, *op. cit.,* p. 144.

15. *Ibid.,* p. 145.

16. G.W. Roberts et S.A. Sinclair, «The Socio-Demographic Situation in the English-speaking Caribbean» (ronéo).

17. *Ibid.*

18. On trouvera des informations plus complètes sur la coopération entre la région des Caraïbes et l'Amérique latine dans le document E/CEPAL/SES.20/G.29.

19. *Anuario Estadistico de Cuba 1982*, pp. 313-317.

20. W.A. Lewis, «The Industrialization of the British West Indies», *Caribbean Economic Review*, mai 1950 et «Economic Development with Unlimited Supplies of Labour», *Manchester School*, 1954.

21. G.L. Beckfrod, *Persistent Poverty – Underdevelopment in Plantation Economies of the Third World*, New York, Oxford University Press, 1972, p. 6.

22. *Ibid.,* p. 12.

23. L. Best, «Outline of a Model of Pure Plantation Economy», *Social and Economic Studies*, septembre 1968.

24. Beckford, *op. cit.,* pp. 210-232.

25. Un très petit nombre de pays, tels que les Bahamas et les Antilles néerlandaises, semble avoir échappé à cette influence.

26. Les dépenses courantes du secteur public se sont accrues entre 1973 et 1982 de 435 pour cent à la Jamaïque et de 348 pour cent à Trinité et Tobago. A la Barbade, pays qui ne disposait pas de ressources minérales significatives, cet accroissement était de 348 pour cent. (*Source : CEPALC Economic Activity in Caribbean Countries*, divers numéros).

27. On peut apprécier la charge que représente l'énergie pour la Jamaïque si l'on sait que les importations correspondantes sont passées de 11 pour cent des exportations de marchandises en 1960 à 51 pour cent en 1981. Pour la République dominicaine, ce chiffre était également élevé, atteignant 40 pour cent en 1981. (*Source : Rapport sur le développement de l'économie mondiale*, Banque mondiale). A Cuba, ce pourcentage passait de 11 pour cent en 1970 à 27.5 pour cent en 1981. (*Source : Anuario Estadistico* 1982).

28. CEPALC, *Economic Survey of Latin America 1981*, p. 304.

29. *Anuario Estadistico de Cuba*, 1981, p. 511.

30. *Ibid.*, p. 511.

31. CEPALC, *Economic Survey of Latin America*, diverses années.

32. A Trinité, les exportations de pétrole représentent 92.3 pour cent du total des recettes d'exportation. A Cuba le sucre fournit 79.1 pour cent du total des exportations de marchandises, tandis qu'à la Jamaïque la bauxite et l'aluminium représentent 76.3 pour cent de ces recettes et ainsi de suite. Tous ces chiffres se réfèrent à 1981.

33. Banque mondiale, «Dominican Republic: Economic Prospects and Policies to Renew Growth», Rapport 4735-DO, 31 janvier 1984, p. III.

34. S.S.A. Clarke, «Production of Food for Consumption and Export: The Need to Achieve Optimal Balance», Port of Spain, CEPALC, CDCC/PWG:A/83/1, octobre 1983.

35. Banque mondiale, *Rapport sur le Développement dans le monde 1982*.

Chapitre 5

L'AMÉRIQUE CENTRALE: BASES D'UNE REPRISE DE L'ACTIVITÉ ET DU DÉVELOPPEMENT

(Version légèrement abrégée d'une étude datée du 15 avril 1985 et portant le même titre)

par le
Secrétariat de la CEPALC, Santiago

Caractéristiques du développement de l'Amérique centrale au cours de l'après-guerre

a) *Le dynamisme économique*

La première caractéristique frappante du développement des pays d'Amérique centrale au cours des trois dernières décennies est sans aucun doute son dynamisme soutenu. Dans l'ensemble de cette région, le produit intérieur brut progressait en termes réels de 5.3 pour cent par an entre 1950 et 1978, quoique avec des différences de degré selon les pays (les taux les plus élevés étant enregistrés au Nicaragua et au Costa Rica, le plus bas au Honduras). Par voie de conséquence, le revenu réel par tête doublait presque au cours de cette période. De fait, entre 1970 et 1978, période où l'Amérique centrale devait faire face à des problèmes particulièrement graves – renchérissement des hydro-carbures, déséquilibre du marché financier et monétaire international, pénurie de matières premières et de certaines denrées alimentaires en 1974-75, plusieurs années de sécheresse et trois catastrophes naturelles importantes – son taux de croissance était en moyenne de 5.6 pour cent par an.

D'autres aspects de cette croissance méritent d'être relevés. Tout d'abord, au cours de ces vingt-huit années, les taux de croissance négatifs ont été rares et presque toujours liés à une catastrophe naturelle (deux fois au Honduras et une fois au Nicaragua et au Costa Rica). En second lieu, s'il y avait des fluctuations conjoncturelles fréquentes – presque annuelles – la croissance était néanmoins d'une stabilité remarquable. Les minima conjoncturels étaient de courte durée, la production ne se contractant durant deux années consécutives dans un pays quelconque que de manière exceptionnelle. Enfin, le produit intérieur brut de ces cinq pays suivait une évolution conjoncturelle très analogue, ce qui s'expliquait à la fois par la similitude de leur participation à l'économie internationale et par le haut degré d'interdépendance résultant des accords d'intégration conclus au cours des années 50 et 60 (cf. tableau 1).

b) *L'influence décisive du secteur extérieur*

La croissance régulière de l'Amérique latine était dans une large mesure la conséquence de la longue période de prospérité économique internationale qui suivait la Seconde Guerre

Tableau 1. AMÉRIQUE CENTRALE : TAUX DE CROISSANCE
DU PRODUIT INTÉRIEUR BRUT[a]

(pourcentages)

	Costa Rica	El Salvador	Guatemala	Honduras	Nicaragua
Taux moyens annuels					
1950-1960	6.4	4.8	3.7	2.8	5.4
1960-1970	5.9	5.5	5.2	5.0	6.5
1970-1978	6.3	5.4	6.0	4.7	3.9
1978-1983	−0.4	−4.6	0.8	1.7	−2.0
Taux annuels					
1970	7.2	3.4	5.5	3.5	−0.2
1971	6.8	4.9	5.5	5.8	3.4
1972	8.2	5.4	7.5	4.4	2.8
1973	7.5	4.7	6.6	5.8	5.3
1974	5.4	6.7	6.1	−0.3	13.5
1975	2.2	5.8	2.4	−3.1	1.5
1976	5.5	3.1	7.6	6.5	5.8
1977	8.5	6.1	7.4	9.6	6.1
1978	6.2	6.8	4.9	9.3	−5.9
1979	5.3	−1.2	4.7	6.0	−24.5
1980	0.9	−8.1	3.8	3.3	8.3
1981	−2.3	−7.9	1.1	0.6	5.4
1982	−7.1	−5.2	−3.3	−0.2	−0.6
1983	2.3	−0.1	−2.0	−1.1	5.2
1984[b]	5.0	1.5	0.2	2.8	−1.5

a) Aux prix constant de 1970
b) Chiffres préliminaires
Source: CEPALC, sur la base de statistiques officielles.

mondiale, période où le taux de croissance des pays industrialisés atteignait annuellement 5 pour cent et celui du volume du commerce mondial 9 pour cent. Dans une plus ou moins grande mesure, tous les pays de cette région tiraient parti de cette situation : la valeur de leurs exportations de biens et de services vers le reste du monde était multipliée par 13 entre 1950 et 1978 (elle passait de 250 millions à 3.2 milliards de dollars), tandis que leurs ventes se diversifiaient considérablement, tant dans leur composition que dans leurs destinations géographiques[1]. La progression de leurs exportations traditionnelles créait en outre les conditions d'une prospérité suffisante pour leur permettre de prendre la décision audacieuse de s'engager dans le libre-échange pour presque tous les produits originaires de la région, sur une période ne dépassant pas cinq ans. Il en résultait une industrialisation intensive qui devenait une autre source de dynamisme, sans que la croissance cessât pour autant d'être tributaire de la situation du secteur extérieur traditionnel. Cette prospérité, ainsi que la modernisation intensive de la région, contribuaient également à créer dans certaines couches de la population des normes de consommation imitant celles de sociétés plus avancées, ce qui renforçait la demande d'importations.

Au cours des deux dernières décennies, le secteur extérieur des pays d'Amérique centrale a subi des modifications importantes. L'importance relative du commerce extérieur a augmenté (les taux d'exportation et d'importation pour l'ensemble de la région passant respectivement de 18.6 et 16.3 pour cent en 1950 à 30.4 et 33.6 pour cent en 1978)[2] ; la structure des exportations et des importations se modifiait radicalement, les premières comprenant une part croissante de produits non traditionnels et les secondes une part plus grande de biens intermédiaires et de biens d'équipement ; les échanges entre pays d'Amérique centrale progressaient si rapidement qu'ils en venaient à représenter une part importante et croissante des exportations totales de chacun d'eux et une source de plus en plus considérable de ses importations ; les mouvements de capitaux prenaient une importance de plus en plus grande à mesure que s'élargissait le déficit des transactions courantes et que s'offraient de nouvelles sources publiques et privées de financement international. Le service de la dette extérieure commençait de ce fait à absorber une part croissante des recettes en devises résultant des exportations de biens et de services.

Cependant, durant toute cette période de croissance, de diversification et de transformation des relations extérieures de la région, on voyait persister l'aspect essentiel de ces petits pays, dont l'économie se fondait sur les exportations de produits agricoles : c'était la situation du secteur extérieur qui dans une large mesure déterminait les résultats globaux de l'économie, tandis que les contraintes qui s'ensuivaient limitaient le rythme de l'activité économique interne. Il existait donc une relation directe entre le niveau des exportations, d'une part, et d'autre part les taux d'expansion économique, d'accumulation et d'investissement, le niveau des recettes fiscales, celui de l'emploi et la capacité d'importation.

Durant les phases de basse conjoncture, le financement extérieur faisait office de tampon, empêchant la baisse de valeur des exportations de se traduire automatiquement par une restriction des importations (et donc de la capacité de croissance de l'économie), tout en facilitant le «développement additif» dont il sera question plus loin. Cependant, lorsqu'un affaiblissement de la demande extérieure coïncidait avec une restriction du financement externe – qui l'aurait en partie compensé – les contraintes nées du secteur extérieur freinaient la croissance économique au point de provoquer une contraction réelle de l'activité.

L'influence exercée par les facteurs externes sur le développement des pays d'Amérique centrale ne se limitait pas à la sphère économique. Le désir d'exporter avait aussi, par certaines de ses conséquences, de profondes répercussions sur les structures sociales et l'ordre politique. On sait, par exemple, que l'exploitation d'un ou deux produits d'exportation exerçait une influence décisive sur le type de division du travail qui se mettait en place, du fait du recours intensif à une main-d'œuvre saisonnière pour leur production. Les ressources humaines, non seulement jouaient un rôle vital dans le développement économique de la région, mais définissaient également le caractère dualiste et interdépendant de l'agriculture – d'exportation et de subsistance – qui explique dans une large mesure l'inégalité structurelle de la répartition des revenus.

L'organisation des pays d'Amérique centrale autour d'un ou deux produits d'exportation avait également de profondes répercussions sur les «structures d'autorité». La symbiose des groupes économiques dominants (exportateurs de produits agricoles et négociants) et des pouvoirs publics, la corruption héritée de l'époque coloniale et les méthodes répressives historiquement utilisées pour s'assurer une offre de main-d'œuvre contribuaient au renforcement des régimes politiques autoritaires de la période d'après-guerre, selon des formes qui différaient d'un pays à l'autre (le Costa Rica constituant à cet égard l'exception principale).

Les facteurs externes exerçaient également une influence décisive sur les rapports politiques entre les pays de cette région. La quasi-hégémonie exercée par les Etats-Unis depuis la signature du Traité Clayton-Bulwer de 1850 prenait au cours de l'après-guerre une forme différente, par suite du conflit latent entre les deux superpuissances. Ce n'est pas ici le lieu de s'appesantir sur le rôle de la politique extérieure des Etats-Unis en Amérique centrale (sujet qui a donné lieu à de nombreuses études au cours des dernières années) mais il convient de relever l'influence considérable qu'ils exercent dans cette région. Il ne s'agit pas, bien entendu, d'attribuer à l'une ou à l'autre des superpuissances une véritable omnipotence, ou d'insinuer que ce qui se passe en Amérique centrale serait le résultat de leurs machinations, les rapports entre agents politiques nationaux ayant leur dynamique propre, mais l'on peut néanmoins faire valoir que les Etats-Unis ont démontré leur capacité à fixer des limites aux rapports politiques au sein de la région en jetant leur poids de manière asymétrique derrière ceux des agents nationaux dont la position se rapprochait le plus des postulats de leur propre politique extérieure.

Les orientations de cette politique ne constituent pas toujours un ensemble de postulats cohérent : si certains gouvernements américains se préoccupaient principalement de sécurité (et par-dessus tout de «contenir le communisme»), d'autres se préoccupaient de changements évolutifs et ordonnés, conduisant à une société plus pluraliste et plus équitable. Ainsi, le gouvernement américain a parfois soutenu des hommes politiques nationaux qui préconisaient des changements ordonnés et pacifiques, dans le cadre d'une politique extérieure vis-à-vis de l'Amérique latine que certains auteurs qualifient d'«idéaliste». C'est, par exemple, ce qui se produisait lorsqu'il soutenait les alliances hétéroclites qui renversaient dans l'immédiat après-guerre les dictatures du Guatemala, du Salvador et du Honduras, ou les gouvernements favorables au changement dans le cadre de «l'Alliance pour le progrès» des années 60 ou encore – avec peut-être quelque réticence – cette autre alliance hétéroclite qui prenait le pouvoir au Nicaragua en 1979. En d'autres occasions, le gouvernement américain préférait aider les hommes politiques capables, à son avis, d'assurer un minimum de stabilité face à une menace radicale contre le statu quo. Le meilleur exemple de cette politique plus «réaliste» pourrait être l'aide accordée par le gouvernement des Etats-Unis aux forces qui renversaient en 1954 le gouvernement constitutionnel du Guatemala[3].

c) Le «développement additif»

L'économie et la société des pays d'Amérique centrale sont aujourd'hui très différentes de ce qu'elles étaient il y a trente ans, non seulement sous l'angle quantitatif – le PIB étant passé de 1.95 milliard de dollars à 7.52 (aux prix de 1970) entre 1950 et 1980, la population de huit millions à plus de 20 – mais aussi qualitatif. La société est désormais beaucoup plus segmentée et pluraliste. Un fait majeur à cet égard est l'émergence de classes moyennes, résultant en partie d'une urbanisation graduelle (43 pour cent de la population vivaient dans les zones urbaines en 1980 contre 16 pour cent seulement en 1950). Les activités secondaires ont vu croître leur importance (passée de 14.6 à 24.1 pour cent du total) et, de manière générale, le système de production s'est modernisé et diversifié. Les diverses régions sont désormais beaucoup plus intégrées, grâce aux importants investissements consacrés aux transports et aux communications tandis que progressaient également les services d'enseignement et de santé. Fondamentalement, on peut attribuer ces changements aux «retombées» du type de développement mis en œuvre. Les mutations intervenues au cours des trente ans qui suivaient la guerre s'ajoutaient à des changements antérieurs, dans le cadre d'une modernisation qui néanmoins ne menaçait pas les fondements de la structure économique préexistante.

Ceci n'est qu'une autre façon de décrire une mutation de type évolutif et pacifique : tant que ne sont pas éliminées les structures préexistantes, tout développement doit, par définition, être «additif», mais il ne s'ensuit pas qu'il soit négligeable.

Ce que l'on désire souligner, toutefois, c'est que ces mutations se sont presque toujours heurtées à une limite dès qu'elles constituaient une menace sérieuse pour des intérêts existants, surtout lorsque ceux des groupes dominants s'identifiaient – cas fréquent, quoique non exclusif – avec ceux de la principale puissance qui intervenaient, comme on le signalait ci-avant, dans l'arène politique centre-américaine. Ainsi, la réforme, ou le changement pacifique et ordonné, étaient confinés dans la plupart des pays en cause dans des limites très étroites. En d'autres termes, si le progrès économique entrainait de grandes mutations sociales, l'ascension de nombre de groupes dans l'échelle des revenus et la formation de classes moyennes, la poursuite des axes historiques du développement ne se traduisait que par des progrès lents et hésitants des institutions politiques.

Cette caractéristique essentielle du «développement additif» poussait souvent les pouvoirs publics à rechercher des substituts aux changements qui comportaient peut-être le risque de dépasser ces limites. C'est ainsi qu'ils recouraient en partie au financement extérieur pour retarder ou remplacer un élargissement de l'assiette des impôts. Ils distribuaient des terres domaniales dans le cadre de programmes dits de «colonisation» au lieu de réformer les structures agraires. Ils se tournaient vers l'épargne extérieure pour remplacer (plutôt que pour compléter) des mécanismes d'appel à l'épargne nationale insuffisants sur le plan intérieur.

Qui plus est, la pression fiscale en était venue à constituer un indicateur intéressant des limites auxquelles se heurtait en Amérique centrale le «développement additif». Si dans tous les pays la fiscalité a connu d'importantes modifications – reflétant celles qui intervenaient dans la structure de la production – on relève avec intérêt qu'en pourcentage du produit intérieur brut les recettes fiscales sont restées constantes dans certains pays et n'ont augmenté que très lentement dans les autres (cf. tableau 2). Ce pourcentage est extrêmement faible par rapport à d'autres pays de structure économique et sociale analogue, ce que l'on ne saurait considérer comme une coïncidence. Dans tous les pays en cause, les organisations professionnelles ont obstinément (quoique à des degrés divers) résisté à tout alourdissement de la fiscalité, particulièrement celle qui frappait la production et les revenus. Les contraintes financières résultant de cette limitation des recettes fiscales ont gravement bridé la capacité du secteur public à jouer un rôle plus actif dans le développement, tandis que la modeste augmentation de la part des dépenses publiques dans le produit intérieur (cf. tableau 3) était de plus en plus financée par l'emprunt, essentiellement extérieur.

La part limitée du secteur public dans le produit intérieur brut, telle que la mesurent les recettes fiscales et la dépense des administrations centrales, correspond également à l'attitude, favorable au laissez-faire, des groupes dominants de la société centre-américaine. Au cours des années 50 et 60, le secteur privé prenait progressivement en charge des services publics tels que la production et la distribution d'électricité, les communications téléphoniques, les transports ferroviaires et l'administration portuaire, tandis que l'Etat renforçait son action par la création de banques publiques de développement et d'organismes qui réglementaient le prix des produits de base. Dans tous ces pays, toutefois, le secteur public s'abstenait scrupuleusement de prendre part à des activités intéressant l'entreprise privée, la principale exception à cette règle concernant peut-être les intermédiaires financiers au Costa Rica.

Un autre exemple de la persistance de structures anciennes dans le processus de mutation ici décrit est la faiblesse des liaisons amont ou aval des activités traditionnelles d'exportation de produits agricoles, les secteurs qui en sont tributaires n'ayant pas tenté de se diversifier de manière systématique en investissant dans des activités plus complexes. Les nouvelles activités qui ont fait leur apparition dans ce domaine (coton, sucre et viande) n'ont fait que répéter les structures traditionnelles, du fait qu'elles n'avaient guère de liens avec d'autres activités productives. Les producteurs traditionnels ne se sont donc guère diversifiés et l'Etat n'a guère eu de part aux profits qu'ils réalisaient. C'est ainsi que se sont maintenues les structures économiques et sociales traditionnelles, sur lesquelles les mutations se sont superposées sans leur apporter de modification essentielle. En d'autres termes, ces mutations

Tableau 2.   AMÉRIQUE CENTRALE : TAUX D'IMPOSITION

	1955	1960	1965	1970	1975	1980	1981	1982	1983	1984[a]
Amérique Centrale	9.5	9.3	9.4	9.7	11.3	11.4	10.9	9.2	11.5	12.7
Costa Rica	10.1	10.0	11.8	12.1	12.7	11.4	11.8	12.9	15.7	17.0
El Salvador	10.8	10.9	9.9	10.3	12.0	11.1	11.3	10.7	11.1	11.7
Guatemala	8.5	7.8	7.6	7.8	9.5	8.6	7.5	7.2	6.3	5.3
Honduras	7.3	10.1	9.7	11.2	12.1	14.0	13.2	12.8	12.0	13.8
Nicaragua	10.8	9.4	10.2	9.4	10.6	18.4	18.5	20.7	25.0	31.5

a) Chiffres préliminaires
Source: CEPALC, sur la base de statistiques officielles.

Tableau 3.   AMÉRIQUE CENTRALE : PART DE LA DÉPENSE TOTALE
DES ADMINISTRATIONS CENTRALES

	1955	1960	1965	1970	1975	1980	1981	1982	1983	1984[a]
Amérique Centrale	10.6	11.2	11.3	11.6	15.8	19.3	20.2	20.4	23.3	22.7
Costa Rica	11.2	13.3	13.8	13.7	17.9	20.0	16.9	16.8	21.9	21.8
El Salvador	10.9	12.2	10.9	10.3	13.4	17.2	19.8	20.5	28.0	22.1
Guatemala	9.5	9.3	10.6	9.9	12.5	15.2	16.9	14.4	12.1	11.2
Honduras	10.0	12.2	10.8	14.7	21.0	24.9	24.1	28.1	26.2	29.7
Nicaragua	12.4	11.1	11.2	11.8	19.4	29.5	32.4	37.4	56.4	55.1

a) Chiffres préliminaires
Source: CEPALC, sur la base de statistiques officielles.

se sont situées dans des limites relativement étroites (quoique variables d'un pays à l'autre). Ainsi, en dépit de l'expansion et des mutations considérables que l'Amérique centrale a connues au cours des trente années qui suivaient la guerre, le changement s'est paradoxalement révélé insuffisant pour satisfaire les exigences croissantes de larges couches de la population. Qui plus est, l'instinct de conservation de systèmes sociaux vulnérables s'est traduit dans la plupart de ces pays par le maintien des structures économiques existantes (capables de tirer parti de la prospérité économique internationale) soutenues par des institutions politiques de type exclusif, en ce qui concerne tout au moins la répartition du pouvoir et des avantages du développement économique. La mobilisation sociale et l'ascension progressive qui accompagnaient la prospérité d'après-guerre ne pouvaient compenser l'arriération de certaines structures politiques.

d)   *La nature exclusive du développement*

Malgré leur dynamisme économique, les pays de cette région étaient incapables, durant les trente années qui suivaient la guerre, d'améliorer de manière significative la répartition des revenus ou de réduire le nombre de leurs habitants qui vivaient dans une situation d'extrême pauvreté. Selon des enquêtes effectuées auprès des ménages au cours des dernières années, généralement aux environs de 1980, les 20 pour cent les plus pauvres de la population recevaient moins de 4 pour cent du revenu national tandis qu'à l'extrême opposé, les 20 pour cent les plus riches s'en attribuaient plus de 55 pour cent. Il y avait des différences considérables d'un pays à l'autre, la situation la moins typique étant là encore celle du Costa Rica (cf. tableau 4). Dans les pays où les enquêtes étaient effectuées à différentes dates, les

Tableau 4. RÉPARTITION DES REVENUS ET NIVEAU DU REVENU PAR HABITANT AUX ENVIRONS DE 1980

Couches sociales	Costa Rica		El Salvador		Guatemala		Honduras		Nicaragua	
	Pourcentage du revenu total	Revenu moyen de dollars de 1970	Pourcentage du revenu total	Revenu moyen de dollars de 1970	Pourcentage du revenu total 1970	Revenu moyen de dollars de 1970	Pourcentage du revenu total	Revenu moyen de dollars de 1970	Pourcentage du revenu total	Revenu moyen en dollars de 1970
20 % les plus pauvres	4.0	176.7	2.0	46.5	5.3	111.0	4.3	80.7	3.0	61.9
30 % en-dessous de la moyenne	17.0	500.8	10.0	155.1	14.5	202.7	12.7	140.0	13.0	178.2
30 % au-dessus de la moyenne	30.0	883.0	22.0	341.2	26.1	364.3	23.7	254.6	26.0	350.2
20 % les plus riches	49.0	1 165.2	66.0	1 535.5	54.1	1 133.6	59.3	796.3	58.0	1 199.8

Source: CEPALC, sur la base de statistiques officielles fournies par les pays.

résultats – en dépit du recours à des méthodologies qui n'étaient pas toujours comparables – indiquent que l'écart entre les deux extrêmes s'est élargi, encore que la part des couches intermédiaires ait pu augmenter. Au Guatemala et au Costa Rica, les 20 pour cent les plus pauvres de la population voyaient même baisser leur revenu réel par habitant. On a des raisons de croire que la répartition s'est encore dégradée entre 1980 et 1984, par suite de l'augmentation du chômage et du retard considérable des salaires réels sur l'inflation.

Sur un total de plus de 20 millions d'habitants, l'Amérique centrale en comptait en 1980 quelque 13.2 millions (54 pour cent) qui souffraient de la pauvreté – en ce sens que leur revenu ne couvrait pas leurs besoins essentiels – tandis que plus de 8.5 millions (41 pour cent) ne disposaient même pas d'un revenu suffisant pour couvrir la valeur du panier minimum de produits alimentaires considéré comme nécessaire sous l'angle biologique et nutritionnel. La situation était beaucoup plus grave dans les zones rurales que dans les zones urbaines, et il existait d'importantes différences selon les pays (tandis qu'au Costa Rica moins de 25 pour cent de la population vivaient dans la misère, cette proportion était de plus de 70 pour cent au Guatemala). Qui plus est, s'il est très probable que le pourcentage de la population centre-américaine qui vit dans la misère est aujourd'hui plus faible qu'il y a trente ans, il n'en reste pas moins vrai qu'en termes absolus, du fait de la progression démographique, il y a aujourd'hui plus de «pauvres» – et aussi plus de gens qui ne le sont pas – qu'au cours de l'après-guerre immédiat.

En résumé, le type de développement qui caractérise cette région a exercé un effet de concentration ou tout au moins d'exclusion, en avantageant les diverses couches de la population de manière nettement inégale et en renforçant dans certains pays la concentration du revenu. Malgré trente ans d'expansion économique rapide et soutenue, plus de la moitié des habitants de l'Amérique centrale – et les trois quarts de ceux qui vivent dans les zones rurales – n'ont pas un revenu suffisant pour couvrir leurs besoins élémentaires de nourriture, de logement, d'habillement et de services de base.

Le caractère exclusif du développement ne se limite pas aux domaines social et économique. Si l'on pouvait parler d'une caractéristique essentielle des rapports politiques dans la plupart des pays d'Amérique centrale, ce serait l'absence d'une large participation populaire, qui entraîne pratiquement l'exclusion de la vie politique de la majeure partie de la population, notamment paysanne. Ni l'industrialisation ni l'urbanisation qui sont intervenues depuis la guerre n'ont pu modifier de manière appréciable le caractère encore essentiellement agricole de la société. Dans les zones rurales, la majorité de la population, à quelques exceptions près, reste composée d'observateurs passifs plutôt que d'acteurs organisés du système politique. Cette exclusion est également un déterminant des caractéristiques et de la portée des divers projets de modernisation entrepris dans cette région.

Ainsi, à quelques exceptions près, ce manque de participation réelle implique que les nouvelles classes sociales n'ont pas été en mesure de s'opposer aux groupes traditionnellement puissants dans la conduite des affaires publiques et que les tensions se sont parfois aggravées par suite du contraste entre une évolution sociale rapide et la lenteur du développement des institutions politiques. En d'autres termes, l'écart entre la transformation et le renforcement de la pratique et des institutions politiques d'une société plus complexe a contribué à entretenir l'instabilité sous-jacente de l'Amérique centrale.

En résumé, à l'exception du Costa Rica, les rapports politiques sont généralement en Amérique centrale de type élitiste, laissant les couches les plus importantes de la population à l'écart du projet de modernisation de la société. Pour qu'il en soit autrement, il aurait peut-être fallu éliminer, au moins graduellement, les éléments d'autoritarisme évoqués ci-avant et procéder à la mise en œuvre de réformes trop longtemps retardées pour satisfaire les aspirations de groupes jusqu'ici pratiquement exclus des avantages du développement.

Les événements récents et la crise économique actuelle

a) *La rupture avec les tendances historiques*

Au cours des deux années 1977-78, l'évolution brièvement décrite au chapitre précédent atteignait un tournant, en ce qui concerne tout au moins la croissance économique soutenue. Ces deux années étaient suivies d'un ralentissement progressif, qui finissait par se traduire par une croissance négative dans la plupart des pays en 1981 et 1983 et dans tous en 1982 (cf. tableau 1). Par sa durée, son intensité et ses caractéristiques particulières, cette situation est sans précédent au cours de l'après-guerre. Qu'il suffise de dire qu'après trente ans de progression régulière du revenu par habitant (avec des interruptions sporadiques), ces pays ont connu une chute générale au cours des cinq dernières années. Si en 1984 le recul s'est arrêté (sauf au Nicaragua) on est fort loin d'une reprise, tout au moins dans la plupart des pays. Ainsi, à fin 1984, le revenu réel par habitant était à peine égal à son niveau de 1972 au Costa Rica et au Guatemala, à son niveau de 1970 au Honduras ; au Salvador et au Nicaragua, la situation était encore plus dramatique, le revenu se situant, respectivement, à son niveau de 1960 et de 1965. La dégradation générale du bien-être matériel ne se traduit pas seulement par ces chiffres, mais aussi par des indicateurs moins palpables, tels que le niveau de la coexistence sociale, de la sécurité des personnes et de la qualité de la vie de la population.

Le processus d'intégration économique, qui avait permis au cours des périodes précédentes de compenser les fluctuations récessionnistes de l'économie internationale, joue désormais dans l'autre sens et constitue, peut-on dire, un facteur qui aggrave la crise. La profondeur de celle-ci, conjuguée avec la situation politique et l'absence de stratégie régionale, a fait de l'interdépendance économique de ces cinq pays un mécanisme qui désormais transmet des facteurs de récession économique.

Si cette dégradation accentuée de l'évolution économique coïncide avec une période de bouleversements politiques croissants, on pourrait lier ce phénomène à certaines des caractéristiques évoquées ci-avant de la société centre-américaine. L'une des nombreuses manifestations de cet état de choses a conduit certains groupes à mettre en question l'ordre social existant, en recourant à la violence contre le statu quo, ce qui a provoqué des ripostes violentes qui ont contribué à une polarisation rapide des positions dans certains pays, notamment le Salvador et le Nicaragua. Il existe entre les facteurs politiques et économiques locaux des rapports multiples et complexes qui peuvent se renforcer mutuellement, ainsi que des interférences entre les uns et les autres et les influences extérieures. On examinera brièvement ces phénomènes dans ce qui suit.

b) *L'impact des phénomènes exogènes*

Ce n'est pas par accident que la crise économique a frappé tous ces pays, qu'ils connaissent la paix sociale ou le bouleversement et quels que soient les objectifs de leur politique économique ou la nature des relations entre leurs secteurs public et privé. Tous ont été gravement atteints par des facteurs externes, chose en réalité inévitable, parce que le dénominateur commun en était la profonde récession internationale, aggravée par les répercussions économiques de la crise politique (découragement des investissements privés, fuite des capitaux, difficultés d'accès au financement extérieur). Ces deux facteurs se sont conjugués et renforcés mutuellement, au point de provoquer un effondrement économique sans précédent en Amérique centrale depuis les années 30.

En ce qui concerne les effets du désordre qui règne dans l'économie internationale, on se rappelle que les difficultés que connaissent les pays industrialisés (faible taux de croissance, inflation rapide, baisse de l'épargne, retard dans l'application des innovations techniques) étaient aggravées en 1979 par une nouvelle hausse du prix du pétrole. Plus importante encore était la tentative de certains de ces pays de modifier leur politique économique en mettant l'accent sur la lutte contre l'inflation (qui a été couronnée de certains résultats positifs), par des moyens comprenant une politique monétaire restrictive, qui entraînait une hausse des taux d'intérêt et contribuait à ralentir la progression de l'activité économique et des échanges mondiaux. Pour l'Amérique centrale, cette situation se traduisait par une baisse de la demande portant sur ses exportations traditionnelles. Vu la persistance de l'inflation au plan international (quoique sur un rythme ralenti depuis 1982), cette baisse de la demande provoquait une dégradation prononcée des termes de l'échange. Sous l'angle financier, l'Amérique centrale subissait les répercussions défavorables de la hausse des taux d'intérêt applicables à son importante dette extérieure et plus récemment des difficultés d'accès à de nouveaux financements extérieurs.

Entre 1978 et 1983, les termes de l'échange des marchandises évoluaient à la baisse dans tous les pays, la très modeste reprise enregistrée en 1984 (3.8 pour cent) ne contribuant guère à inverser la chute des six années précédentes. Si les exportations avaient conservé leur pouvoir d'achat de 1977, leur valeur totale aurait été en 1984 supérieure de 40 pour cent à son niveau effectif, ce qui aurait accru de 2 pour cent le produit intérieur brut de l'année.

Le déficit commercial des cinq pays en cause passait de 432 millions de dollars en 1977 (soit 2 pour cent de leur PIB) à près de 1.6 milliard en 1981 (8.7 pour cent du PIB), pour se stabiliser ensuite aux environs de 1 milliard par an entre 1982 et 1984 (5.4 pour cent du PIB au cours de cette dernière année, quoique avec des écarts importants d'un pays à l'autre) (cf. tableau 5). En outre, le service de la dette s'alourdissait, du fait non seulement d'un endettement accru, mais aussi de la hausse vertigineuse des taux d'intérêt. C'est ainsi que les paiements extérieurs de revenus de facteurs passaient de 280 millions de dollars en 1977 à 980 en 1984 pour l'ensemble de la région, ce qui explique l'aggravation du déficit de la balance courante, passé de 573 millions de dollars à plus de 1.8 milliard (soit respectivement 3.8 et 9.3 pour cent du PIB).

En 1979 et 1980, l'Amérique centrale disposait d'amples sources de financement international, public et surtout privé, phénomène s'expliquant dans une large mesure par le soutien accordé au plan international à la reconstruction du Nicaragua ; ces fonds se substituaient en partie à l'épargne intérieure, en voie de disparition rapide du fait du déficit du secteur public et de la fuite des capitaux privés. En 1977, 12.6 pour cent seulement de l'épargne totale étaient de source extérieure ; en 1981, ce chiffre était passé à 38.8 pour cent, et restait supérieur à 35 pour cent en 1984. Au cours de cette même période, la dette publique extérieure de la région s'élevait de 2.4 milliards de dollars à un peu moins de 15 milliards.

Tableau 5. DÉFICIT COMMERCIAL EN POURCENTAGE DU PIB

	1975	1976	1977	1978	1979	1980	1981	1982	1983	1984[a]
Total	6.0	3.5	2.8	5.4	3.5	6.4	6.8	5.1	4.8	5.3
Costa Rica	8.7	6.1	5.3	7.6	10.5	10.1	4.8	3.0	0.5	2.1
El Salvador	4.4	0.5	1.0	7.6	0.1	1.5	7.3	6.9	4.6	6.1
Guatemala	2.4	5.2	1.8	5.8	4.6	2.9	7.2	4.3	1.8	1.9
Honduras	9.7	4.7	4.8	4.9	4.6	7.4	7.0	2.2	4.5	5.5
Nicaragua	9.5	1.0	5.5	2.9	7.7	17.1	18.2	18.7	23.0	20.0

a) Chiffres préliminaires
Source: CEPALC, sur la base de statistiques officielles.

Conjugué avec les difficultés d'accès à des ressources nouvelles (les banques commerciales considérant la région comme un mauvais risque financier et politique, tandis que les fonds provenant de la plupart des sources publiques tendaient à se raréfier sous l'effet de la politique d'austérité suivie par les pays donateurs) ce dernier phénomène ne permettait guère, à partir de 1981, de mobiliser de nouveaux financements extérieurs. A partir de 1982, l'épargne extérieure, loin de compenser la baisse de l'épargne intérieure, contribuait à l'aggraver.

Pour la plupart des pays, la balance des paiements fait apparaître depuis 1981 un accroissement des entrées nettes de capitaux, surtout en 1983, où elles atteignaient près de 2 milliards de dollars. Cependant, pour près de la moitié, ces recettes ne représentent pas un apport de devises, mais résultent de la renégociation de paiements venus à échéance au titre de la dette extérieure en cours, notamment au Costa Rica et au Nicaragua[4].

Les pays qui ont eu accès à des financements publics plus importants, particulièrement ceux de nature bilatérale (Costa Rica, Salvador et, dans une moindre mesure, Honduras) ont dû accepter des conditions de plus en plus rigoureuses, portant essentiellement sur leur politique économique, mais parfois aussi sur d'autres aspects de leur vie publique. On observera à cet égard qu'en 1984 le Fonds Monétaire International, qui accorde son soutien au programme d'ajustement de trois de ces pays, interrompait ses versements à deux d'entre eux (le Guatemala et le Honduras) du fait qu'ils n'avaient pas atteint les objectifs quantitatifs fixés, tandis que pour le troisième (le Costa Rica) on n'était pas parvenu, à la date de rédaction du présent rapport, à un accord définitif de renouvellement du programme venu à expiration en décembre 1984.

Enfin, un autre phénomène d'une importance singulière, qui s'est aggravé durant la période sous revue, était la fuite massive et persistante de capitaux en provenance de toute cette région. Entre 1979 et 1984, elle représentait entre 2 et 2.5 milliards de dollars, environ, pour les cinq pays en cause, ce qui naturellement aggravait leur situation extérieure et exerçait une influence décisive sur la chute de leur activité économique. Paradoxalement, ce qui la rendait possible, c'était l'épuisement des réserves de devises de ces pays au début de la récession et le niveau élevé de leur endettement extérieur.

En outre, les facteurs exogènes n'influençaient pas seulement les résultats de l'économie, mais la situation politique de la région qui, comme on le verra plus loin, subissait à la fin des années 70 d'importantes modifications, notamment au Nicaragua. Au moment même où prenait fin la longue période d'expansion économique de l'après-guerre, les structures sociales et politiques allaient elles aussi connaître une mutation. Ces facteurs donnaient naissance à une alliance composée de groupes disparates, qui s'opposaient au régime en place au Nicaragua. Ce n'est pas un hasard, toutefois, si les changements qui intervenaient dans ce pays – tout comme ceux qui s'étaient produits dans les années 40 au Guatemala, au Salvador et au Honduras – coïncidaient avec l'adoption par les Etats-Unis d'une politique de soutien à une mutation ordonnée, fondée sur des principes qui leur étaient chers. C'est ainsi que, durant un bref interlude, les limites géopolitiques évoquées plus haut s'élargissaient et qu'il devenait possible, dans un des pays en cause, de s'opposer au modèle traditionnel de développement.

c) *L'opposition au modèle de « développement additif »*

Le programme adopté au Nicaragua par le gouvernement de reconstruction nationale diffère, en effet, des normes traditionnelles bien connues. Dans un autre cadre, les événements du Salvador s'écartent, eux aussi, du modèle du «développement additif» en donnant naissance à des changements qui, d'une manière ou d'une autre, modifient les structures existantes. On pourrait même dire que sous le double coup de la crise économique et de l'opposition au statu quo, les structures existantes ne peuvent guère survivre dans certains pays sans ajustements majeurs. Ce disant, on ne préjuge en rien la nature de l'organisation sociale qui pourrait remplacer la précédente, pas plus que son affiliation idéologique. On dit seulement que le modèle qui a marqué l'après-guerre durant plus de trente ans est peut-être à bout de course.

Certains des phénomènes économiques qui sont l'objet et le sujet de la crise illustrent clairement ce qui précède. On pourrait en prendre pour exemple l'accumulation du capital. Les investissements sont en chute libre depuis 1978, phénomène qui est à la fois cause et conséquence du ralentissement de l'activité économique, de la baisse de l'épargne intérieure, de la fuite des capitaux et de la réaction du secteur privé aux tensions politiques et sociales qui affectent la région. Dans les cinq pays en cause, l'épargne intérieure tombait entre 1977 et 1984 de 19.2 à 9.7 pour cent du produit intérieur brut, évolution grave pour des pays qui s'efforcent de se développer. Les investissements privés étaient particulièrement atteints, baissant dans tous les pays (pour l'ensemble de la région, le taux d'investissement privé tombait de 13.4 pour cent en 1977 à moins de 8 pour cent en 1984), tandis que dans ceux où se produisaient des troubles la part de la formation privée de capital chutait de plus de 50 pour cent au cours des sept dernières années. Le secteur public s'efforçait de contrecarrer cette baisse, aggravant un autre déséquilibre déjà ancien en Amérique centrale : le déficit des finances publiques. Mais le taux d'investissement global diminuait dans tous les pays, créant des goulets d'étranglement dans les domaines où la dépense publique ne pouvait prendre le relais des investissements privés.

Par suite des efforts des pouvoirs publics pour contrecarrer la baisse de l'activité économique, à un moment où les recettes fiscales tendaient à diminuer, la part de la dépense publique dans le PIB de la région s'élevait de 17.7 pour cent en 1977 à 21.3 pour cent en 1981, alors que celle des impôts tombait de 12.9 à 11.6 pour cent. L'écart entre les dépenses et les recettes faisait monter le déficit budgétaire total des cinq pays de 460 millions de pesos en 1977 (3 pour cent du PIB) à près de 1.6 milliard en 1984 (8 pour cent du PIB). Le financement extérieur étant insuffisant pour couvrir ce déficit, on avait recours au financement interne, mais cet expédient augmentait indirectement le déficit de la balance des paiements (du fait des importations entrant dans la dépense) et absorbait dans certains cas la majeure partie de l'expansion du crédit intérieur, privant de ressources le secteur privé. Entraient ainsi en jeu des mécanismes qui tendaient à perturber, ou perturbaient effectivement, la stabilité des prix et des taux de change que connaissaient traditionnellement les pays de cette région, autre manifestation de l'appauvrissement progressif des structures existantes.

d) *Conséquences pour la coopération entre pays d'Amérique centrale*

Les contraintes émanant du secteur extérieur et se traduisant par la pénurie de devises, se sont aggravées au point que depuis 1981 les pays qui encourent un déficit au titre des échanges intra-régionaux éprouvent des difficultés à le régler. Au départ, les banques centrales des pays excédentaires leur accordaient des crédits bilatéraux ; par la suite, on créait un mécanisme régional (le Fonds du Marché commun d'Amérique centrale) pour résoudre le même problème sur une base multilatérale. Une fois ces possibilités épuisées, toutefois, et en l'absence d'une aide suffisante de la communauté financière internationale, la pénurie de devises commençait à limiter les échanges intra-régionaux.

Certains pays répondaient à cette contrainte en prenant des mesures – modifications de parité, taux multiples ou contrôle des changes – qui influençaient les termes de l'échange entre pays d'Amérique centrale et, dans certains cas, restreignaient le volume des transactions commerciales effectuées. Par voie de conséquence, les échanges intra-régionaux cessaient de jouer leur rôle traditionnel de facteur compensant les creux conjoncturels du commerce extra-régional et tombaient victimes, à leur tour, de la crise du secteur extérieur. Leur valeur subissait donc une baisse régulière – tombant de 1.13 milliard de pesos en 1980 à 742 millions en 1984 – tandis que leur part dans les exportations totales des cinq pays chutait de 23.1 à 18.5 pour cent entre ses deux dates.

Une des nombreuses répercussions de cette situation était un ralentissement de l'industrialisation, la part de l'industrie tombait de 17.1 pour cent en 1978 à 16 pour cent en 1984. En d'autres termes, si l'industrie progressait plus vite que l'ensemble de l'économie durant la période de prospérité, elle se montrait moins dynamique qu'elle durant la récession.

En outre, si les gouvernements d'Amérique centrale ont historiquement réussi à séparer le domaine de la coopération économique de celui des rapports politiques, et s'ils continuent de le faire, le nombre croissant d'idéologies différentes crée désormais le risque de voir les différends politiques déborder sur la coopération économique au moment précis où elle est le plus nécessaire pour atténuer les contrecoups du commerce extérieur. Qui plus est, le risque d'internationalisation des conflits intra-régionaux pourrait conduire à une fragmentation plus grande de l'isthme centre-américain, qui serait une répétition d'épisodes historiques pénibles.

Perspectives à court terme

Au début de 1985, l'avenir des pays d'Amérique centrale était plein d'incertitude. La vive reprise que l'économie des Etats-Unis connaissait depuis deux ans n'avait pas encore relancé l'économie des autres pays industrialisés et à plus forte raison celle de la plupart des pays en développement, notamment des petits pays exportateurs de produits agricoles, comme ceux d'Amérique centrale. On se demandait en outre si cette reprise allait se montrer durable.

Les phénomènes évoqués plus haut exerçaient bien entendu une puissante influence sur les résultats et les caractéristiques du commerce extérieur des pays d'Amérique centrale. En 1983 et 1984, comme on le relevait au chapitre précédent, les termes de l'échange de cette région ne connaissaient pas d'amélioration significative, en dépit de la reprise intervenue aux Etats-Unis. On s'écartait ainsi de l'expérience passée, les prix des produits de base ayant habituellement monté durant les phases de reprise conjoncturelle de l'économie internationale.

L'incertitude qui affecte le commerce extérieur de la région se reflète dans le domaine financier. Il semble que pour l'avenir prévisible le compte des opérations en capital de la balance des paiements de l'Amérique centrale soit destiné à présenter des caractéristiques très différentes de celles des décennies écoulées. Tout d'abord, il semble peu probable que l'on puisse à nouveau mobiliser le même volume de financements extérieurs nets qu'au cours des années 70[5].

En second lieu, même si les pays en cause réussissaient à obtenir un plus grand montant de financements extérieurs publics, ces ressources leur seraient sans doute accordées à des conditions plus strictes, qui affecteraient leur politique économique et autre. Il en résulterait en matière de politique économique un arbitrage beaucoup plus net que par le passé, consistant à mettre en balance le coût éventuel – de type très différent, bien entendu – que comporterait éventuellement l'accès à ce financement, obtenu à des conditions qui impliqueraient le maintien, voire l'accroissement, de la vulnérabilité de l'économie de ces pays.

Enfin, la plupart des pays en cause doivent également faire face au problème inhabituel que leur pose la restructuration de leur endettement extérieur. Les conditions où devra être assuré le service de cette dette sont un des facteurs qui détermineront la capacité d'importation et de croissance des pays d'Amérique centrale.

Aux éléments d'incertitude que comporte l'économie internationale viennent s'ajouter ceux qui sont d'origine interne, dont le plus important est peut-être représenté par les conflits politiques et sociaux qui se déroulent dans la région. Il serait utopique d'envisager une reprise économique sur la base d'un redressement de l'épargne intérieure et des investissements, tant que ne disparaît pas le climat actuel d'instabilité politique, ce qui de son côté exigerait une modification des rapports politiques dans la plupart des pays d'Amérique centrale.

Ainsi, tant que subsiste une polarisation idéologique se traduisant par des violences et tant que les diverses couches de la population ne sont pas intégrées à la vie politique avec un meilleur niveau de participation, il est peu probable que l'on puisse rétablir l'harmonie sociale qui, aujourd'hui plus que jamais, est la condition préalable de la réalisation des objectifs liés au bien-être matériel. A défaut, on verra persister la fuite des capitaux privés et l'érosion du stock existant, qui compromettent le maintien des mécanismes internes de formation de l'épargne et des investissements.

Dans ces conditions, il serait peu réaliste d'envisager un processus paisible de concertation pouvant servir de base à une politique de reprise économique. De fait, l'ambiance actuelle de polarisation idéologique et théorique, ainsi que le recours fréquent, dans certains pays, à la violence comme mode de solution des conflits et l'intensité accrue de la lutte portant sur la répartition des avantages de plus en plus maigres offerts par l'économie rendent très difficile la réalisation d'un consensus même minimal au sujet d'un projet quelconque de développement.

NOTES ET RÉFÉRENCES

1. Dans l'ensemble de la région, le principal produit d'exportation de chaque pays représentait en 1950 70 pour cent de l'ensemble des recettes que rapportaient les exportations de marchandises. Vers le milieu des années 70, ce taux avait presque baissé de la moitié (tombant à 36.1 pour cent) grâce à la diversification des exportations, mais en 1978 il était remonté à 45 pour cent du fait de la hausse des prix du café, qui ont des incidences importantes sur la valeur totale des exportations. En outre, en 1950, 80 pour cent des échanges extérieurs de l'Amérique centrale s'effectuaient avec un seul pays (les Etats-Unis), dont la part se réduisait toutefois à 35 pour cent en 1978.

2. En éliminant de ces chiffres les affaires de compensation, le taux d'exportation de la région évoluait de la façon suivante : 18.5 en 1950, 16.7 en 1960 et 23.5 pour cent en 1978 ; au cours des mêmes années, le taux des importations extra-régionales était respectivement de 16.2, 19.8 et 27.3 pour cent.

3. Il faut admettre que le passage du «réalisme» à l'«idéalisme» dans la politique extérieure des Etats-Unis constitue une schématisation excessive, qui néanmoins s'appuie sur des analyses approfondies. Voir, par exemple, la description des cycles de «quiétisme» et «d'activisme» donnée par Dexter Perkins in *The American Approach to Foreign Policy,* Cambridge, Mass., Harvard University Press, édition révisée, 1962, Chapitre VII, pp. 136-155. Dans d'autres cas, elle s'appuie sur ce que Stanley Hoffmann appelle le «dualisme» de la politique extérieure américaine, qui se manifeste notamment par le recours à deux langages différents, dont aucun n'est entièrement convaincant et qui sont difficiles à concilier, le premier étant celui de la puissance et le second celui de la communauté et de l'harmonie. Comme le dit Hoffmann, dans un style encore plus pittoresque,

seul un aigle symbolique serait en mesure de tenir simultanément des flèches et un rameau d'olivier (cf. *Gulliver's Troubles or the Setting of American Foreign Policy*, New York, McGraw-Hill Book Company, ouvrage publié pour le Council on Foreign Relations, 1968, pp. 177-178). Enfin, l'idée d'une alternance du «réalisme» et de l'«idéalisme» en politique extérieure s'appuie également sur la récente description donnée du système politique américain par Samuel P. Huntington, qui en voit un aspect essentiel dans l'écart entre les idéaux politiques et la réalité. Si Huntington admet que cet écart existe dans toutes les sociétés, il affirme que les Etats-Unis se distinguent par leur manière de l'aborder, celle-ci prenant la forme de quatre réponses différentes qui, toutefois, s'insèrent toutes dans une «évolution cyclique». Partant du «moralisme» qui s'efforce d'éliminer cet écart, ils tombent dans le «cynisme» qui le tolère, puis évoluent vers la «suffisance» qui cherche à l'ignorer et finissent par l'«hypocrisie» qui en nie jusqu'à l'existence, ce qui les ramène au point de départ vers le «moralisme». Cf. *American Politics: The Promise of Disharmony*, Cambridge, Mass., Belknap, Harvard University Press, 1981, pp. 3, 42, 64 et 68.

4. Voir, CEPALC *Centroamérica : El Financiamento externo en la evolucion economica, 1950-1983 (LC/MEX/L.2)*, 4 mars 1985.

5. Ce phénomène s'aggrave du fait que, par le recours à une gamme de dispositifs qui varie selon les pays (bons de stabilisation, fonds de garantie, nantissement subsidiaire) le secteur public a pratiquement pris à sa charge le risque que représente la dette privée extérieure, de sorte que sous une forme ou sous une autre les pouvoirs publics sont devenus responsables du service de la dette extérieure tout entière.

RÉSUMÉ DES DÉBATS PORTANT SUR LA RÉGION DES CARAÏBES ET L'AMÉRIQUE CENTRALE

Les rapports de base étaient présentés oralement par S.E. Don Mills, au sujet des pays anglophones des Caraïbes, Jean Fortin Chéry au sujet des pays francophones et Jorge Gonzalez del Valle au sujet des pays d'Amérique centrale. Servaient en outre de toile de fond aux débats deux importants rapports de la CEPALC (chapitres 4 et 5 ci-avant). Plus que dans le cas des débats précédents, portant sur l'Amérique latine, on s'attachait ici à des facteurs politiques.

Comme leurs voisins situés plus au sud, les pays en cause ont connu entre 1980 et 1985 une croissance négative et une chute du revenu par tête, mais antérieurement leur croissance avait été plus faible. Etant fortement tributaires de quelques cultures d'exportation, la plupart d'entre eux connaissent un fort chômage saisonnier. Les récentes années de crise ont mis fin aux efforts précédents d'intégration régionale, et la région a été le siège de l'hostilité politique des super-puissances.

Les pays anglophones, tous de petite taille, n'ont accédé que récemment à l'indépendance. Leur économie est largement ouverte, fortement tributaire d'un ou deux produits (bauxite et alumine pour la Jamaïque et la Guyane, pétrole pour Trinité et Tobago, tourisme pour les Bahamas et Antigua) et donc extrêmement vulnérable aux fluctuations des exportations.

Une grande partie de la population compte des ancêtres arrivés aux Caraïbes comme esclaves ou serviteurs sous contrat. Elle forme un groupe cosmopolitain, ayant une forte propension à migrer dans l'ensemble du monde anglophone, tout en conservant des liens puissants avec les Caraïbes.

Ce sont des pays démocratiques, où la vie politique comporte d'importants renversements, qui voient par exemple la politique économique néo-libérale du gouvernement Seaga succéder, à la Jamaïque, au gouvernement socialiste de Manley. L'instabilité économique a aggravé le désordre politique, encore exacerbé par l'hostilité entre les superpuissances dans d'autres parties de la région des Caraïbes, telles que Cuba, le Nicaragua et le Salvador. Le climat politique des pays anglophones a également subi l'influence de ce qui se passait dans d'autres parties de la région, d'où la poussée de l'extrême-gauche à la Grenade, suivie d'une intervention militaire américaine.

Par suite du degré d'ouverture de l'économie, de nombreux problèmes de politique économique prennent un caractère transnational. Les Etats de cette région se sont parfois trouvés en conflit avec le FMI ou avec des sociétés transnationales et font également partie de dispositifs que l'on peut caractériser comme constituant une «aide», plus que ce n'est le cas dans le reste de l'Amérique latine. Ces accords comprennent la convention de Lomé qui fait bénéficier les anciennes colonies caraïbes de certains avantages commerciaux vis-à-vis de la Communauté européenne, ainsi que, plus récemment, la Caribbean Basin Initiative (CBI) des Etats-Unis, qui ouvre de nouvelles possibilités aux échanges et aux investissements.

Comme les autres pays de la région des Caraïbes et d'Amérique centrale, les pays anglophones aspirent à mieux maîtriser leur destin économique et ont mis leurs espoirs dans les dispositions d'intégration régionale du CARICOM, qui ont été gravement compromises par la récession et la crise de l'endettement. Les échanges au sein de la zone ont plus souffert que les autres.

Jean Fortin Chéry soulignait les problèmes que posait l'extrême pauvreté en Haïti et République dominicaine. Si ces pays ont été décolonisés avant l'ensemble de l'Amérique latine, la plupart de leurs habitants avaient connu l'esclavage et aujourd'hui encore 75 pour cent de la population d'Haïti sont illettrés ; leur revenu par habitant est le plus bas de l'hémisphère occidental et ne représente que le dixième de celui de Trinidad, le pays le plus riche du groupe anglophone.

Ni Haïti, ni la République dominicaine (dont chacun compte une population de quelque 6 millions d'habitants) ne sont membres de la convention de Lomé avec le Marché commun et leurs propres efforts de coopération bilatérale se limitent aux barrages frontaliers. Exigeant une valeur ajoutée locale d'au moins 35 pour cent, la CBI ne leur ouvre que des possibilités limitées de création de nouvelles industries offshore exportant vers les Etats-Unis. En l'absence d'une importante aide extérieure, ces pays n'ont guère de chances d'augmenter leur revenu par habitant.

Jorge Gonzalez del Valle soulignait qu'en Amérique centrale la situation et les perspectives étaient tributaires de la politique autant que de l'économie. Une guerre civile est en cours au Salvador, tandis que le Nicaragua est engagé dans une lutte armée contre des éléments ayant leurs bases dans les pays voisins et bénéficiant de l'aide des Etats-Unis.

Ces conflits ont de très fortes répercussions sur les dépenses militaires et l'affiliation politique des autres pays de cette région. Vu les intérêts des superpuissances, un groupement régional animé de bonnes intentions, tel que celui de Contadora, n'a que des possibilités limitées de résoudre ces problèmes. Si le Nicaragua fait l'objet d'un embargo et du retrait de son contingent sucrier de la part des Etats-Unis, les autres pays d'Amérique latine se sont efforcés de compenser les répercussions de ces mesures par un programme de coopération et de solidarité avec ce pays. Un autre exemple de solidarité régionale est représenté par les dispositions prises par le Mexique et le Venezuela pour livrer du pétrole à cette région, financé pour 30 pour cent à crédit. De nouveaux efforts d'intégration régionale semblent exiger une plus grande homogénéité politique des pays d'Amérique centrale.

Le Marché commun d'Amérique centrale donne aujourd'hui une impression surréaliste. En théorie, toutes ses institutions sont en place et les agents de son secrétariat conservent leur emploi, mais les dispositifs de clearing sont bloqués par le défaut de paiement des sommes dues à la Banque d'intégration (300 millions de dollars pour le Nicaragua, 150 pour le Salvador) et les échanges intra-régionaux ont chuté de 40 pour cent en trois ans. Au total la dette du Nicaragua envers les autres pays de cette région s'élève à 800 millions de dollars. En outre, la pratique de taux de change multiples donne lieu à des récriminations réciproques, tandis que l'intégration industrielle régionale ne progresse guère. La CBI n'a apporté d'avantages appréciables qu'au Costa Rica, qui a bénéficié de très importantes entrées de capitaux de source américaine. Les pays d'Amérique centrale sont très fortement tributaires de quelques produits d'exportation, le sucre, le café, le coton, les bananes et la viande fraîche représentant 70 pour cent du total.

Un aspect prometteur était la possibilité d'une nouvelle aide financière, accordée par la Communauté européenne ; Akio Hosono soulignait que le Japon, lui aussi, souhaitait développer ses relations avec cette région.

On estimait en général que les perspectives de développement régional intégré n'étaient prometteuses, ni en Amérique centrale, ni dans les Caraïbes. Cette région était déchirée par des querelles commerciales et de change et connaissait de graves problèmes pour influencer la localisation et le type des investissements étrangers. A la Jamaïque, l'élément le plus dynamique était en fait l'économie parallèle, qui échappait totalement à la planification et au contrôle publics.

Deux ou trois des intervenants suggéraient aux pays caraïbes de tenter d'imiter Hong Kong ou Singapour en ouvrant davantage leur économie et en s'efforçant de l'intégrer à l'économie mondiale plutôt que régionale. Ils faisaient valoir que cette région possédait des avantages aussi bien que des désavantages. Elle occupait une situation stratégique vis-à-vis des marchés américain, européen et latino-américain et disposait de grandes possibilités de développement des exportations de services. En outre, l'ouverture à l'économie mondiale n'impliquait aucune perte d'autonomie nationale. Singapour avait délibérément planifié une bonne partie de son développement industriel et nul ne mettrait en doute la souveraineté des Pays-Bas, alors même que leurs exportations dépassaient 50 pour cent de leur revenu national. Un élément important de l'indépendance nationale était la poursuite d'une politique monétaire et budgétaire raisonnable.

Les participants ne pensaient pas, en général, qu'il y eut de fortes chances de voir cette région suivre l'exemple de Hong Kong et de Singapour. Il est évident que nombre de pays qui en font partie éprouvent le besoin d'une forme ou d'une autre de regroupement régional pour préserver leur indépendance politique, et l'on faisait valoir que certaines institutions régionales, telle que l'Université des Indes occidentales, fonctionnaient de manière satisfaisante.

Troisième Partie

ÉCHANGES ET ENDETTEMENT

Chapitre 6

LA DYNAMIQUE DES ÉCHANGES MONDIAUX : UNE MISE EN PERSPECTIVE[1]

par

Yves BERTHELOT, Véronique KESSLER, Jean PISANI-FERRY

Il est inconstestable désormais que les problèmes qu'affronte l'Amérique latine depuis le début des années 80 ne peuvent pas être analysés, encore moins être résolus, si l'on fait abstraction du contexte mondial très troublé des quinze dernières années. Les difficultés financières très importantes auxquelles cette région est confrontée forment un fleuve qui a sans nul doute été alimenté par les errements des politiques macroéconomiques au Nord, caractérisées par des taux d'intérêt très élevés et une succession de graves récessions. Il reste que le lit de ce fleuve est modelé par l'insertion plus ou moins bien équilibrée des pays de la région dans l'échange international.

L'évolution des échanges internationaux au cours des vingt dernières années suscite un petit nombre de questions-clés pour l'avenir :

1. Doit-on considérer que les chocs qui ont affecté les conditions de ces échanges, ont durablement freiné ce moteur très puissant de la croissance économique mondiale ? Pour les pays endettés d'Amérique latine, la réponse à cette question est cruciale. Si ce moteur tourne désormais au ralenti, il faudra redoubler d'efforts pour servir les intérêts de la dette. Contrairement à une certaine intuition, l'impact de ces chocs sur les conditions de l'échange international a vraisemblablement été globalement faible.

2. Y a-t-il des différences sensibles dans les dynamiques respectives des échanges par grandes catégories de produits ? Les échanges de services sont-ils effectivement appelés à prendre une part de plus en plus importante à l'avenir ? En fait, lorsqu'on rentre un peu dans le détail des différents produits échangés, on constate que d'importants réaménagements sont en cours : les deux chocs pétroliers ont conduit à une baisse importante du volume des produits énergétiques échangés. Si la baisse récente de leurs prix n'est pas enrayée, l'impact de ces évolutions pourra donc être fortement négatif pour les pays exportateurs du pétrole. Mais, le plus frappant est d'observer la vigueur des échanges de produits manufacturés, la part des échanges de services restant somme toute modérée.

3. Les pays industriels ont-ils en définitive résisté à la concurrence des pays en développement, ou ont-ils dû leur céder des points importants dans les échanges de produits industriels ? La réponse est bien sûr que cette résistance est inégale. En complète mutation, la géographie des échanges de produits industriels est marquée

par les succès du Japon mais aussi des NPI d'Asie. Face à ces derniers les progrès de l'Amérique latine sur les marchés mondiaux restent insuffisants.

4. L'ensemble de ces mutations du commerce industriel fait-il apparaître une mondialisation des échanges ou au contraire un repli sur des pôles régionaux ? En fait la dynamique régionale qui avait poussé en avant les zones les plus intégrées comme l'Europe semble s'essouffler. Un véritable pôle asiatique se détache. Pour les pays d'Amérique latine, le fait important est le basculement du centre de gravité du commerce nord-américain, qui se détourne du Canada et de l'Europe.

5. Faut-il penser que les excédents industriels sur les Etats-Unis pourront continuer de croître ? En fait, c'est de l'examen des déséquilibres des échanges industriels qu'émergent les questions les plus préoccupantes pour l'avenir. La dégradation du solde manufacturier des Etats-Unis et de l'Europe face à l'accumulation des excédents japonais et aux progrès (inégaux) des pays en développement pose une série de défis pour l'avenir. Saura-t-on en définitive rééquilibrer ces positions et sauvegarder les règles du multilatéralisme en préservant des marchés ouverts aux pays du Sud ? Cette dernière question reste ouverte.

Croissance, échanges, protectionnisme

Un des traits les plus frappants du développement économique de toute la période de l'après-guerre a été l'expansion du commerce international à un taux très supérieur à celui de la production intérieure ; il est généralement admis que cette croissance exceptionnelle a été un des facteurs importants de l'expansion économique mondiale et qu'elle est notamment à l'origine du démarrage industriel d'un certain nombre de pays du Sud.

A partir du début des années 70 et surtout depuis 1979, les conditions de l'échange ont cependant été affectées par une série de chocs :

– l'instabilité des taux de change réels s'est fortement accrue rendant fluctuants les rapports de compétitivité et donc moins prévisible la rentabilité des divers échanges commerciaux.

– les déséquilibres de balance de paiements induits par les chocs pétroliers ont incité les gouvernements à améliorer les soldes de leurs échanges en freinant la progression des importations par des politiques macroéconomiques ou sectorielles, et simultanément en mettant en place des politiques d'incitation à l'exportation.

– Si les droits de douane ont été progressivement réduits lors de la constitution des groupements régionaux (CEE, AELE), mais également lors des négociations Dillon, Kennedy et Tokyo pour être ramenés à 6 pour cent en moyenne, le protectionnisme a néanmoins repris vigueur sous la forme d'obstacles non tarifaires aux échanges.

Ces tendances protectionnistes ont commencé à se faire jour dès la décennie 1960, et se sont renforcées après le premier choc pétrolier. Dans le secteur du textile, les premières mesures restrictives ont été prises dès le début des années 60. L'arrangement à court terme sur les textiles de coton a été transformé par la suite en arrangement à long terme puis en accord Multifibres, assorti de toute une série d'accords bilatéraux. Dans le secteur de l'acier, également, les premiers signes de tension sont apparus à la fin des années 60. Des accords d'autolimitation ont été signés par les Etats-Unis au début des années 70, puis les restrictions aux échanges se sont accentuées des deux côtés de l'Atlantique à la fin des années 70. Enfin la construction navale, l'industrie automobile et l'électronique grand public ont vu se multiplier les accords d'autolimitation, notamment de la part du Japon. Cette évolution ne peut être caractérisée comme un abandon généralisé du système d'échanges ouverts pour les produits manufacturés, mais comme une érosion progressive des principes du multilatéralisme qui conduit au développement d'une « zone grise » au sein d'un système de commerce international demeurant globalement conforme aux règles fixées par le GATT.

Dans quelle mesure le commerce mondial a-t-il été affecté par ces chocs, et notamment par le protectionnisme ? En premier lieu il est frappant de constater que dans les secteurs du textile, de la sidérurgie et de l'automobile, la part des importations et exportations rapportée à la production n'a pas cessé de s'accroître depuis le début des années 70, malgré la multiplication des mesures protectionnistes et les périodes de stagnation ou recul de la production et de l'emploi. De manière générale, depuis le premier choc pétrolier, le commerce international de produits manufacturés a continué à s'accroître plus rapidement que les activités intérieures.

Certes, on constate un affaiblissement de la relation entre échanges internationaux et croissance, mais il tient pour une large part au faible dynamisme des échanges de minéraux (pétrole compris), du fait notamment des politiques énergétiques mises en place après le premier choc pétrolier. En revanche, la croissance des échanges mondiaux de produits agricoles ne fléchit pas et, en ce qui concerne les produits manufacturés, l'intensité des échanges, mesurée par l'élasticité apparente des échanges au revenu réel, se révèle assez stable : le fléchissement observé après 1973 est d'ampleur très modérée.

L'examen zone par zone confirme l'analyse globale. Pour les grands pays industriels et pour les pays en développement, l'élasticité apparente pour les produits manufacturés baisse très légèrement après 1974. Elle ne baisse nettement que pour les pays d'Europe hors CEE.

En définitive, il faut que l'échange de ces biens industriels soit mû par des forces bien puissantes pour avoir résisté aux difficultés de toutes sortes apparues depuis dix ou quinze ans. Il est certain que la période actuelle est propice au renforcement de mesures protectionnistes de la part des pays industrialisés confrontés à des problèmes de balance des paiements. Pour les Etats-Unis aujourd'hui, mais aussi pour l'Europe demain si le dollar venait à se déprécier fortement, la tentation est de limiter les importations. Ces limitations ne semblent cependant pas pouvoir concerner tous les produits et tous les fournisseurs ; si elles sont effectivement renforcés au cours des prochaines années, ce sera vraisemblablement de manière sélective. On est ainsi conduit à envisager soit la poursuite de l'internationalisation des échanges, soit une certaine fragmentation de l'espace mondial en grandes zones qui stabiliserait les échanges de l'une à l'autre mais sans véritablement les réduire sur la longue période.

La vigueur des échanges manufacturiers

Quels sont donc les biens dont l'échange est le plus appelé à se développer dans les dix ou quinze prochaines années ? On distinguera les échanges de minéraux, de produits agricoles, de produits manufacturés et de services.

Au sein de l'ensemble des échanges de marchandises, le commerce des biens manufacturés, qui en représente plus de 60 pour cent, en a été dans l'après-guerre la fraction la plus dynamique. Certes en valeur l'évolution de la structure des échanges mondiaux de biens, montre la part accrue prise par les échanges d'énergie ; mais celle-ci est due à la progression du prix du pétrole. Même à prix courants, la part des échanges de biens manufacturés se maintient, tandis que celles des minerais et des produits agro-alimentaires déclinent. Dans les échanges mondiaux, la part des produits agricoles et agro-alimentaires a diminué de moitié en 20 ans. La contraction est particulièrement forte dans les pays de l'OCDE : ces produits ne représentent plus que 26 pour cent des importations japonaises en 1984 contre 57 pour cent il y a 20 ans ; pour les Etats-Unis, ces chiffres sont respectivement de 10 pour cent et 33 pour cent, et pour l'Allemagne Fédérale de 17 pour cent et 38 pour cent.

Cependant la part des produits agricoles dans les échanges mondiaux pourrait dorénavant cesser de diminuer, du moins sous l'hypothèse que leurs prix relatifs ne subiront pas de nouvelles baisses, car les volumes pourraient connaître un accroissement notable. D'une part la production japonaise, peu compétitive, est abritée derrière un protectionnisme rigoureux ; or celui-ci est l'un des enjeux des négociations internationales des prochaines années, et les Etats-Unis pourraient obtenir l'ouverture de ce vaste marché (aux producteurs étrangers en général, ou seulement américains). D'autre part, la demande solvable s'accroît dans de nombreux pays en voie d'industrialisation, notamment en Asie. En tout état de cause les dernières années 80 et les premières années 90 seront sans doute marquées par un accroissement des exportations des pays de l'OCDE, la rivalité s'accentuant en outre entre les Etats-Unis, en position dominante, la CEE et les autres grands exportateurs occidentaux (Australie, Canada, Nouvelle-Zélande), et les pays en voie de développement tels, en Amérique, le Brésil et l'Argentine ou, en Asie, la Thaïlande, la Birmanie, voire la Chine ou l'Indonésie. Vraisemblablement, c'est essentiellement sur les marchés des pays en voie de développement que la confrontation se développe aujourd'hui et se développera plus encore au cours des prochaines années. Il y a là un enjeu important pour les pays d'Amérique latine exportateurs de produits agricoles : il leur faudra défendre leur place s'ils ne veulent se priver de ces recettes.

La période récente a vu s'opérer d'importants réaménagements dans la composition sectorielle des échanges de biens industriels ; alors que le commerce de nombre des produits qui avaient été les moteurs de l'échange international dans les années 70, et en particulier les biens intermédiaires, ont connu au début des années 80 une croissance faible ou négative, les échanges de produits électriques ont continué de progresser, et même se sont accélérés en ce qui concerne l'électronique.

Les pays les plus engagés dans l'exportation de ces biens, et en premier lieu le Japon, ont ainsi bénéficié d'effet de spécialisation favorables. Le cas de l'électronique est à cet égard tout à fait frappant puisque près d'un quart de l'échange mondial de ces produits correspond à un excédent japonais. La performance des NPI d'Asie montre que les excédents en produits électroniques ne sont pas «réservés» aux grands pays industriels. Les quatre pays (Corée, Hong-Kong, Singapour, Taïwan) dégagent, pris ensemble, un excédent qui représente au début des années 80 près de 4 pour cent des échanges mondiaux de ces produits. Il y a là une autre leçon pour l'Amérique latine.

Avec la reprise, un certain rééquilibrage des croissances relatives des échanges des différents produits manufacturés pourra s'opérer. Mais il n'est guère douteux que les nouvelles hiérarchies sectorielles qui se sont affirmées au début des années 80 continueront de marquer les années à venir, parce que pour une large part elles correspondent à des tendances profondes de la demande mondiale. Cependant une autre évolution majeure de la fin de la décennie 1980 sera sans doute la percée à l'exportation des pays en voie de développement dans le domaine des biens intermédiaires.

En effet, deux mouvements industriels d'origine différente vont se combiner. D'une part, un certain nombre de pays en développement, remontant les filières de leur industrie légère, se sont dotés d'une industrie de première transformation chimique ou métallurgique. D'autre part l'augmentation des prix réels du pétrole dans la décennie 70 a conduit un grand nombre de pays pétroliers à se doter d'industries fortement utilisatrices d'énergie (métallurgie ferreuse, pétrochimie). Dans le premier cas les pays ont un marché interne qui peut fournir une partie des débouchés par substitution partielle aux importations. Dans le second il s'agit d'une stratégie pure d'exportations. Les deux phénomènes se renforcent mutuellement pour provoquer une rupture sur les marchés mondiaux. Aussi, si une croissance honorable se maintenait dans la décennie à venir, une nouvelle hiérarchie des pays devrait se dessiner dans le domaine des échanges manufacturiers : au Nord, domineraient les pays qui ont su s'affirmer le plus tôt dans les productions sophistiquées correspondant aux nouvelles tendances de la demande mondiale ; au Sud, les pays qui sauraient tirer parti de leur nouvelle base industrielle pour concurrencer efficacement les industries des pays développés, notamment sur les marchés tiers.

Les échanges de services paraissent aujourd'hui, aux yeux de nombreux observateurs, être appelés à se développer très rapidement dans les dix ou quinze prochaines années. Mais il ne faut pas s'y tromper : l'examen des évolutions passées indique plutôt que leur dynamisme a été jusqu'à présent faible.

La valeur des flux d'invisibles (services et transferts) rapportée à celle des flux de marchandises est actuellement proche de 22 pour cent au niveau mondial, et se décompose ainsi (moyenne annuelle sur les années 1981/1982/1983, en pourcentage du total[2].

- revenus liés au travail :   5.0 pour cent
- revenus de la propriété industrielle et de l'investissement direct :
  (les Etats-Unis représentent plus de 50 pour cent de ce flux)   6.1 pour cent
- intérêts :   30.4 pour cent
- opérations officielles :   14.5 pour cent
- voyages :   11.6 pour cent
- transports :   17.2 pour cent
- autres services (ce poste recouvre notamment les communications,
  l'informatique, les travaux publics)   15.2 pour cent

Les trois premiers postes correspondent à la rémunération de facteurs de production et sont ainsi la contrepartie des migrations de main-d'œuvre, des investissements à l'étranger et des cessions de brevets, et enfin surtout de l'endettement international. Il ne s'agit donc pas véritablement d'échanges contrairement aux trois derniers postes qui constituent ce que l'on appelle au sens propre les échanges mondiaux de services. L'ampleur de ceux-ci est faible (moins de 10 pour cent des échanges de marchandises). De plus, bien qu'une des caractéristiques fondamentales de l'évolution économique dans les pays industrialisés soit l'accroissement des activités de services dans la production et l'emploi, il semble qu'il y ait eu au mieux stabilité de la part des services dans les échanges internationaux, leur progression ayant été au plus égale à celle des marchandises. Outre les incertitudes statistiques, grandes en ce domaine, une explication possible de ce contraste est la part relativement élevée des éléments non échangeables dans la production du secteur national de services.

Cependant, il est vraisemblable que les prochaines années seront marquées par un développement des échanges de services au moins aussi rapide que celui des marchandises, la part de ce secteur restant néanmoins quantitativement modérée. Toutefois, le rôle des services dans les échanges internationaux ne se résume pas à la part qu'ils en représentent. Ainsi l'internationalisation bancaire, quantitativement peu spectaculaire, est un point d'appui important du développement des échanges de marchandises. De même l'internationalisation d'activités comme les télécommunications, sous l'effet notamment des mesures de déréglementation, donnera lieu à des échanges de biens d'équipement. L'ampleur de l'enjeu se voit du reste à l'insistance que mettent les Etats-Unis à demander la libéralisation des échanges mondiaux en ce domaine. La résistance des pays du Sud, en particulier en Amérique latine, aux pressions américaines peut freiner encore un certain temps le développement de ces échanges : pour ces pays, l'existence d'une industrie de services nationale est tout à fait cruciale pour appuyer leur développement industriel sur un tissu logistique, financier et commercial indispensable. Les années à venir seront donc largement tributaires du résultat des négociations internationales en cours, dans lesquelles le droit d'établissement des industries de services étrangères devrait être une des pierres angulaires.

La géographie du commerce de biens industriels depuis quinze ans

L'analyse qui est ici présentée porte sur une période de durée identique à celle qui nous sépare de la fin du siècle : 1967 - 1983. L'accent est mis, à ce stade, sur l'orientation géographique des flux et secondairement sur leur composition sectorielle. Il a semblé en effet prioritaire de donner des points d'appui à la réflexion prospective en traçant un tableau synthétique de l'échange international et en évaluant l'incidence des structures de spécialisation géographique à l'importation et à l'exportation des principaux pays ou zones géographiques.

Volontairement panoramique, ce survol approche l'économie mondiale en termes de «continents» en décrivant l'échange comme un réseau de relations entre grands ensembles géographiques (Etats-Unis, Communauté Européenne, Japon, autres pays de l'OCDE, pays en développement, pays de l'OPEP, pays de l'Est). Le travail statistique s'appuie sur la banque de données construite par le CEPII pour l'étude du commerce international[3].

La croissance des grands marchés d'importation a été inégale depuis quinze ans. Deux évolutions marquent la période : l'expansion du marché de l'OPEP après 1973, celle du marché américain dans la période récente (voir tableau 1). Pour le reste, le marché communautaire demeure le plus important et, après avoir progressé jusqu'en 1979 par la dynamique de l'échange intraeuropéen, régresse pour la même raison et retrouve en 1983 sa part de 1967 ; le Japon demeure de fait fermé ; la régression est continue pour les importations du Canada, des pays européens hors CEE et des pays de l'Est.

Tableau 1. LES GRANDS MARCHÉS
(Part en pourcentage de chaque zone dans les importations et
les exportations mondiales de produits manufacturés)

Zone	Importations			Exportations		
	1967	1973	1983	1967	1973	1983
Etats-Unis	11.9	12.2	14.7	15.7	12.2	12.2
CEE à 8	27.6	32.3	28.6	41.5	43.3	37.1
Japon	2.1	2.9	2.7	7.1	9.2	12.5
Autres OCDE	23.6	21.7	17.4	16.2	16.1	15.9
Pays de l'Est	14.7	13.2	11.0	12.6	11.1	9.3
Pays en développement	20.1	17.7	25.6	6.9	8.1	13.0
dont :						
Asie	7.4	6.6	10.5	3.6	4.9	8.9
Amérique latine	6.5	5.2	4.4	1.7	1.8	2.6
Afrique	4.1	3.8	4.1	1.2	0.9	0.6
Moyen-Orient	2.1	2.1	6.6	0.4	0.5	0.9

Si l'on observe le détail de la progression des importations des pays en développement, il est frappant de constater que la part de l'Amérique latine a plutôt tendance à baisser tandis que celle des pays d'Asie a nettement tendance à progresser. Ce premier résultat marque le caractère très extraverti des économies asiatiques par opposition aux politiques de substitution aux importations longtemps menées en Amérique latine.

Les transformations sont beaucoup plus nettes du côté des exportations : en quinze ans, le Japon et les pays en développement ont chacun gagné plus de cinq points du marché mondial, au détriment des Etats-Unis dont le recul est amorcé dès 1973, et de l'Europe qui améliore sa part de marché jusqu'en 1979, mais recule ensuite de six points en quatre ans. Ici encore, on retrouve l'extraversion des économies asiatiques et leur capacité à s'affirmer sur le marché mondial des produits industriels alors que la part de l'Amérique latine reste extrêmement faible.

Cependant les positions relatives des concurrents n'ont pas du tout évolué de manière identique sur les différents marchés : c'est sur le marché américain et celui des pays en développement que la redistribution des cartes a été la plus importante, et dans un cas comme dans l'autre il s'agit véritablement d'une déroute européenne au profit du Japon et des pays en développement ; à un degré moindre, les mêmes phénomènes s'observent sur les marchés de l'OPEP et des autres pays de l'OCDE ; enfin, la relative stabilité du partage du marché communautaire et de celui des pays de l'Est est, par contraste, très remarquable.

C'est à la conquête du marché américain que les exportateurs japonais et ceux des pays en développement des NPI d'Asie, ont consacré les efforts les plus importants depuis la fin des années 60. Ils y sont doublement parvenu : d'une part au détriment des producteurs américains, puisqu'en dix ans le taux de pénétration des produits manufacturés étrangers, traditionnellement faible et stable aux Etats-Unis, a doublé ; d'autre part, en évinçant leurs concurrents canadiens et européens (voir tableau 2).

Tableau 2. LA STRUCTURE DES IMPORTATIONS MANUFACTURIÈRES AMÉRICAINES
(Part en pourcentage de chaque zone dans les importations américaines)

Zone	1967	1973	1979	1983
Canada	28.9	24.7	21.6	21.8
CEE à 8	32.5	28.7	25.2	19.8
Japon	17.5	20.4	22.0	24.0
Autres OCDE	8.4	8.2	8.0	6.8
Pays de l'Est	0.6	0.7	0.9	0.4
Pays en développement	12.1	17.3	22.3	27.2
dont :				
Asie	7.1	11.4	15.4	19.4
Amérique latine	4.4	5.3	6.4	7.4
Afrique et Moyen-Orient	0.6	0.6	0.5	0.4

Si les progrès du Japon se ralentissent après 1973, notamment sous l'effet des mesures de contingentement des importations, celui des PED est continu. Les progrès des pays en développement d'Asie sont spectaculaires, si bien que face à eux, les efforts de l'Amérique latine pour pénétrer le marché américain, quoique très honorables, paraissent nettement moins efficaces. Le recul européen est général : de 1967 à 1983, tous les pays voient se réduire leur part du marché américain. Le Canada est l'autre grand perdant qui abandonne au profit du Japon sa place de premier fournisseur en passant de 29 pour cent à 21.8 pour cent des importations américaines.

Tout aussi spectaculaires sont les réaménagements sur les marchés des pays en développement hors OPEP. Le recul de la CEE est particulièrement accusé en fin de période, mais les Etats-Unis voient également leur position se dégrader. Les bénéficiaires en sont les mêmes que sur le marché américain : les pays en développement eux-mêmes et le Japon. Ici, encore, l'affaiblissement européen est général, même si il est plus marqué pour le Royaume-Uni ou la RFA que pour la France : seules les économies semi-industrialisées d'Europe méridionale (Espagne, Portugal, etc.) connaissent une légère progression. Ici encore, l'essentiel des progrès des pays en développement est attribuable aux NPI d'Asie du

Sud-Est, qui fournissent 10.4 pour cent des importations des pays en développement en 1983 contre 1.6 pour cent en 1967 ; le Brésil et les pays du Moyen-Orient accompagnent cette progression, tandis que les autres pays en développement stagnent à un niveau bas ou régressent (voir tableau 3).

Si l'on se penche spécifiquement sur le marché de l'Amérique latine, on retrouve le résultat général : Ce sont le Japon et les pays en développement qui ont progressé au détriment de l'Europe et des Etats-Unis. L'intégration régionale progresse très sensiblement mais, ici encore, bien que partant d'un niveau très faible, les pays d'Asie sont de plus en plus présents (voir tableau 4).

Sur le marché de l'OPEP, les fortes positions précocement acquises par les pays de la CEE leur ont permis de bénéficier de l'essentiel de la demande d'importation de cette zone après le premier choc pétrolier, tandis que les Etats-Unis y avaient dès 1973 perdu une part substantielle. Cependant les pays européens n'ont pu éviter, après 1979, une dégradation de leurs positions (à l'exception une fois encore de l'Europe méridionale). Sur l'ensemble de la période, le Japon parvient presque à doubler sa part de marché et si, pris globalement, les pays en développement ne progressent guère, c'est en partie parce que les progrès des NPI d'Asie, du Brésil et du Mexique, qui tous ensemble gagnent 5.7 points, sont compensés par les reculs de l'Inde, des pays non pétroliers du Moyen-Orient et des pays en développement d'Asie du Sud-Est (voir tableau 5).

Eu égard aux bouleversements que connaissent les échanges dans le reste du monde, les réaménagements de position qu'on observe sur le marché de la CEE font presque figure de vaguelettes. Structurellement, le marché européen demeure fortement intégré puisque

Tableau 3. LA STRUCTURE DES IMPORTATIONS MANUFACTURIÈRES
DES PAYS EN DÉVELOPPEMENT
(A L'EXCEPTION DE L'OPEP)
(Part en pourcentage par zone)

Zone	1967	1973	1979	1983
Etats-Unis	24.2	21.1	21.8	19.2
CEE à 8	33.3	29.8	28.9	24.0
Japon	17.1	24.9	21.6	22.0
Pays en développement	7.0	7.9	11.6	16.4
Autres	18.4	16.3	16.1	18.4

Tableau 4. LA STRUCTURE DES IMPORTATIONS MANUFACTURIÈRES
DES PAYS D'AMÉRIQUE LATINE
(Part en pourcentage par zone)

Zone	1967	1973	1979	1983
Etats-Unis	41.4	36.7	38.8	35.0
CEE à 8	29.8	30.2	26.7	21.9
Japon	6.4	12.8	11.2	11.4
Autres OCDE	10.9	11.5	11.4	10.9
Pays de l'Est	4.0	1.3	1.6	5.3
Pays en développement	7.5	7.5	10.3	15.5
dont :				
Asie	1.2	0.9	1.1	3.4
Amérique latine	5.9	6.0	8.6	11.7
Afrique et Moyen-Orient	0.4	0.6	0.6	0.4

Tableau 5. LA STRUCTURE DES IMPORTATIONS MANUFACTURIÈRES DE L'OPEP
(Part en pourcentage par zone)

Zone	1967	1973	1979	1983
Etats-Unis	23.0	16.1	14.6	11.7
CEE à 8	43.9	45.1	44.1	38.6
Japon	10.6	16.5	16.9	19.1
Pays en développement	8.9	7.6	8.8	10.7
Autres	13.6	14.7	15.6	19.9

Tableau 6. LA STRUCTURE DES IMPORTATIONS MANUFACTURIÈRES DE LA CEE A 8
(Part en percentage par zone)

Zone	1967	1973	1979	1983
CEE à 8	61.4	65.0	64.5	61.2
Etats-Unis	11.5	7.5	6.9	7.9
Japon	1.7	3.0	3.4	5.0
Autres OCDE	16.7	15.4	15.9	16.8
Pays de l'Est	2.2	3.8	3.2	2.2
Pays en développement	6.5	5.3	6.1	6.9
dont :				
Asie	2.1	2.6	3.6	4.3
Amérique latine	1.6	1.2	1.1	1.1
Afrique et Moyen-Orient	2.8	1.5	1.4	1.5

l'échange intra-communautaire représente plus de 60 pour cent des importations ; la pénétration des Etats-Unis y est aujourd'hui inférieure à ce qu'elle était il y a quinze ans, celle des pays en développement ne progresse pas et la percée japonaise est d'ampleur limitée. Cependant deux phénomènes méritent d'être notés. En premier lieu la dynamique d'intégration communautaire marque un certain essoufflement : alors que du début des années 60 jusqu'au premier choc pétrolier les échanges intra-européens se substituaient de manière croissante aux importations extra-communautaires, ce mouvement s'interrompt après 1973 et se retourne après 1979. En second lieu, la stabilité des parts des pays en développement et des autres pays de l'OCDE dans les importations masque une substitution entre exportateurs : les fournisseurs traditionnels de l'Europe comme l'Afrique noire ou les Pays d'Amérique latine (Brésil excepté) reculent au profit des NPI d'Asie ; de la même manière les pays scandinaves et le Canada régressent au profit des pays de l'Europe du Sud (de 1.4 pour cent à 4.1 pour cent). Au total, les évolutions que connaît le marché européen sont de même nature que ce que l'on observe ailleurs ; mais elles sont plus tardives et plus atténuées.

Enfin le marché des pays de l'Est, lui aussi fortement intégré, ne connaît pas d'évolutions très marquantes : le développement des échanges Est-Ouest au cours des années 70 a bénéficié à la CEE, le repli – limité – que l'on observe au début des années 80 lui est défavorable.

Régionalisation ou mondialisation des échanges ?

Le survol qui vient d'être fait montre une double hétérogénéité dans l'évolution du commerce international : d'une part, les différents marchés n'ont pas connu les mêmes transformations dans le partage de l'offre ; d'autre part, les différents exportateurs ne se sont pas tournés vers les mêmes marchés. Ainsi les pays en développement exportent-ils de plus en plus vers les Etats-Unis et vers eux-mêmes, et de moins en moins vers la CEE ; la CEE de son côté exporte plus vers elle-même et vers l'OPEP, mais moins vers les Etats-Unis et les autres pays de l'OCDE ; la structure d'exportation des Etats-Unis se déforme en faveur du Japon et de l'OPEP, au détriment surtout du Canada ; le Japon, en dépit de la relative fermeture des pays européens, leur dessine une part croissante de ses exportations et, avec le progrès de ses échanges avec l'OPEP, il acquiert une structure d'exportation moins marquée par la prédominance des pays en développement.

Dans une optique prospective, il est particulièrement intéressant d'examiner si, au total, l'évolution du commerce de biens industriels fait apparaître une mondialisation des échanges, ou si se renforcent des pôles régionaux au sein desquels l'interdépendance commerciale progresse relativement plus vite qu'entre ces grandes régions. Dans le premier cas, on pourrait parler – du moins pour le commerce – d'évolution vers une configuration d'intégration mondiale[4] ; dans le second, on pourrait imaginer un glissement endogène vers une plus large autonomie, au sein de l'économie mondiale, de régions comportant des pays fortement intégrés entre eux. Il est clair que la question est pour l'Europe comme pour les pays en développement tout à fait cruciale.

Afin d'apprécier dans cette optique les transformations du commerce international, on utilisera une désagrégation des échanges mondiaux de biens manufacturés en flux intra et interrégionaux. Ont été ici retenus quatre pôles autour desquels sont tracés des cercles concentriques : les Etats-Unis, avec le Canada et le reste de l'Amérique ; la Communauté, entourée des autres pays d'Europe, de l'Afrique et du Moyen-Orient ; le Japon, dont la région d'influence s'étend à l'Australie, la Nouvelle Zélande, l'Afrique du Sud et aux pays en

Tableau 7.   COMMERCE INDUSTRIEL INTRA- ET INTER-REGIONAL

	1967	1973	1979	1983
Commerce inter-regional (en pourcentage du commerce mondial de produits manufacturés)	38.8	35.4	35.7	38.9
Amérique/Europe	13.5	11.3	9.9	9.1
Amérique du Nord/Europe	(10.5)	(8.8)	(7.5)	(7.4)
Amérique latine/Europe	(3.0)	(2.5)	(2.4)	(1.7)
Amérique/Asie Pacifique	7.1	7.9	8.4	11.5
Amérique du Nord/Asie Pacifique	(6.5)	(7.3)	(7.5)	(10.6)
Amérique latine/Asie Pacifique	(0.6)	(0.6)	(0.9)	(0.9)
Europe/Asie Pacifique	7.0	6.8	7.3	7.6
Europe/Pays de l'Est	5.0	4.9	4.4	3.5
Amérique/Afrique	0.4	0.4	0.4	0.5
Amérique/Moyen-Orient	0.4	0.3	0.7	0.8
Amérique/Pays de l'Est	1.0	0.9	0.8	1.0
Commerce intra-régional (en pourcentage du commerce total de chaque région ou sous-région)				
Amérique	50.1	49.0	47.3	45.5
Amérique du Nord	41.8	40.7	36.4	35.8
Amérique du Sud	9.3	8.9	12.5	14.9
Europe Occidentale/Afrique/Moyen-Orient	71.9	76.3	77.1	75.2
Europe	67.8	72.9	72.4	69.3
Afrique	1.1	2.6	2.1	3.0
Moyen-Orient	9.7	4.7	8.3	11.0
Asie Pacifique	34.0	37.3	47.7	39.3
URSS/Europe de l'Est	70.4	70.2	66.7	67.8

développement de la région Asie-Pacifique (Chine comprise) ; les pays de l'Est, enfin (URSS et Europe Orientale). Le tableau 7 en annexe donne, à chaque fois, l'ensemble des flux intra ou interrégionaux, sans distinguer entre importations et exportations. Les flux sont rapportés soit au commerce mondial, soit au commerce de la région considérée.

En début de période les zones se distinguent par une inégale intégration régionale. Elle est particulièrement forte pour les économies de l'Est, qui en 1967 réalisent entre elles 70.4 pour cent de leur commerce extérieur de biens industriels. Elle est élevée pour l'Europe : la part du commerce interne est de 67.8 pour cent pour l'Europe au sens large, de 72 pour cent pour l'ensemble Europe-Afrique-Moyen-Orient. Economies ouvertes, et de plus en plus, les nations européennes échangent surtout entre elles. En revanche les économies d'Amérique sont moins ouvertes et plus tournées vers le marché mondial : les échanges intra-américains représentent 50.1 pour cent du commerce global de la zone, et 41.8 pour cent seulement si l'on se limite à l'Amérique du Nord. Les échanges entre pays latino-américains sont faibles. Enfin, la région Asie-Pacifique regroupe des économies elles aussi peu ouvertes, mais dont l'horizon d'échange est mondial : en 1967, les flux intrarégionaux en Asie Pacifique ne représentent que 34 pour cent du commerce total de la zone. En pourcentage du commerce mondial, leur commerce intrazone n'atteint que 4.2 pour cent alors que les flux croisés avec l'Amérique et l'Europe atteignent 7.1 et 7 pour cent.

Si l'on se penche sur l'évolution de ces dynamiques régionales depuis quinze ans, on peut déceler la succession d'une phase plutôt marquée par le renforcement de l'intégration régionale et d'une phase de mondialisation : les chocs pétroliers ont été un facteur évident de rupture mais non le seul. Cependant ces tendances ne sont pas générales.

– l'intégration américaine régresse précocement, essentiellement du fait de l'affaiblissement des échanges croisés Etats-Unis - Canada. En fait le centre de gravité du commerce américain se déplace très sensiblement dans un mouvement Nord-Est/Sud-Ouest : les liens des Etats-Unis avec l'Europe et le Canada se distendent tandis que s'accroissent ceux qu'ils entretiennent avec l'Asie-Pacifique et l'Amérique latine.

– les flux intra-européens sont une composante dynamique du commerce mondial jusqu'en 1973, en représentent une part stable jusqu'en 1979, et régressent sensiblement après, tant au sein de la communauté que dans l'Europe au sens large.

– en revanche, la zone Asie-Pacifique connaît une vigoureuse dynamique d'intégration régionale, puisque la part des échanges internes à cette région progresse continuellement pour presque doubler en quinze ans.

– Enfin les flux entre pays de l'Est représentent une part décroissante du commerce mondial.

En définitive, l'impression qui prévaut est celle d'un essoufflement de la dynamique régionale au sein des zones initialement les plus intégrées (Europe et Pays de l'Est) et d'une progression symétrique des liens qu'entretiennent entre elles les économies des régions les moins intégrées initialement. Ainsi l'intégration très faible de l'Amérique latine progresse très sensiblement et les liens qu'entretiennent entre elles les économies dynamiques d'Asie-Pacifique se développent considérablement. Deux traits distinguent cependant l'intégration en Asie-Pacifique de celle qu'avait connue l'Europe : d'une part, il s'agit pour partie d'économies très «mondialisées» et qui continuent de progresser sur les marchés des autres continents ; d'autre part, l'intégration se joue non pas entre pays industrialisés mais entre le Japon et les NPI, et entre ceux-ci et les économies moins développées de la région. Enfin ni l'intégration Nord-Nord ni la complémentarité Nord-Sud ne semblent jouer fortement entre les économies américaines.

Des déséquilibres renforcés

Les Etats-Unis sont en 1983 clairement devenus importateurs nets de produits industriels. La dégradation de leurs positions est particulièrement sensible à l'égard des pays en développement hors Moyen-Orient vis-à-vis desquels ils sont – seuls parmi les zones industrialisées considérées – déficitaires. Cette dégradation est le produit d'un double mouvement : les Etats-Unis dégradent leurs positions sur les marchés du Sud en même temps que les pays en développement progressent sur le marché américain. Certes, les Etats-Unis sont encore excédentaires sur l'Amérique latine mais de moins en moins. Quant aux pays d'Asie, dès 1973 ils dégagent un excédent sur les Etats-Unis qui va régulièrement en augmentant. Le déficit vis-à-vis du Japon progresse, mais somme toute modérément. Le reste de la dégradation du solde américain n'est pas dû à ses échanges avec la Communauté, puisque chacune de ces deux zones perd du terrain sur le marché de l'autre, mais au recul des Etats-Unis vis-à-vis du Canada et de l'ensemble Australie-Nouvelle Zélande-Afrique du Sud (ANZAS), notamment au profit du Japon et des pays en développement.

En dépit des excédents importants qu'elle a pu réaliser vis à vis de l'OPEP après les chocs pétroliers, la Communauté Européenne connaît une baisse continue et rapide de son excédent manufacturier. Mais ce n'est pas, pour l'essentiel, vis-à-vis des grandes puissances industrielles que sa position se détériore : le solde de ses échanges avec les Etats-Unis demeure stable, et son déficit à l'égard du Japon reste modéré. En revanche, elle perd beaucoup vis-à-vis des autres pays industrialisés : entre 1967 et 1983, son solde bilatéral avec les autres pays d'Europe baisse de 2.7 points et avec l'ANZAS il baisse de 1 point, en pourcentage du commerce mondial ; la CEE subit de la sorte à la fois les conséquences d'une orientation de ses exportations vers des pays dont les importations ont faiblement crû et les effets de la poussée du Japon et des pays en développement, notamment vers l'ANZAS. La Communauté perd aussi vis-à-vis des pays en développement, hors Moyen-Orient, essentiellement du fait de ses mauvaises performances à l'exportation. L'excédent sur l'Amérique latine fond progressivement. Celui sur l'Asie est fortement entamé entre 1967 et 1973 mais se maintient après. Les seules zones sur lesquelles la CEE parvient à faire progresser ses surplus industriels sont le Moyen-Orient et l'Afrique. Or désormais, les surplus pétroliers ont disparu, et la solvabilité des pays d'Afrique est très dégradée par les bas prix des matières premières. Aussi, si le prix du pétrole et des autres matières premières ne se relève pas, une dégradation encore plus rapide des excédents industriels communautaires aurait lieu au cas où la CEE ne parviendrait pas à relever le défi de la concurrence sur les marchés tiers, en particulier.

En 1983, dans le monde, près d'un produit industriel échangé sur dix nourrissait un excédent japonais : le Japon progresse partout, et il est excédentaire vis-à-vis de toutes les zones. Sur les principaux marchés tiers, l'évolution est symétrique de celle que connaissent les Etats-Unis et la Communauté : un excédent croissant vis-à-vis des autres pays de l'OCDE et des pays en développement d'Asie.

La comparaison des performances de l'Asie et de l'Amérique latine sur les autres grands marchés industriels et sur les zones du Sud montre une similitude limitée. Chacune des deux régions maîtrise de mieux en mieux ses déficits industriels sur les autres pays de l'OCDE, l'Asie parvenant même à un léger excédent en 1983. Par contre, l'Amérique latine ne parvient pas à profiter de la manne pétrolière du Moyen-Orient et reste en équilibre avec l'Afrique, alors que l'Asie y dégage progressivement des excédents industriels. Ces progrès de l'Asie face aux autres zones du Sud sont sans doute la marque d'un stade d'industrialisation plus avancé de certaines de ces économies, en particulier des quatre NPI de la région ; capables comme l'Amérique latine de vendre aux pays excédentaires des produits manufacturés «légers» ou peu élaborés, ils sont en outre en mesure de concurrencer ces derniers sur les marchés du Sud pour certains types de biens d'équipement lourds ou certains produits sophistiqués, notamment de la branche électronique.

Quelles sont les conséquences de l'ensemble de ces déséquilibres et de leurs évolutions ?

Au sein du triangle Etats-Unis/CEE/Japon, le problème principal est l'aggravation du déficit américain à l'égard du Japon : par l'ampleur qu'atteint ce déséquilibre et par le fait qu'il touche un pays fortement déficitaire, tant dans ces échanges manufacturiers qu'en termes de balance courante. C'est l'un des aspects du caractère perturbateur des échanges japonais. Entre les économies de ce triangle et le reste du monde, le problème principal réside dans la disparité des soldes vis-à-vis des pays en développement. La pénétration des pays en développement et en particulier des pays d'Asie, sur les marchés des pays développés pose des problèmes d'une autre nature que celle du Japon aux Etats-Unis et en Europe. En effet les pays d'Asie comme les pays dans leur ensemble demeurent globalement déficitaires, mais la progression de leurs exportations pose des problèmes d'équilibre géographique des soldes, et non pas comme pour le Japon un problème d'excédent structurel.

Conclusion

La question posée en début de ce papier était celle de l'évolution de l'échange international dans le contexte des déséquilibres macroéconomiques et financiers de ces dernières années. Une première conclusion, positive, se dégage de l'expérience récente : en dépit des nombreux manquements à l'esprit, sinon toujours à la lettre, des règles du multilatéralisme que l'on a pu observer, l'échange international s'est révélé robuste. La grave récession mondiale de 1980-82 n'a pas, contrairement aux craintes qui avaient été exprimées à l'époque, fondamentalement affecté le système des échanges internationaux. Ce constat relativement optimiste ne doit cependant pas conduire à négliger les risques qui pèsent aujourd'hui sur le commerce international. Trois risques nous semblent devoir retenir l'attention, qui tiennent au cadre juridique de l'échange, aux politiques macroéconomiques et enfin aux tendances longues du commerce mondial.

Que la dégradation du cadre juridique de l'échange n'ait pas d'effet immédiatement sensible sur les flux de biens et services au niveau où nous les avons observés n'est qu'à moitié rassurant : il serait en effet dangereux, tant du point de vue de l'allocation des ressources que de celui de la garantie qu'offre l'existence de règles communément acceptées, que se maintienne ou que se creuse un écart trop grand entre les principes et les pratiques effectives des Etats. Réduire cette opacité de l'échange est une tâche importante pour la communauté internationale et un enjeu des prochaines négociations du GATT. Plus peut-être qu'à la qualité des règles elles-mêmes, c'est à leur emprise effective qu'il faudra en cette occasion prendre soin.

Le second risque tient aux graves déséquilibres de paiements courants qui sont apparus au cours de la phase de reprise entre grands pays industriels. Ils trouvent leur origine dans la conjonction des mouvements de fond qui viennent d'être analysés et des disparités de politiques macroéconomiques au sein de l'OCDE. Ils ont été aggravés par des mouvements autoentretenus sur les marchés des changes. A défaut d'être rapidement corrigés, il est à craindre qu'ils conduisent en particulier aux Etats-Unis, à l'adoption de mesures de protection beaucoup plus rigoureuses que ce que l'on a connu jusqu'à présent. Mais leur correction n'est pas aisée : tous les travaux de projection montrent qu'elle ne pourra au mieux s'opérer que vers la fin de la décennie et nécessitera une coordination poussée des efforts des Etats-Unis, de l'Europe et du Japon.

Le troisième risque est tout aussi préoccupant. Il se concrétiserait dans une détérioration des conditions de la progression des exportations des pays en développement vers les pays industrialisés. Cette progression est absolument nécessaire à la croissance de ces pays et à la solution des problèmes financiers. Or elle s'est essentiellement opérée jusqu'à présent sur un seul marché – celui des Etats-Unis – et surtout au profit d'une grande catégorie d'exportateurs – ceux d'Asie de l'Est –. Un rééquilibrage est nécessaire, ne serait-ce que parce que le déficit extérieur américain ne permettra plus à ce pays d'offrir à lui seul un débouché en croissance aux exportateurs du Sud. Le Japon et l'Europe devront y prendre leur part. Ce sera, pour cette dernière région, sans doute particulièrement difficile, puisque simultanément elle risque d'enregistrer une poursuite de la dégradation de ses positions sur les marchés extérieurs.

Or il faut bien voir que ce troisième risque aura d'autant plus de chances de se transformer en blocage réel que les solutions au deuxième risque – les déséquilibres de paiements entre les grands pays industriels – seront différées. C'est en particulier en ce sens que les pays du Nord portent déjà et porteront une grande responsabilité pour l'avenir du développement des pays du Sud. Enfin, pour l'Amérique latine dans son ensemble, l'ultime leçon est que pour maîtriser au mieux son insertion dans une économie mondiale en mouvement elle devra se montrer en permanence capable de réorienter ses exportations vers les zones et les produits les plus porteurs.

NOTES ET REFERENCES

1. Cette contribution s'appuie notamment sur le rapport «Scénarios prospectifs pour l'économie mondiale et les échanges internationaux» préparé par M. Fouet et J. Pisani-Ferry dans le cadre d'un groupe réuni au Commissariat Général du Plan sous la présidence d'Y. Berthelot.

2. A. Brender et J. Oliveira-Martins, «Les échanges mondiaux d'invisibles : une mise en perspective statistique», *Economie Prospective Internationale* n° 19, Paris, la Documentation Française, 1984.

3. Dans cette banque, les données d'exportation et d'importation sont mises en cohérence pour aboutir à des réseaux harmonisés de commerce. Mais son utilisation présente des contraintes. La zone CEE ne comprend ni le Danemark, ni la Grèce qui figurent ici dans la zone Autres pays de l'OCDE. La Chine est regroupée ici avec les pays en développement. Les échanges de provenance ou destination non déclarées sont regroupés avec la zone Est. Cette banque est surnommée CHELEM : Comptes Harmonisés sur les Echanges et l'Economie Mondiale.

4. Cf. M. Aglietta et G. Oudiz – «Problématique pour des scénarios de l'économie mondiale» – *Futuribles*, Paris, octobre 83.

Sources et Notes des tableaux 1 à 7

Toutes les statistiques qui figurent dans les tableaux suivants sont issues de la base de données du CEPII (CHELEM). Les chiffres originaux sur le commerce proviennent des sources des Nations Unies ajustés pour éliminer les inconsistances au niveau mondial (voir A.M. Boudard, «CHELEM, banque de données du CEPII», *Courrier de Statistiques, N° 25*, Paris, INSEE, janvier 1983.

D'un tableau à l'autre, les nomenclatures géographiques utilisées peuvent changer. Les intitulés sont cependant homogènes. Ils désignent les regroupements de pays suivants :

CEE à 8 :
France, République Fédérale d'Allemagne, Royaume-Uni, Italie, Irlande, Belgique, Luxembourg, Pays-Bas.

Autres OCDE :
L'ensemble des pays de l'OCDE à l'exception des Etats-Unis, la CEE à 8, le Japon, mais y compris Israël, Chypre, Malte et l'Afrique du Sud bien que ces pays ne fassent pas partie de l'Organisation.

Amérique latine :
L'ensemble des pays d'Amérique centrale, du Sud et des Caraïbes.

Afrique :
L'ensemble des pays du continent africain hors l'Afrique du Sud.

Asie :
L'ensemble des pays d'Asie hors le Japon et y compris la Chine, la Corée du Nord et l'Inde.

Pays en développement :
Amérique latine + Afrique + Asie + Moyen-Orient.

Pays de l'Est :
URSS et les pays d'Europe Centrale.

Autres :
le reste du Monde, c'est-à-dire l'ensemble des pays ne figurant pas dans les zones spécifiées dans le tableau.

Chapitre 7

LE PROBLÈME DU TRANSFERT LATINO-AMÉRICAIN DANS UNE PERSPECTIVE HISTORIQUE

par

Helmut REISEN

L'histoire contemporaine comporte des périodes bien connues, où les transferts internationaux de ressources financières et de revenu réel prenaient des proportions importantes. Parmi ces transferts, on peut citer les subventions versées par la Grande-Bretagne à ses alliés continentaux durant les guerres de l'Empire, les indemnités versées par la France à la Prusse à la suite de la guerre de 1870, les réparations allemandes après la Première Guerre mondiale ou l'aide civile et militaire accordée par les Etats-Unis à l'issue de la seconde. On a reconnu à l'époque l'existence d'un problème des transferts, qui a conduit les économistes les plus brillants à contribuer à une analyse exhaustive des paiements internationaux, baptisée théorie du transfert.

Depuis qu'a éclaté la crise de la dette polonaise et mexicaine, au moins douze pays en développement semi-industrialisés ont dû faire face à un tel problème de transfert, plus particulièrement en Amérique latine. Néanmoins, la volumineuse littérature consacrée à l'endettement des pays en développement ne l'a pas analysé à l'aide de la théorie du transfert, et ceci pour plusieurs raisons. Tout d'abord, des voix intéressées ont tenté de discréditer l'approche du problème de la dette des pays en développement par la théorie du transfert, en raison du malaise que provoque l'idée d'un transfert «anormal» effectué par le Sud au profit des pays riches du Nord. En second lieu, la théorie moderne de la balance des paiements en est venue à se préoccuper de complications triviales, en négligeant les intuitions des économistes classiques et les aperçus ouverts par les débats de l'entre-deux guerres au sujet de la dette et des paiements unilatéraux. En troisième lieu, l'incidence de l'interventionnisme et de la réglementation dans les pays en développement intéressés a conduit les économistes et les hommes politiques à insister sur la libéralisation, l'ajustement structurel et la croissance en tant que moyens thérapeutiques adéquats, en oubliant de se soucier de la cohérence macroéconomique de leurs propositions.

Il n'est pas étonnant que nous nous soyons habitués, au cours des trois dernières années, à une grande instabilité des idées que l'on se fait au sujet des possibilités de solution de la crise provoquée par l'endettement des pays en développement. La panique initialement ressentie au sujet de la stabilité du système financier mondial faisait place fin 1984 à un optimisme béat, pour être ensuite remplacée par des analyses effectuées pays par pays. L'ennui, toutefois, c'est que les pays d'abord considérés comme «modèles», tel le Mexique, obtenaient en fin de compte de mauvais résultats, en dépit de leurs effort initiaux. L'initiative récente du

Secrétaire au Trésor américain, M. Baker, vise à atténuer en partie l'ajustement réel au moyen de prêts forcés accordés par la Banque mondiale, les banques de développement régionales et les banques commerciales.

Les principaux débiteurs latino-américains devront faire face en permanence, durant le reste de cette décennie, à un problème de transfert. Dans les sections ci-après, on examinera la charge qui en résulte, à la lumière des exemples historiques et des éléments essentiels de la théorie des transferts, qui a dégagé les conditions d'une solution réelle. On se demandera dans quelle mesure la politique et les structures économiques existant tant dans les pays débiteurs que chez les créanciers satisfont à ces conditions, en relevant certaines des incohérences macroéconomiques que comporte le débat actuel. On terminera par une brève évaluation des perspectives futures d'un allègement de l'endettement des pays en développement par un ajustement réel.

La charge du transfert

Le transfert financier net effectué au profit d'un pays débiteur est fonction de l'écart entre les crédits accordés et les intérêts versés au titre de la dette existante. Les banques ont acquis sur les Etats latino-américains d'énormes créances, dépassant le niveau d'endettement supportable. Par conséquent, il faudra désormais que les intérêts versés dépassent les crédits nets accordés, jusqu'à ce que la confiance des banques se rétablisse (de gré ou de force), même si le taux d'intérêt tombe en-dessous du taux de croissance du PNB (Niehans, 1985).

Le transfert financier correspondant doit s'effectuer par une réduction des réserves de devises existantes ou au moyen de recettes provenant d'un excédent de la balance commerciale (transfert réel). La première solution n'en est pas une pour la plus grande partie de l'Amérique latine. Au cours des trois dernières années (1983 à 1985), ce continent a effectué un transfert net de quelques 100 milliards de dollars, en termes tant financiers que réels (tableau 1). La majeure partie, de loin, de ce transfert net a dû être assurée par quatre pays : l'Argentine, le Brésil, le Mexique et le Venezuela. Elle représentait une pénible compression de l'absorption interne de leur PIB, s'élevant en moyenne à quelque 5 pour cent pour l'Argentine, 3 pour cent pour le Brésil, 6 pour cent pour le Mexique et 9 pour cent pour le Venezuela. En dépit de cette lourde charge, on observera que l'Amérique latine dans son ensemble, et trois des pays en cause, accroissaient leurs réserves en devises. D'ici la fin des années 80, les principaux débiteurs latino-américains devront transférer annuellement 10 à 13 milliards de dollars, aux termes des scénarios actuellement admis (ceux du FMI, de la Banque mondiale et de la Banque interaméricaine de développement (BIAD) tous datant de 1985).

Cette charge semble très lourde, même par comparaison avec les cas des transferts les plus connus historiquement (tableau 2). Si les dépenses extérieures consenties par la Grande-Bretagne durant les guerres de l'Empire s'étalaient sur une longue période, il n'y eut entre 1796 et 1816 que trois années où les statistiques britanniques du commerce extérieur faisaient apparaître un excédent. La charge relativement lourde assumée par la France à la suite du Traité de Francfort se limitait à quatre ans si l'on en juge par l'excédent effectif de la balance commerciale. Cependant, la moitié des indemnités avait été payée au moyen d'exportations d'or et de devises, ainsi que de capitaux français rapatriés de l'étranger. L'Allemagne n'effectuait de transferts nets qu'en 1926 et de 1929 à 1931 (date du Moratorium Hoover). La charge effective de ces transferts contraste fortement avec les débats théoriques auxquels elle donnait lieu (Keynes, Ohlin, List-Gesellschaft, 1929). La charge des paiements effectués par les Etats-Unis au titre du Plan Marshall et de l'aide militaire était grandement allégée, du fait que la forte demande dont bénéficiaient leurs

Tableau 1. LA CHARGE DU TRANSFERT NET RÉALISÉ PAR L'AMÉRIQUE LATINE, 1983-1985

Pays	Année	Transfert réel[a]		Moins : variation des réserves extérieures	Transfert financier net[b]	
		Milliards de dollars	% du PNB	Milliards de dollars	Milliards de dollars	% du PNB
Amérique latine	1983	26.7	3.7	−4.4	31.1	4.3
	1984	35.1	4.7	9.3	25.8	3.5
	1985	30.7	4.6	0.3	30.4	4.5
Argentine	1983	3.0	3.9	−2.5	5.5	7.1
	1984	3.2	4.1	0.1	3.1	4.0
	1985	3.9	5.1	1.1	2.8	3.7
Brésil	1983	4.2	1.9	−1.9	6.1	2.8
	1984	11.5	5.0	5.4	6.1	2.7
	1985	10.8	3.4	0.8	10.0	3.1
Mexique	1983	14.5	7.6	2.0	12.5	6.6
	1984	14.0	7.1	2.1	11.9	6.0
	1985	8.5	4.1	−3.4	11.9	5.7
Venezuela	1983	6.6	12.0	0.3	6.3	11.5
	1984	6.1	11.2	1.6	4.5	8.3
	1985	6.0	11.0	1.9	4.1	7.5

a) Balance courante corrigée des paiements nets de revenus de facteurs à l'étranger.
b) Mouvements de capitaux et paiements nets de revenus de facteurs à l'étranger.
Sources : 1983 et 1984 : FMI, *International Financial Statistics* ;
          pour 1985 : CEPALC, *Balance Preliminar de la Economia Latinoamericana 1985* ;
          PNB : Centre de Développement de l'OCDE.

Tableau 2. RAPPORT DES PAIEMENTS EXTÉRIEURS BRUTS AU PNB LORS DES TRANSFERTS HISTORIQUES

Pays	Période	Paiements extérieurs bruts en pourcentage du PNB
Grande-Bretagne[a]	1793-1805	1.0
France[b]	1872-1875	5.6
Allemagne[c]	1924-1932	2.5
Etats-Unis[d]	1949-1961	3.0

a) Dépenses militaires consacrées par la Grande-Bretagne à ses armées opérant en Europe et subventions aux Etats et agents étrangers durant les guerres de l'Empire.
b) Indemnités versées par la France à la Prusse durant les quatre années où le transfert réel s'effectuait au moyen d'un excédent de la balance commerciale.
c) Réparations versées par l'Allemagne sous forme de livraisons en nature et paiements aux armées d'occupation.
d) Transferts des Etats-Unis à l'étranger, principalement sous forme d'aide extérieure, dépenses militaires et investissements de capitaux privés à l'étranger.
Source : Machlup, 1964.

exportations réduisait le transfert réel, notamment grâce à une généreuse expansion monétaire dans les pays bénéficiaires (Machlup, 1964).

Contrairement à ces précédents historiques, il n'est pas facile aujourd'hui d'identifier les pays qui bénéficient de ces transferts latino-américains. On peut s'en faire une idée à partir de la structure des créances bancaires, dont on estime que les Etats-Unis détiennent 36 pour cent, le Japon 16 pour cent, le Royaume-Uni 12 pour cent, le Canada et la France 8 pour cent chacun, l'Allemagne 6 pour cent et la Suisse 3 pour cent (*Neue Zürcher Zeitung*, 18 décembre 1985).

Le problème du transfert

On se souvient que les exemples historiques de transfert, et notamment le cas de l'Allemagne, devaient déclencher une dispute théorique qui opposait deux écoles. La première soutenait que la balance commerciale du pays débiteur s'adapterait à ce flux de paiements unilatéraux, dégageant les moyens de paiement internationaux qui permettraient de l'effectuer. L'autre estimait qu'en l'absence de disponibilités en devises une dégradation des termes de l'échange était indispensable pour que le transfert puisse s'effectuer. La discussion faisait ressortir trois problèmes, décisifs pour la viabilité à long terme des transferts financiers et réels. Transposés dans des termes applicables à la crise actuelle de l'endettement, on peut les énoncer comme suit :

- En premier lieu, le problème *budgétaire*, consistant à s'assurer les recettes intérieures nécessaires pour le service de la dette extérieure. Les chances de le résoudre sont fonction de la volonté et de la possibilité d'assurer le service de la dette ainsi accumulée. S'agissant essentiellement d'une dette publique, le service peut en être assuré d'autant plus facilement que le transfert financier net représente une part moindre des recettes publiques. La volonté de payer peut se mesurer par le rapport entre la création de monnaie destinée au service de la dette et l'effort d'économie effective de ressources au moyen de la compression des dépenses et de l'alourdissement des impôts.
- En second lieu, le problème de *change*, consistant à convertir les fonds mobilisés en dollars, par la substitution aux importations ou l'accroissement des exportations. Là encore, la solution du problème est fonction de la capacité et de la volonté de paiement du pays en cause. Son aptitude à effectuer des transferts réels à long terme s'accroît avec la diversification et l'élasticité vis-à-vis de la demande de sa production. Le «cas-limite» le plus défavorable est celui d'un pays n'exportant qu'un seul produit. D'autre part, la volonté de résoudre le problème de change se manifeste par les encouragements accordés à la production de biens échangeables par opposition aux services non échangeables, et par un taux de change compétitif.
- En troisième lieu, le problème de l'*acceptation* par le reste du monde, et notamment les pays bénéficiaires, d'un déficit commercial suffisant pour servir de contrepartie au transfert réel. C'est là essentiellement une question de volonté, se manifestant a) par la suppression des mesures protectionnistes et b) par une politique monétaire et budgétaire faisant place au pouvoir d'achat reçu.

Cet exposé très schématique de la théorie du transfert suffit pour en montrer l'utilité pour l'analyse de la crise actuelle de l'endettement. Il évite certaines incohérences macroéconomiques, qui apparaissent souvent dans l'idée que l'on se fait de ces questions. Il est plus complet, car il tient compte à la fois des transactions courantes et des mouvements de capitaux, tant des pays effectuant le transfert que de ceux qui en bénéficient. Il constitue l'étalon à l'aune duquel on peut apprécier les efforts consentis par les deux camps en faveur d'un ajustement réel, depuis le début de la crise de l'endettement.

Le problème budgétaire n'est pas résolu

Lorsqu'il faut mobiliser au sein de l'économie des sommes importantes, en vue de les transférer aux créanciers, la tentation est forte de recourir à des emprunts auprès du système bancaire. Mais dans la mesure où une expansion monétaire contribue à dégager des fonds intérieurs, on n'a pas réellement résolu le problème budgétaire. Une solution durable exigerait une épargne ex ante *volontaire*, ainsi qu'une réduction correspondante du crédit intérieur, à concurrence du montant du transfert extérieur. Cette politique restrictive contribuerait à

Tableau 3. CHARGE BUDGÉTAIRE, MASSE MONÉTAIRE
ET INFLATION

Pays	Année	Transfert financier net en pourcentage des recettes courantes des administrations centrales	Progression annuelle en pourcentage de la masse monétaire	Hausse annuelle en pourcentage des prix à la consommation
Argentine	1983	131.7	363	361
	1984	77.3	602	573
	1985[a]	61.1	982	1 228
Brésil	1983	31.1	95	142
	1984	33.3	199	197
	1985[a]	48.0	31	319
Mexique	1983	19.2	40	102
	1984	18.6	60	69
	1985[a]	18.8	10	95
Venezuela	1983	35.2	21	6
	1984	31.6	24	12
	1985[a]	28.2	–6	21

a) Premier semestre de 1985.
Source : FMI, International Financial Statistics.

réduire au minimum la dépréciation nécessaire, non seulement en comprimant implicitement la demande totale, mais aussi en exerçant une pression sur la structure des prix intérieurs, pour encourager la production de biens échangeables (Meyer, 1938).

En Amérique latine, toutefois, les pouvoirs publics se sont trouvés dans l'incapacité d'imposer une politique monétaire et budgétaire suffisamment restrictive, ce qui ne surprendra que ceux qui ne sont pas conscients de l'énorme charge budgétaire dont il s'agit (tableau 3). Par voie de conséquence, l'épargne ex ante défaillante a été suppléée par une épargne forcée, les détenteurs de monnaie nationale se voyant imposer une taxe inflationniste considérable. C'est le déficit et non l'excédent budgétaire qui est de règle et sa monétisation entraîne l'accroissement de la masse monétaire. L'accélération de l'inflation traduit donc la charge imposée au budget par le service de la dette extérieure, au moins autant qu'elle explique l'accumulation antérieure de cette dernière. L'inflation signale l'existence d'un problème budgétaire non résolu.

De ce fait, il n'existe pas d'autre solution qu'une dépréciation illimitée. On admet en général que celle-ci doit compenser l'écart des taux d'inflation qui nuit à la compétitivité extérieure. Pour résoudre le problème du transfert, il est encore plus important – bien qu'on l'ignore souvent – que la dépréciation supplée le budget en renforçant la mobilisation de ressources effectuée par des engagements libellés en devises. Cependant, cette stratégie inflationniste clandestine, visant à mobiliser des fonds intérieurs, finit par aboutir à une impasse. Les recettes que procure la taxe inflationniste sont réduites par la thésaurisation, la substitution de monnaies, la fuite des capitaux et autres réactions permettant d'y échapper. Simultanément, la dépréciation induite par l'inflation accroît l'équivalent en produits nationaux de la dette extérieure, tandis que l'affaiblissement de la confiance intérieure et étrangère envers la politique du pays débiteur impose à celui-ci une charge supplémentaire. De solution de facilité qu'elle était au départ pour un gouvernement populiste, la stratégie budgétaire inflationniste finit par devenir plus pénible que les autres. Les seules solutions à long terme sont l'ajustement réel par la compression de la dépense publique et la contraction du crédit intérieur, ou une forme quelconque d'allègement du service de la dette.

Le problème de change

La politique inflationniste suivie par l'Amérique latine ne l'aidait guère à résoudre son problème de change. Au départ, une sévère restriction des importations et des investissements engendrait l'excédent commercial nécessaire, notamment en 1983. Aujourd'hui (à fin 1985) les importations latino-américaines sont inférieures de 36 pour cent à leur valeur de 1980. En Argentine, cet écart est même de 61 pour cent. Il est difficile d'imaginer que les importations puissent être encore réduites ; à l'avenir, le transfert réel devra provenir d'un accroissement des exportations. En dépit d'une dépréciation réelle et d'un renforcement des encouragements à la production de biens échangeables (Reisen, 1985), les recettes d'exportation de l'Amérique latine ont subi l'an dernier une baisse de plus de 15 pour cent. Par-delà ce résultat décevant, il faut prêter attention au «noyau» du problème du transfert.

Il devient désormais plus évident que l'hypothèse de termes de l'échange inchangés (que fait, par exemple, le FMI, 1985) ne convient pas pour la plupart des pays en développement débiteurs, les possibilités de compression de leurs importations semblant épuisées. Cependant, la nécessité pour eux d'accroître leurs recettes d'exportation provoquera un engorgement de certains marchés mondiaux, notamment ceux de produits primaires. Le récent effondrement du cartel formé par l'OPEP et celui de l'accord sur l'étain ont été en partie provoqués par les efforts consentis à l'exportation par les principaux débiteurs latino-américains. Les termes de l'échange de l'Amérique latine se sont dégradés de 16.5 pour cent depuis 1980, ce phénomène frappant plus particulièrement les exportateurs de matières premières, tels que le Mexique (chute de 23.7 pour cent), le Pérou (chute de 30.7 pour cent) et le Chili (chute de 31.2 pour cent).

Les années qui viennent creuseront probablement l'écart entre des pays ayant des aptitudes différentes aux transferts réels à long terme. Un pays comme le Brésil, où s'est développée une gamme assez large de productions non traditionnelles, ne risque guère de renforcer de problèmes de change importants (en revanche, il n'a pas résolu son problème budgétaire). Mais des pays comme le Mexique, le Pérou et le Chili ont tout simplement besoin de plus de temps, c'est-à-dire de capital, pour mettre en route des capacités de production plus évoluées, avant de pouvoir assurer des transferts réels sans dégradation de leurs termes de l'échange.

Le problème de l'acceptation

L'année 1984 autorisait une vue très optimiste de la crise de l'endettement, alors que le PIB des Etats-Unis, premier bénéficiaire du service de la dette latino-américaine et principal partenaire commercial des pays en cause, progressait à un taux de 6.8 pour cent.

Cette croissance inhabituelle fournissait aux exportations de l'Amérique latine d'importants débouchés. Aujourd'hui, le taux de croissance des Etats-Unis est tombé à 3 pour cent. Les estimations économètriques qui donnent à penser qu'un point de croissance supplémentaire dans les pays développés fait plus, pour alléger le problème d'endettement des pays en développement, qu'une baisse d'un point des taux d'intérêt (OCDE, 1985) se retournent contre nous. Même si le Japon et l'Europe prenaient le relais – ce qu'ils n'ont pas fait jusqu'à présent et ne semblent pas disposés à faire – l'Amérique latine aurait beaucoup de mal à réorienter ses exportations vers ces nouveaux clients. En tout état de cause, les pays de l'OCDE pourraient contribuer de manière importante à une solution à long terme du problème de l'endettement en suivant une politique monétaire et budgétaire évitant à la fois l'inflation et la déflation. Une réduction du déficit budgétaire américain devrait donc être compensée par un accroissement correspondant dans les autres pays industrialisés.

Ce qui, toutefois, est décisif pour résoudre la crise de l'endettement, c'est l'abolition du protectionnisme dans les pays de l'OCDE. Les pays créanciers ne sauraient satisfaire simultanément deux exigences incompatibles : un service complet de leurs créances bancaires et la protection de leur industrie. Leur protectionnisme bloque l'accroissement des exportations que doivent réaliser les pays débiteurs pour réussir à les rembourser. Les possibilités de progrès à cet égard sont considérables, quelque 50 pour cent des échanges mondiaux étant soumis à des restrictions non tarifaires (OCDE, 1985). La part des articles soumis à ces restrictions dans le total des importations de produits manufacturés a doublé aux Etats-Unis et a augmenté de 40 pour cent dans la CEE au cours de la période 1980-83. L'OCDE (cf. *Coûts et avantages des mesures de protection*, 1985) estime qu'un renforcement progressif du protectionnisme équivalent à une hausse de 15 pour cent des droits de douane provoquerait d'ici à 1995 une baisse significative (supérieure à 3 pour cent) du PIB, tant des pays en développement que des pays développés. Si la mode est aujourd'hui d'insister sur une solution du problème de l'endettement faisant appel à la croissance, le protectionnisme des pays de l'OCDE risque d'y faire obstacle. On oublie en général que le taux de progression des dépenses intérieures des pays qui effectuent le transfert est limité par le taux de croissance effectif des pays qui en bénéficient, l'un et l'autre de ces taux étant déterminés par les propensions respectives des deux groupes de pays à l'importation et à l'épargne. Cette limite imposée de l'extérieur risque, en fait, d'être plus stricte que celle qui résulte des possibilités de croissance des pays en développement.

Perspectives

En conclusion, les observations ci-avant conduisent à envisager de manière plutôt pessimiste les chances d'une réelle solution à long terme au problème du transfert. Tout d'abord, la tâche semble excessivement ardue si on l'examine d'un point de vue historique. En second lieu, on peut douter que la combinaison de mesures à prendre ait jusqu'ici été correctement comprise par l'ensemble des pays intéressés. Enfin, même si elle l'était, il n'est guère probable qu'elle puisse être mise en œuvre au plan politique.

Reste l'ajustement financier. Ceux qui prennent leur désirs pour des réalités souhaitent que le financement du développement prenne davantage la forme de fonds propres plutôt que de prêts. Mais les pays en développement endettés peuvent-ils attirer un plus grand volume d'investissements directs de l'étranger alors que la baisse des prix des matières premières détourne les investisseurs des pays de l'OCDE de s'assurer un accès à ces ressources, et que la faiblesse de la croissance des pays en développement décourage les investissements destinés à leur propre marché ? Et comment les pays débiteurs pourraient-ils attirer des investissements de portefeuille par des taux d'intérêt attrayants, alors que les taux réels atteignent dans les pays de l'OCDE un niveau si extraordinairement élevé ? Il est évident que les perspectives d'accroissement des entrées volontaires de fonds propres privés sont aussi médiocres que dans le cas des crédits privés. Par conséquent – et selon mon opinion malheureusement – le seul apport important à un ajustement financier proviendra de la prise de certains risques privés par l'intermédiaire des pouvoirs publics.

NOTES ET RÉFÉRENCES

Progrès économique et social en Amérique latine, Washington, D.C., Banque interaméricaine de développement, 1985.

World Economic Outlook, Washington, D.C., FMI, 1985.

J.M. Keynes, «The German Transfer Problem», *Economic Journal*, (1929) pp. 1-7.

Fr-List-Gesellschaft, *Das Reparationsproblem*, 2 tomes, Berlin, 1929.

F. Machlup, *Payments, Debts, and Gold*, New York, 1964.

F.W. Meyer, *Der Ausgleich der Zahlungsbilanz*, Jena, 1938.

Jürg Niehans, «International Debt with Unenforceable Claims», *Economic Review*, Federal Reserve Bank de San Francisco, Hiver 1985.

Perspectives économiques de l'OCDE, Paris, OCDE, décembre 1985.

Coûts et avantages des mesures de protection, Paris, OCDE, 1985.

Bertil Ohlin, «The Reparations Problem», *Economic Journal*, 1929, pp 172-178.

Helmut Reisen, *L'allègement de la dette extérieure : Le rôle des principales variables de prix dans l'ajustement*, Paris, Textes du Centre de Développement de l'OCDE, 1985.

Rapport sur le développement dans le monde, Washington D.C., Banque mondiale, 1985.

Chapitre 8

UNE SOLUTION INTERNATIONALE POSSIBLE DU PROBLÈME DE LA DETTE EXTÉRIEURE[1]

par
Jorge GONZALEZ DEL VALLE
Directeur
Centre de Estudios Monetarios Latinoamericanos (CEMLA)

Au cours de l'année 1985, on a vu s'accroître considérablement l'intérêt suscité par un éclaircissement des idées vagues mises en avant par les gouvernements latino-américains au sujet d'un «dialogue politique» portant sur la question délicate de la dette extérieure. On est en présence de nombreuses propositions, depuis l'idée radicale d'une «répudiation» unilatérale jusqu'au simple remplacement des créanciers par un fonds de compensation destiné au refinancement des paiements d'intérêts.

On n'a donc rien à perdre à examiner la viabilité d'une solution fondée sur des principes classiques, pouvant satisfaire tant les créanciers que les débiteurs et comportant l'avantage apparent de «mettre à jour» l'accumulation des arriérés d'intérêts et d'amortissements, ce qui ouvrirait la voie aux entrées de capitaux dont l'Amérique latine a toujours besoin. En outre, cette solution exigeant un accord international qui irait au-delà d'une renégociation bilatérale et partielle de la dette, elle entrerait précisément dans le domaine «politique» que réclamait le consensus de Carthagène.

L'idée fondamentale que l'on mettra en avant dans les pages qui vont suivre est qu'un problème international exige d'être résolu à ce même niveau. La stabilité du système financier mondial est nécessaire à la sécurité collective, qui se trouve compromise tant que la reprise de la croissance et du développement économique reste entravée par un endettement extérieur massif, avec la dépression économique, les coûts sociaux élevés et les conflits politiques, tant extérieurs qu'intérieurs, qui en découlent.

Caractéristiques du mécanisme envisagé

Le mécanisme ici envisagé se rattacherait au Fonds Monétaire International (FMI), institution qui a les responsabilités les plus importantes dans la sauvegarde de l'ordre financier international, compromis par le problème de la dette extérieure. On montrera en outre, en décrivant ce mécanisme, que le FMI dispose des moyens juridiques, financiers et techniques qui permettraient de le mettre en route très rapidement.

1. *Fonds fiduciaire*

Au départ, le FMI devrait créer un fonds fiduciaire chargé des fonctions suivantes :

a) accepter le transfert des engagements internationaux de ses pays membres satisfaisant aux critères d'admission (cf. point 2) pour le refinancement de la dette ;

b) consolider toutes les obligations internationales admissibles, dont la période de remboursement serait fixée entre dix et quinze ans, selon la capacité de paiement des pays débiteurs (cf. point 4) ;

c) échanger les créances consolidées des banques et autres institutions financières contre des titres négociables, dont les termes et les échéances seraient liées à l'échéancier d'amortissement accepté par le Fonds fiduciaire ;

d) gérer les ressources reçues du FMI pour bonifier les intérêts versés (cf. point 5) ;

e) effectuer les opérations financières nécessaires pour atteindre les objectifs du Fonds fiduciaire.

Le FMI jouit de prérogatives juridiques suffisantes pour administrer un fonds fiduciaire du type préconisé. Il lui suffirait de l'approbation de son Conseil d'administration. En ce sens, un Fonds fiduciaire de la dette extérieure (FFDE) pourrait être créé sur proposition du Comité exécutif (avec le soutien du Comité intérimaire), comme l'ont été au cours des années précédentes d'autres facilités spéciales de financement et fonds fiduciaires répondant à des finalités déterminées.

On voit que l'aspect crucial du FFDE est la substitution aux dettes extérieures, qui constituent une lourde charge pour les pays débiteurs, de titres bénéficiant d'une garantie internationale, que les créanciers pourraient conserver ou négocier sur le marché. Bien que l'on ne puisse juridiquement parlant faire de ces titres une obligation directe du FMI, la consolidation et l'internationalisation des dettes existantes par l'intermédiaire du Fonds constituerait une garantie adéquate du point de vue du marché financier. Qui plus est, rien n'empêcherait le FMI agissant seul ou par l'intermédiaire d'autres organismes de financement internationaux (Banque mondiale, BDI etc.) d'organiser pour ces titres un marché secondaire.

2. *Dette extérieure admissible*

Pour être digne de confiance et efficace, le FFDE devrait se borner à consolider et renégocier celles des dettes extérieures qui constituent réellement une lourde charge pour le pays débiteur. Parmi les divers critères présidant au choix des dettes pouvant donner lieu à renégociation, on peut citer les suivants :

a) l'échéance du prêt, avant ou après renégociation, ne devrait pas dépasser cinq ans à partir de son transfert au Fonds fiduciaire ;

b) le taux d'intérêt admis dans le contrat initial devrait fluctuer en fonction de ceux du marché ;

c) le montant du service annuel de la dette extérieure totale du pays candidat (somme des amortissements, des intérêts et des commissions bancaires) devrait, en moyenne, dépasser, de manière nominale ou effective 20/25 pour cent de la valeur de ses exportations de biens et de services au cours des trois années précédant le dépôt de sa candidature au Fonds fiduciaire.

On pourrait définir d'autres critères de choix, qui seraient sans aucun doute l'aspect le plus controversé de ce mécanisme, compte tenu des querelles aiguës (et peut-être inutiles) que suscite la «responsabilité» de l'endettement extérieur des pays en développement. Ces derniers devraient, en tout état de cause, résister fermement à l'imposition de critères qui soumettraient la renégociation de leur dette aux politiques d'ajustement si mal réputées du FMI. On peut dire sans exagération qu'en exigeant l'acceptation des conditions tradition- nellement définies par le FMI, on restreindrait l'accès au FFDE au point d'en annuler complètement les objectifs.

Il convient en revanche de se rendre compte que le Fonds fiduciaire ne saurait fonctionner sans être très sélectif vis-à-vis des dettes extérieures méritant d'être consolidées et renégociées. En ce sens, les pays débiteurs devraient accepter une discipline qui écarterait la tentation – parfois pressante – de transférer à la communauté internationale la responsabilité de dettes extérieures qui ne constituent pas pour eux une charge excessive.

3. *Obligations de consolidation*

Les titres émis par le FFDE en remplacement des dettes extérieures directes admises à la conversion devraient satisfaire les besoins des créanciers. A cette fin, ils devraient présenter les caractéristiques suivantes :

a) ils bénéficieraient d'une garantie directe du Fonds fiduciaire, impliquant de son côté la responsabilité collective des pays membres participants ;

b) ils seraient librement transférables jusqu'à leur échéance, au choix du déten- teur ;

c) ils seraient amortis sur une période de dix à quinze ans à partir de leur émission, par tirage au sort annuel à intervalle fixe, et par débit de la caisse d'amortissement créée par les débiteurs ;

d) ils porteraient intérêt au taux établi sur le marché pour des titres à moyen ou long terme du même type.

Une fois entreprise l'opération de conversion, le FFDE négocierait directement avec les créanciers (banques et autres institutions financières) en cause. Il aurait peut-être à surmonter des résistances dans les pays qui réglementent la composition des portefeuilles, la création de provisions sur créances ou les échéances maximales des prêts accordés à l'étranger. Nombre de ces règlements étant peu cohérents sous l'angle financier et technique, le FFDE jouirait d'une influence internationale suffisante pour en obtenir la libéralisation ou l'élimination.

En revanche, il ne devrait pas y avoir d'objections techniques contre la substitution à des dettes extérieures ayant déjà subi (ou devant probablement subir) des retards de paiement, de titres internationaux tendant comme tels à résoudre les problèmes de concentration des risques, de rentabilité effective et de solvabilité qui affectent la plupart des créances existantes. Ce serait là le principal argument qui pousserait les créanciers à accepter les titres émis par le FFDE ; il pourrait être renforcé par la création d'un marché secondaire, fondé à la fois sur la caisse d'amortissement des titres émis et les dispositifs de placement que le FFDE pourrait définir en accord avec le FMI, la Banque mondiale et d'autres institutions de financement régionales ou nationales.

4. *La caisse d'amortissement*

Pour racheter les obligations de consolidation qu'il émettrait, le Fonds fiduciaire devrait créer une caisse d'amortissement, alimentée par les remboursements effectués par les pays débiteurs au prorata de la dette extérieure qu'ils auraient convertie. Ces paiements ne peuvent ni ne devraient dépasser la capacité financière des débiteurs, qui serait définie dans chaque cas par le FFDE à partir de projections à moyen et long termes de leur balance des paiements. Ces projections nécessiteraient toutefois une correction normalisée (autrement dit, d'application générale) traduisant l'allègement du fardeau des remboursements de la dette extérieure, raison d'être du fonds fiduciaire envisagé.

Parmi les critères techniques applicables à l'élaboration de projections rectifiées de la capacité de paiement de chaque pays débiteur, on peut citer les suivants :

a) toute dette en cours ou venue à échéance devrait être amortie par montants annuels égaux, quel que soit l'échéancier initialement retenu ;

b) il conviendrait d'appliquer un différé d'amortissement de cinq ans, partant de la date d'origine, y compris dans le cas des dettes venues à échéance, où le point de départ serait la date de leur acceptation par le FFDE ;

c) l'objectif uniforme, en ce qui concerne les résultats annuels de la balance des paiements, devrait être un *solde nul* de la « balance de base » (comprenant la balance courante, ainsi que les revenus nets du capital à échéance égale ou supérieure à cinq ans), compte tenu du différé d'amortissement et du remboursement des dettes dont la conversion aurait été acceptée par le FFDE ;

d) toute correction provenant d'un solde *négatif* de la « balance de base » viendrait s'ajouter au montant de l'encours.

Si l'auteur voit dans un solde nul de la balance de base un indicateur objectif de la capacité de paiement, c'est surtout parce qu'il lui semble souhaitable d'éviter des conflits inutiles entre le FFDE et les pays débiteurs au sujet de la politique suivie par ces derniers en matière de réserves internationales, de niveau des importations etc. En fait, l'acceptation générale de cet indicateur objectif permettrait aux pays débiteurs de financer leurs importations au moyen de recettes en devises provenant de leurs exportations ou d'entrées de capitaux à échéance de moins de cinq ans, ou de consacrer les excédents qui en résulteraient à l'accroissement de leurs réserves, ou encore au remboursement de dettes extérieures non consolidées.

On ne saurait néanmoins passer sous silence que la définition de la « véritable » capacité de paiement des pays débiteurs serait encore un sujet de controverse lors de la négociation des principes devant orienter l'action du FFDE. Les créanciers ont tendance à croire parce que le FMI le leur répète depuis des années, qu'il est possible d'accroître cette capacité de paiement par la simple application aux pays débiteurs de politiques draconiennes d'ajustement extérieur. En revanche, la plupart des débiteurs invoquent à juste titre l'impossibilité de pousser l'ajustement jusqu'au degré extrême où il entraînerait l'asphyxie du secteur extérieur, accompagnée d'une situation intérieure explosive au plan politique et social.

5. *Bonification des intérêts*

S'il est possible de faire fonctionner le Fonds fiduciaire envisagé comme simple intermédiaire entre débiteurs et créanciers, son attrait principal (et sans aucun doute le plus controversé) serait d'offrir aux pays débiteurs un allègement appréciable de la charge qui leur incombe, vu le niveau actuel de leur endettement extérieur. On a fait valoir, non sans raison, que les répercussions défavorables de cette charge sont relativement plus graves que l'accumulation des amortissements échus, dont le montant est après tout négociable et concerne tant les débiteurs que les créanciers. En outre, la hausse des taux d'intérêt internationaux affecte gravement la capacité de paiement des pays les plus endettés, compliquant leur accès déjà précaire aux crédits internationaux dont ils ont besoin pour continuer à financer leur croissance économique.

Pour permettre au Fonds fiduciaire de subventionner dans une large mesure la charge de la dette extérieure consolidée, nous recommandons les règles suivantes :

a) le FMI transfèrerait au Fonds, avec l'approbation du Conseil des Gouverneurs, les recettes résultant de ses ventes d'or sur le marché ;

b) la bonification ne correspondrait qu'à l'écart entre le taux d'intérêt effectivement payé sur les obligations émises par le Fonds fiduciaire et un taux nominal, uniforme pour toutes les dettes extérieures admises en conversion et équivalent à 23 pour cent par an, plus la hausse annuelle moyenne de l'indice des prix dérivé du Produit intérieur brut des Etats-Unis ;

c) si ses ressources financières exclusivement consacrées à la bonification des intérêts étaient insuffisantes, le Fonds fiduciaire pourrait, pour équilibrer cette déficience, imposer une hausse proportionnelle et uniforme du taux d'intérêt nominal acquitté par les débiteurs.

Autocritique du mécanisme envisagé

Les éventuels avantages du mécanisme esquissé ci-avant se résument au pragmatisme qui caractérise tant ses aspects institutionnels que sa viabilité technique. Si aucun de ses éléments n'est original, c'est là la principale raison qui conduirait à l'accepter, sur la base d'un large soutien international, né d'une prise de conscience générale des dangers de crise financière mondiale que nous fait courir la dette extérieure des pays en développement. Cette prise de conscience a jusqu'ici été retardée par le succès apparent des négociations engagées entre des débiteurs et des créanciers déterminés, mais les anticipations sur lesquelles se fondent les dispositions ainsi arrêtées ne sont ni encourageantes ni prometteuses.

Le rôle central assigné au FMI dans le fonctionnement du Fonds fiduciaire envisagé est conforme au soutien politique que les pays industrialisés lui ont offert tout au long des négociations ayant trait, au cours des dernières années, à la dette extérieure de chaque pays. En outre, du point de vue des débiteurs, il vaut mieux recourir à l'expérience technique et à la souplesse juridique du FMI pour parvenir à brève échéance à une solution que de continuer à espérer, sans raison, d'éventuels miracles.

Tel qu'il est conçu, ce mécanisme d'internationalisation de la dette extérieure satisferait les besoins les plus pressants des débiteurs et des créanciers, sans toucher aux conventions classiques de la libre entreprise en matière financière. Les créanciers pourraient renforcer (et dans certains cas améliorer) la qualité de leurs avoirs extérieurs, au prix d'un allongement des échéances de leurs placements. Les débiteurs se verraient grandement soulagés par le report global et l'allègement de la charge de leurs engagements, dont le service s'adapterait mieux à leur capacité de paiement. La communauté internationale, de son côté, échapperait au risque d'un krach financier dont les conséquences seraient imprévisibles, mais certainement regrettables.

Les défauts du mécanisme proposé, apparemment inévitables, tiennent à la sélection des dettes extérieures admises au refinancement et, dans une certaine mesure, à l'incertitude qui pèserait sur le montant des intérêts à bonifier. Sur le premier point, on ne saurait ouvrir le mécanisme à tous les types de dette extérieure, la priorité devant forcément être accordée à celles qui représentent réellement une lourde charge, du fait de leur échéance rapprochée ou de leur coût financier élevé. En ce qui concerne la bonification des intérêts, la source financière proposée (les ventes d'or du FMI) ne serait pas illimitée, les débiteurs devant en définitive prendre en charge la totalité des intérêts versés aux créanciers par le Fonds fiduciaire. Néanmoins, cette bonification pourrait constituer à moyen terme un allègement significatif, compte tenu de ce que pourraient rapporter les avoirs en or du FMI, qui s'élèvent actuellement à quelque 100 millions d'onces.

Enfin, il convient de ne pas sous-estimer le fait qu'une fois terminée la substitution à la dette extérieure d'obligations du Fonds fiduciaire envisagé, on verrait disparaître le principal obstacle à une reprise des flux financiers internationaux, qui jusqu'à ces dernières années constituaient une source importante de soutien du développement économique. Les estimations et les calculs que l'on pourrait établir à cet égard sont dépourvus d'intérêt en l'absence de la confiance et de la certitude qu'exigent les prêteurs potentiels. C'est une chose de mesurer le «besoin» de financement extérieur, et une autre de chiffrer les anticipations de rendement réel des capitaux. Il ne faudrait pas oublier que l'écart entre ces deux variables était l'une des causes principales de l'endettement extérieur excessif auquel on cherche aujourd'hui des remèdes et des solutions.

Observations finales

L'opinion que l'on a de la nécessité de trouver une solution globale aux problèmes de la dette extérieure de l'Amérique latine dépend de l'idée que l'on se fait des chances d'une reprise économique et de la viabilité politique d'un accord international dans ce domaine. Au cours des derniers mois, on a pu observer à ces deux points de vue un «mollissement» qui mérite quelques commentaires.

En ce qui concerne d'abord la reprise économique, nombre de pays d'Amérique latine interprètent les résultats apparemment obtenus en 1984 comme le début d'une nouvelle phase de prospérité. Pour bien apprécier ces résultats, il faut tenir compte que la crise économique qui avait débuté en 1980 a modifié certains aspects «structurels» du financement extérieur, qu'il serait dangereux de négliger en établissant des projections de sa future capacité de paiement. Au premier plan de ces facteurs figurent le rôle nouveau joué par l'Amérique latine en tant que région exportatrice de capitaux, la contraction massive des importations (dont certaines tout à fait nécessaires) qui a déterminé l'amélioration de la balance commerciale, et l'instabilité persistante des prix des exportations de produits primaires.

Quant à la volonté politique de trouver une solution aux problèmes internationaux, on ne saurait douter que le refus doctrinaire d'un dialogue constructif et respectueux, si répandu dernièrement, n'exerce une influence négative sur les espoirs latino-américains. Mais ce serait une erreur de se lancer dans un terrorisme idéologique pour apporter des solutions politiques à un dilemme économique ayant un caractère à long terme. Après tout, l'histoire économique de l'Amérique latine a montré que dans le Nord, le dogmatisme était endémique et, en fin de compte, inefficace.

Quoi qu'il en soit, la communauté latino-américaine aurait tort de redouter un débat d'idées, suscité par l'illusion nébuleuse d'une reprise économique, ou de craindre la maîtrise extérieure de toutes les formes de la volonté politique internationale. Ni l'illusion ni la crainte ne peuvent contribuer à l'examen raisonnable et attentif qu'exigent les questions de politique économique.

NOTE

1. Les opinions exprimées ici le sont sous la seule responsabilité de l'auteur.

RÉSUME DU DÉBAT AU SUJET DES ÉCHANGES ET DE L'ENDETTEMENT

Yves Berthelot introduisait le débat au sujet des échanges et Jorge Gonzalez del Valle celui portant sur les problèmes de l'endettement.

Yves Berthelot soulignait que dans le passé les échanges avaient été un important moteur de la croissance et examinait leurs chances de continuer à jouer ce rôle dans l'avenir. Il envisageait d'abord les problèmes posés par le protectionnisme, puis la ventilation des échanges par produits et par orientation géographique.

Il faisait valoir qu'en moyenne les droits de douane en vigueur dans les pays de l'OCDE étaient tombés au cours des vingt dernières années de 18 à 6 pour cent. De ce fait, les obstacles non tarifaires avaient gagné en importance et l'on avait assisté au cours des dernières années à des reculs dans le domaine des textiles, de l'acier et des automobiles, sans que néanmoins l'élasticité de la demande d'importations de produits manufacturés s'en ressente gravement. Ce qui retardait la progression des échanges, c'était essentiellement la lenteur de l'expansion du commerce des matières premières et la chute des importations d'énergie, imputable à la forte hausse des prix relatifs et aux efforts techniques engagés pour remplacer ces importations par des sources d'énergie nationales. A une moindre échelle, ces processus techniques de substitution étaient également en partie responsables de la modération des autres importations de matières premières.

Un facteur qui aidait au maintien des échanges était la progression du troc (échanges compensés) organisé par des pays connaissant des difficultés de paiements, et qui représentait actuellement quelque 10 pour cent du commerce mondial. L'importance des échanges entre les sociétés transnationales et leurs filiales avait également contribué à contrecarrer les tendances protectionnistes. Le protectionnisme n'avait donc eu que des répercussions assez sélectives, avec des effets limités sur l'évolution du commerce mondial.

En ce qui concernait les échanges de produits agricoles, il n'était pas trop pessimiste, s'agissant notamment des perspectives d'ouverture des marchés au Japon et dans d'autres pays asiatiques. Pour les produits manufacturés, les perspectives étaient sans doute meilleures, les exportateurs du Tiers-Monde pouvant espérer une progression tant des biens intermédiaires que des biens de consommation finis. C'étaient peut-être les services qui offraient les plus grandes perspectives de croissance. Ces activités représentaient maintenant de loin le principal secteur de l'économie interne, mais 22 pour cent seulement des échanges internationaux. Il prévoyait de grandes possibilités d'expansion pour les exportations de services financiers, de tourisme, d'ingénierie et de services informatiques.

L'incidence de ces tendances mondiales variait selon les pays, d'une manière exposée avec plus de détails dans le rapport du CEPII (chapitre 6 ci-avant).

Edgard Moncayo Jimenez était plus pessimiste qu'Yves Berthelot en ce qui concernait l'Amérique latine. Tout d'abord, la plus grande partie de l'accroissement récent des exportations latino-américaines était destinée aux Etats-Unis, et résultait d'un déficit commercial qui n'était pas supportable à long terme. Les 40 pour cent des exportations latino-américaines qui étaient destinés à l'Europe n'avaient connu qu'une progression assez lente. Le Japon n'était pas pour l'Amérique latine un débouché important et les échanges au sein du sous-continent traversaient une crise grave. Dans le cadre du Pacte andin, ils avaient baissé de moitié depuis deux ans et des reculs analogues étaient apparemment enregistrés dans la région des Caraïbes. Si le Groupe andin s'efforçait de compenser l'évolution de ses échanges internes dans le sens de la conjoncture par la création de droits de tirage mutuels en «pesos andins», il restait à voir quel impact aurait cette mesure.

Il ne pensait pas que l'Amérique latine pourrait progresser rapidement dans le même sens que les NPI d'Asie, tels que la Corée et Taïwan, ou que le Japon. De manière générale, elle ne pouvait exporter que des produits de consommation légers et non des articles sophistiqués de haute technologie. Ses perspectives étaient donc médiocres.

Jacques Chonchol soulignait le tort causé aux exportations latino-américaines de produits alimentaires par le protectionnisme européen, et faisait valoir qu'il était souhaitable de permettre à l'Amérique de mieux couvrir ses besoins dans ce domaine, à l'abri de mesures protectionnistes. Eduardo Albertal rappelait la forte progression qu'avaient connue les exportations du Brésil vers les autres pays d'Amérique latine et soulignait la possibilité de maintenir ces courants d'échange, dans la période actuelle, par des mesures de compensation. Carlos Quijano considérait que l'on avait sous-estimé l'ampleur du protectionnisme des pays de l'OCDE et notamment les répercussions de la Politique agricole commune. Juan-Carlos Sanchez Arnau faisait valoir que la convention de Lomé conclue par la CEE contenait des dispositions discriminatoires à l'encontre de la plus grande partie de l'Amérique latine en ce qui concernait les produits tropicaux. Il disait également qu'il était difficile d'engager un débat au sujet des perspectives offertes par les exportations latino-américaines de services, ces dernières étant d'une grande diversité.

Si aucun des intervenants ne pensait que les échanges pouvaient suffire à résoudre les problèmes actuels de l'Amérique latine, tous semblaient considérer que d'un point de vue historique, par comparaison avec les années 30, par exemple, on aurait pu se trouver dans une situation bien pire si le protectionnisme s'était déchaîné comme il l'avait fait à l'époque. Les succès remportés par le Brésil sur de nouveaux marchés, pour des produits aussi divers que les avions et le jus d'orange, montraient qu'un pessimisme excessif n'était pas justifié.

En ce qui concernait les mouvements de capitaux, on en avait déjà beaucoup parlé au cours du débat consacré à la politique conjoncturelle de l'Amérique latine, dominée par le problème de l'endettement.

Les conclusions de ce débat se trouvaient corroborées :

a) le problème de la dette était d'une ampleur inégalée :
b) pour faire face à ses engagements, l'Amérique latine avait consenti de grands sacrifices de produit réel ;
c) le FMI avait joué un rôle utile en négociant des reports et des prêts involontaires ;
d) néanmoins, le principal espoir de beaucoup d'intervenants résidait dans une forte chute des taux d'intérêt et une politique monétaire et budgétaire des pays de l'OCDE pouvant aboutir à ce résultat.

On faisait valoir que le groupe de Carthagène, formé par onze pays d'Amérique latine, n'était pas un cartel de débiteurs qui demandaient aux pouvoirs publics des pays de l'OCDE de prendre en charge leurs engagements envers des banques privées, mais constituait une tentative d'établir un dialogue sur la question stratégique des taux d'intérêt. Jusqu'ici, cette tentative n'avait guère été couronnée de succès. Il était possible, bien entendu, d'améliorer la situation en encourageant les investissements directs de l'étranger et le rapatriement des capitaux qui avaient quitté l'Amérique latine, ainsi qu'en accroissant les prêts et les ressources de la Banque mondiale et de la Banque de développement latino-américaine, mais une action sur les taux d'intérêt était essentielle si l'on voulait parvenir à une solution respectant les règles du jeu.

On tombait d'accord pour considérer que le dialogue ouvert lors de cette réunion et de celle qui l'avait précédée, en octobre 1984, était extrêmement précieux pour éclaircir les possibilités effectives de politique économique et l'interaction des événements et des politiques entre la zone de l'OCDE, l'Amérique latine et la région des Caraïbes. Il était également évident que le système international de suivi de ces relations comportait des lacunes. Les *Perspectives économiques* de l'OCDE n'y prêtaient pas d'attention particulière, tandis que les études du FMI et de la Banque mondiale étaient consacrées à des interactions plus globales. On tombait donc en général d'accord pour souhaiter la poursuite d'un dialogue de ce genre.

LISTE DES PARTICIPANTS

INSTITUTIONS ORGANISATRICES

Centre de Développement de l'OCDE

Just FAALAND, Président
Jean BONVIN, Directeur de la Coordination
Giulio FOSSI, Chef de programme de la Coopération extérieure

Personnel de la Recherche

Martin BROWN
Dimitri GERMIDIS
Charles OMAN
Helmut REISEN

Comisión Económica para América Latina y el Caribe (CEPAL)

Norberto GONZALEZ, Secrétaire exécutif

Oscar ALTIMIR, Chef de la Division de l'Industrie

Luciano TOMASSINI
Programa de Estudios Conjuntos sobre las Relaciones
Internacionales de America Latina (RIAL)

Carlos OMINAMI
Office de Recherche Scientifique et Technique Outre-Mer (ORSTOM) et RIAL

Centre d'Etudes Prospectives et d'Informations Internationales (CEPII)

Yves BERTHELOT, Directeur
Véronique KESSLER

PARTICIPANTS D'AMÉRIQUE LATINE ET DES CARAÏBES

- Eduardo ALBERTAL
  Coordinateur général
  Programa de Estudios Conjuntos
    sobre Integración
  Ecónomica Latinoamericana
  Praia de Flamengo 116, 8° piso
  Caixa postal 740
  RIO DE JANEIRO, Brésil

- Carlos ALZAMORA (Pérou)
  (Ex Secretario Permanente, Sistema
    Económico Latinoamericano)
  9 Chemin de Bougerie
  Conches
  GENEVE, Suisse

- Fernando CALDERON
  Secretario Ejecutivo
  Consejo Latinoamericano de
  Ciencias Sociales
  Callao 875, 3º piso E
  1023 BUENOS AIRES, Argentine

- Jacques CHONCHOL
  Directeur
  Institut des Hautes Etudes de
  l'Amérique Latine
  28 rue St. Guillaume
  75007 PARIS, France

- Esperanza DURAN
  (El Colegio de Mexico)
  Royal Institute of International Affairs
  Chatham House
  10 St. James's Square
  LONDRES SWIY 4LE
  Royaume Uni

- Jean FORTIN CHERY
  Directeur des Affaires Economiques
  et de la Coopération
  Ministère des Affaires Etrangères
  PORT-AU-PRINCE, Haïti

- Mr. Jorge GONZALEZ DEL
  VALLE
  Directeur
  Centro de Estudios Monetarios
  Latinoamericanos
  Durango 54
  06700 MEXICO, D.F., Mexique

- Don MILLS
  11 Lady Kay Drive
  KINGSTON, Jamaïque

- Edgard MONCAYO JIMENEZ
  Miembro de la Junta
  de Acuerdo de Cartagena
  Casilla 3237
  LIMA, Pérou

- Arturo O'CONNELL
  Ministère des Affaires étrangères
  BUENOS AIRES, Argentine

- Germanico SALGADO
  Carlos Montufar
  Bellavista
  QUITO, Equateur

PARTICIPANTS DES PAYS MEMBRES DE L'OCDE

- Denis BAUCHARD
  Direction des Affaires Economiques
  Ministère des Affaires Extérieures
  37 quai d'Orsay
  75007 PARIS, France

- Colin BRADFORD
  Deputy-Director
  Centre for International
  Area Studies
  Yale University
  85 Trumbull Street
  NEW HAVEN, Connecticut 06520, USA

- Ben EVERS
  Director
  Development Research Institute
  Tilburg University
  Hogeschoollaan 225
  5037 GC TILBURG, Pays-Bas

- Emilio de la FUENTE IZARRA
  Instituto de Cooperacion
  Iberoamericana
  Avenida de los Reyes Catolicos 4
  MADRID 3, Espagne

- Christian HEIMPEL
  Director
  Institute für Allgemeine
  Uberseeforschung
  Stiftung Deutsches Ubersee Institut
  Neuer Jungfernstieg 21
  2000 HAMBURG, République
  Fédérale d'Allemagne

- Akio HOSONO
  Tsukuba University
  SAKURA MURA, Shinji-Gum
  Ibaraki Prefecture 305, Japon

- Weine KARLSSON
  Institute of Latin American Studies
  University of Stockholm
  S106 91 STOCKHOLM, Suède

- François LEGUAY
  Institut Economique et Juridique
    de l'Energie
  B.P. 47 X
  38040 GRENOBLE CEDEX,
    France

- David LEHMANN
  Centre of Latin American Studies
  University of Cambridge
  History Faculty Building
  West Road
  CAMBRIDGE CB3 9EF,
    Royaume-Uni

- Angus MADDISON
  University of Groningen
  Postbus 800
  9700 AV Pays-Bas

- Helen O'NEILL
  Director
  Centre for Development Studies
  University College of Dublin
  Arts/Commerce Building
  Belfield
  DUBLIN 4, Irlande

- Paolo PASCA
  Dipartimento della Ricerca
  Banca d'Italia
  Via Nazionale 91
  00184 ROME, Italie

- Ruth RAMA
  Centro de Informacion y
    Documentacion entre Europa
    Espana y América Latina
  Cea Bermudez 14, 4º B
    28003 MADRID, Espagne

- Roger YOUNG
  North-South Institute
  185 Rideau
  OTTAWA KIN 5X8, Canada

PARTICIPANTS DES ORGANISATIONS INTERNATIONALES

- Pascal ARNAUD
  DG-II/Affaires Economiques
    et Financières
  Berlaymont 782
  Communauté Economique Européenne
  200, rue de la Loi
  BRUXELLES, Belgique

- Gisèle DELHAYE
  Administrateur Principal
  Direction des Relations Extérieures
  Communauté Economique Européenne
  200, rue de la Loi
  BRUXELLES, Belgique

- Ambassador Mario MAGLIANO
  Istituto Italo-Latino Americano
  Piazza Guglielmo Marconi 26
  ROME EUR, Italie

- Pedro MALAN
  Office of Development Research
    and Policy Analysis
  United Nations Organisation
  1 United Nations Plaza
  NEW YORK, NY 10017,
  Etats-Unis

- Carlos N. QUIJANO
  Special Advisor to the Regional
    Vice-President
  Latin America and the Caribbean
    Regional Office
  International Bank for
    Reconstruction and Development
  1818 H Street, N.W.
  WASHINGTON D.C. 20433,
  Etats-Unis

• Jorge RUIZ-LARA
  Deputy Manager, Economic and
    Social Studies
  Economic and Social Development Department
  Inter-American Development Bank
  808 17th Street, N.W.
  WASHINGTON D.C. 20577, Etats-Unis

• Juan-Carlos SANCHEZ-ARNAU
  Consultant
  Istituto Italo-Latino Americano
  Piazza Guglielmo Marconi 26
  ROME EUR, Italie

• Vittoria SORDO
  Vice-Secretary for Economic
    and Social Affairs
  Istituto Italo-Latino Americano
  Piazza Guglielmo Marconi 26
  ROME EUR, Italie

ORGANISATION POUR LA COOPÉRATION ET LE DÉVELOPPEMENT ÉCONOMIQUES
2, rue André Pascal
75700 PARIS 16, France

Comité d'Aide au Développement
  Rutherford POATS, Président

Direction de la Coopération pour le Développement
  Richard CAREY, Directeur adjoint
  André BARSONY, Chef de la Division de l'Analyse et des Concepts politiques
  Bernard GODEMENT, Division de l'Analyse et des Concepts politiques

  Henri CHAVRANSKI
    Délégation française auprès de l'OCDE

  Timothy GEORGE
    Délégation américaine auprès de l'OCDE

  David LAZAR
    Délégation américaine auprès de l'OCDE

OECD SALES AGENTS
DÉPOSITAIRES DES PUBLICATIONS DE L'OCDE

PUBLICATIONS DE L'OCDE, 2, rue André-Pascal, 75775 PARIS CEDEX 16 - N° 43774 1986
IMPRIMÉ EN FRANCE
(41 86 07 2) ISBN 92-64-22887-X